桐光学園大学訪問授業

高校生と考える日本の論点2020-2030

左右社

第4章 世界の歴史から学ぶ

第5章 文学が社会にもたらすもの

第6章 ないものを創り出す

何をどのように学ぶのか

桐光学園中学高等学校校長　中野浩

従来の教育は何をどのように教えるのか、という教員主体のあり方が主流でした。ほとんどの教科は、一つの正解にどのようにたどり着くのかをプロの教師が生徒たちに示すことで、成立していました。もちろんこのあり方は、教科の基礎力、さまざまな価値観を養ううえで大きく寄与してきました。しかし、複雑さや不透明さを増し続ける現代社会において、さまざまな問題は、必ずしも答えが一つとは限らず、複数の答えが考えられるもの、また、答えが見出せないものもけっして少なくありません。したがって、何をどのように教えるのか、という教育のあり方とともに、何をどのように学ぶのか、という生徒主体のあり方をいかに教育現場に落としこんでいけるのかという視点が求められると思います。桐光学園では、男女別学や講習制度、海外語学研修等々、さまざまなプログラムを通してその体現化を実践してきました。

「大学訪問授業」という企画もそのような考え方に基づいて始められました。平成十六年度から私が関わり始め、このような書籍の形でまとめられたのが平成十九年度からです。今回出版されるこの本で十三冊目となります。「大学訪問授業」は、さまざまな分野で顕著な活躍をされている先生方をお呼びして、中学一年から高校三年までの希望生徒に講義していただく形をとっています。事後の生徒たちの感想をきくと、中学一年生の「講義の内容はよく理解できなかったけれど、先生が楽しそうに話していたのが印象的でした」というものから高校三年生の「将来大学で学びたいことが明確になった。先生の著作を読んでみたい」というものまでその多様性に驚かされるとともに、生徒それぞれが何らかの刺激を受けていることを実感します。

最後になりましたが、講演依頼を快く引き受けて下さり、熱い講演をしていただいた先生方に深く感謝いたします。読者の皆さんには、ここに収められた二十一の刺激を堪能していただきたいと思います。

第1章

「私」の居場所

主題は「移動」

沢木耕太郎

さわき・こうたろう＝ノンフィクション作家、小説家。一九四七年生まれ。東京都出身。横浜国立大学経済学部卒業後、若き自衛官の生き様を描いた「防人のブルース」でデビュー。一九七九年『テロルの決算』で第十回大宅壮一ノンフィクション賞。一九八二年『一瞬の夏』で第一回新田次郎文学賞。二〇〇三年に一連の著作活動で第五十一回菊池寛賞。著書に『キャパの十字架』『旅する力』『凍』など多数。

僕にはひとつ誇りにしていることがあります。それは、中原誠▼、羽生善治、藤井聡太、この日本棋界で最も偉大な、あるいは最も有名な棋士三人が、僕の作品である『深夜特急』を愛読書にしてくれていることです。『深夜特急』は単純に言うと、インドのデリーからイギリスのロンドンまで、バスに乗って旅した記録です。この近所を走っているような乗り合いバスを乗り継いで、インドのデリーからイギリスのロンドンまで行けるかどうか、友人と賭けをした。これが『深夜特急』の表のテーマです。実際、読者の多くは本当にそんなことができるのかと思って、読んでくれている部分もあるようです。

しかし、その裏にもうひとつ、僕自身のテーマがあったのです。それは何だったのか。僕が『深夜特急』の旅に出た本当の理由について、今日は話をしようと思います。そのためにはまず、僕自身のことを話さないとよくわからないかもしれません。

僕は高校で、いろいろなクラブ活動や行事をする一方、アルバイトをして、そのお金で長い休みには一人で旅をしたり、とても忙しかった。それでも、学校の成績は悪くありませんでした。授業中に、先生が「これがこうだよな」というと、「うん」と頷いてあげる生徒が教室に一人や二人いるでしょう。僕はその頷いてあげる係でした。先生が言ったことに頷くには授業をよく聞いて理解しないといけません。そのおかげで、成績は割と良かったのです。

高校三年のときには、わざわざ受験勉強しなくても入れる学校へ行こうと思って東大、横浜国大、慶應の経済学部、駿台予備校の午前部、この四つを受験して、東大以外は受かった。さてどうしよう、と。

▼中原誠
元・棋士。一九四七年生まれ。十六世名人および永世十段、永世王位、名誉王座、永世棋聖の五つの永世称号を有し、現役時代より「永世」を名乗った。一九六七年度に打ち立てた勝率記録〇・八五四五は現在まで破られていない。二〇〇九年引退。

大学選びと劇団四季

このときが、最初の人生の岐路でした。駿台予備校に行きもう一度東大を目指して浪人するか、慶應に行くか、横浜国大に行くか。僕の家は経済的に豊かではありませんでしたから、大学の授業料は自分で出そうと決めていました。信じられないかもしれませんが、当時の国立大学は授業料が月千円▼で、つまり年間一万二千円、大学四年を四万八千円で卒業できた。慶應はもうちょっと高くて、十万単位。それで横浜国大に行こうと決めたわけです。これがのちの僕の人生にとって、非常に重要な決断になりました。

横浜国大では充実した学生生活を過ごして、四年生の半ばごろ、先輩に言わ

▼大学の授業料が月千円
年次統計によると、沢木氏が大学に入学した一九六六年の国立大学授業料は年間一万二千円。同年、慶應義塾大学は学費を十三万円から二十八万五千円へ引き上げると発表。学生側がこれに反発し、学費値上げ反対闘争の端緒となった。

れるままに会社訪問に行くと企業受けが良かったのか、すぐに内定が出たのです。ちょうどそのころ、劇団四季▼を目指している役者志望の友人がいました。当時、劇団四季では役者志望者にもペーパーテストを課していました。その友人が「俺の隣で試験を受けて、答えを見せてくれないか」と言うのです。受験料は彼が出してくれると言うから、僕は「いいよ」と引き受けました。ただ、僕は俳優になるつもりはなかったので、演出部門に出願してもらった。

試験当日、会場の日生劇場に行くと、なんと俳優部門と演出部門は試験場が別だったんです（笑）。その結果、彼は落ちて僕は受かった。筆記の次は面接です。面接には劇団四季の責任者である浅利慶太▼さんがいて、「うちの演出部に来るんだったら、十年間は大工の見習いをやるようなつもりで来ないとだめだよな」と仰る。演出は最初、助手の助手からはじまって、その雑用を十年間は我慢しなくてはいけない。僕は「それなら結構です。僕の義理の兄貴は大工だから、見習いをやるならそっちに行きます。ここで十年、大工の丁稚（でっち）をやるつもりはないです」と言いました。そしたら浅利さんが、「お前そんなこと言ったってなあ」と言ったきり黙っちゃった。これで僕は落ちたと思ったけれど、なんと合格したのです（会場笑）。

役者にも演出家にもなるつもりはなかったけれど、劇団四季の演出部は面白いし、しばらく暇だから付き合おうと思って、当時稽古中だった芝居に演出助手の助手としてつくことになりました。

▼劇団四季
一九五三年結成の演劇集団。創立メンバーは浅利慶太、日下武史、吉井澄雄ら十名。ジャン・アヌイ『野生の女』やジャン・ジロドゥ『オンディーヌ』をはじめ、『キャッツ』『コーラスライン』等のブロードウェイ・ミュージカルで絶大な人気を誇る。現在約千三百名以上のスタッフと七つの常設劇場を有している。

▼浅利慶太
演出家、実業家。一九三三年生まれ。慶應義塾大学仏文科在学中に劇団四季を結成。演出家として、『ウェストサイド物語』『ライオンキング』などの翻訳上演やオリジナルミュージカル「昭和の歴史三部作」などを手がけた。中曽根政権では文化行政のブレーンとなった。二〇一八年没。

普段の稽古には浅利さんはいらっしゃらず、演出助手が役者さんに芝居をつけるわけです。そして本番が近づいたころ、はじめて浅利さんが稽古場へ来て「やってごらん」と芝居をやらせる。見終わると、ばーっと芝居を変えていく。そしてもう一度やると、これが残念なことに素晴らしく良いわけ。何十年も経験のある四季のトップ2、3の演出助手が何十日もつけた芝居が、浅利慶太が来てたった一日で、まったく見事に変わってしまう。それを見た瞬間、「ここに長くいてもしょうがない、いくらがんばっても浅利慶太以上の存在に、この劇団四季でなることはできないだろう」と判断して、その翌日にやめました。

僕が書き手になった何年も後に、浅利さんとお会いした際、「お前、四季にいたんだってな、どうしてやめたんだ」と聞かれました。僕は、浅利さんの芝居の直し方を見て、こんな所にいたらうだつがあがらないと思ったんです、と言ったら、浅利さんは「うん、それは正しい」(会場笑)。

傘をさして歩くのが嫌だった

冗談で入った劇団四季をやめたころには、三月が近くなっていました。いよいよ就職先を選択しなきゃならない。だけれど、当時はいまほど内定がきつくなかったので、就職先を絞らないまま二、三月を過ごしていたら、僕たちの学校で大学紛争があって、卒業が全員二カ月遅れてしまったのです。

その結果、ある内定先の初出社が七月一日になった。ちょうど梅雨の季節で雨が降っていました。当時、東京駅の向かいの中央郵便局のそばに長い横断歩道があって、その横断歩道を傘をさして渡っていたら、「何か、いやだなあ」と思えてきたんです。それで「あ、やめよう」と思って、そのまま丸の内の会社に行って「すいません、やめます」と言って、やめました。

「雨が降っていて、傘をさして歩くのがいやだった」という理由は、半分本当で半分嘘で、僕は自分の人生の決定をもう少し遅らせたい、もう少し考えたいと思ったのです。いまここを渡って会社に行って、人事のひとに配属を聞いてしまうと、もうそこから何十年かある生き方をしなきゃならない。そうやってこれからの人生が決まっていくのは何か違うんじゃないか。もう少し右往左往したいと思ったのでしょう。それで会社をやめた。

「ルポルタージュ？」

その間ずっと大学の先生が、いい加減な性格の僕を見守ってくれていました。僕の先生は、大学をやめられてから神奈川県知事になった長洲一二（ながすかずじ）▼です。先生は僕を心配して「ちょっと研究室に来ないか」と電話をくれたのです。会社をやめた僕は大学院に行こうと思っていました。しかし長洲先生は「君は大学院に向いていない、もっと自由な世界が向いていると思う」と。続けて先生は「何

▼長洲一二
経済学者、政治家。一九一九年生まれ。横浜高等商業学校（現・横浜国立大学）、東京商科大学（現・一橋大学）を経て、海軍経理学校を卒業するも程なく終戦を迎え、横浜国立大学教官に就任。マルクス主義経済学などを講義し、評議員や学部長を歴任した。七四年に依願退官し、神奈川県知事選挙に出馬し初当選。五期二十年を務めた。知事在任中には「地方の時代」「民際外交」を訴えた。一九九九年没。死没に際して、沢木氏は日本経済新聞に「最初の人」と題した追悼文を寄せている。

か文章を書いてみないか」と言ったのです。

僕は大学を卒業するとき、アルベール・カミュについての卒論を書きました。経済学部の卒論で作家論なんて書かれても困ると言ってもいいのに、先生は「君が一番やりたいことをやるのがいいだろう」と許してくれた。その上、「経済学部の卒論としては本当に困った作品だけど、一篇の文章として読めばとても面白い」と、とても良い成績をつけてくれた。

そこで先生は、「何か文章を書いてみないか」と言ってくれたのです。先生に「どんな文章が書けるかい」と聞かれて、僕は「ルポルタージュなら書けそうな気がします」と答えました。

でも僕は小説は沢山読んでいたけれど、ノンフィクションはほとんど読んでいませんでした。では、なぜルポルタージュなんて言葉が出てきたのか。

会社に出社するために傘をさしていく前夜、自分は就職していいのかな、ここで人生を決めちゃっていいのかなとずっと考えていました。考えながらラジオでオールナイトニッポンを聴いていました。

すると、ラジオに出ているゲストが「先日、ラスベガスに行って博打をやっていたんですよ」と話をはじめ、「先月はモナコに行って博打をやっていたんです」。さらに「この間、マカオに行って博打をやってきました」と言う。そのゲストが退出するとき、アナウンサーが「いまのは友人のルポライターです」と紹介したのです。それまで僕はルポライターなんて言葉も知らなかった

▼アルベール・カミュについての卒論
「アルベール・カミュの世界」『作家との遭遇　全作家論』新潮社（二〇一八）所収。

▼ルポルタージュ
仏語で報告や記録を意味するreportageに由来。第一次世界大戦後に提唱された、社会の出来事を報告者の作為を加えずにありのままに叙述する文学様式。ジョン・リード『世界を揺るがした十日間』やエドガー・スノー『中国の赤い星』などが代表的。日本では開高健『ベトナム戦記』、小田実『何でも見てやろう』など。ノンフィクションの一分野とされることも多い。

し、ルポルタージュについてもよく知りませんでした。しかし、しょっちゅうカジノで博打をやってるなんて、面白いなあと思ったわけです。

先生に「何か書く気はないか、どんなものだったら書けるか」と聞かれたとき、そのラジオを思い出した。それで「……ルポルタージュ」と言ったら先生が、「お、それはいい。いま、ルポルタージュの若い書き手がいないから、面白いかもしれない」と早速、雑誌と編集者を教えてくれました。その後すぐに編集者のほうから電話がかかってきて会ってくれたのです。

僕はまだ二十二で、大学を卒業して会社を一日でやめて、と右往左往している状況でした。それでも、その編集者は「こういうテーマで書けませんか」と言ってくれた。それは若い自衛官たちの一種の人生観、生きがい感覚についての原稿でした。僕はまったくルポルタージュなんて書いたこともなかったけれど、もしかすると書けるかもしれないと思って、「わかりました」と取材をはじめました。でも、取材の仕方もわからない、名刺もないし、何にも知らなかった。

とにかく若い自衛官たちに会わなきゃならないと考えて、いきなり自衛隊の内局に行き、「すみません、取材できませんか」と尋ねたのです。返し忘れた学生証が一枚あるだけのやつが取材に来て、自衛隊もすごく驚いたと思いますが、取材の依頼は軽くあしらわれてしまった。その帰りに、駅で電車を乗り換えようとしていたら、制服を着た若者たちの集団が見えました。もしかしたら防衛大学校の制服かもしれないと思って「君たち防大の学生かい」と聞くと

「そうです」。そのまま彼らと一緒に、横須賀の先にある彼らの宿舎まで行って、親しくなって、そこから全てが開けた。彼らからいろいろなひとを紹介してもらうことができて、それを元にして原稿が書けた。▼編集者も素人の学生みたいなやつが書き上げてきたから、驚いた。そこからさまざまな依頼が来るようになりました。二十代でノンフィクションを書いているひとはほとんどいませんでしたから、珍しかったのでしょう。週刊誌の連載をしてくれとかテレビのキャスターをやってくれとかいろいろな仕事が、わっと来た。

▼原稿が書けた　「防人のブルース」『地の漂流者たち』文春文庫（一九七九）所収。

　さまざまな仕事をするなかで僕が感じていたのは、このままアウトプットを続けたら、あっという間に干からびるだろう、ということでした。どこかでインプットをしないといけない。でも、どうインプットしたらいいのか、わかりませんでした。ところが二十六ぐらいのときに、「移動」だ、「旅」だと思ったのです。ここにいたら、このまま仕事を引き受けて、そして自分の持てるものを全部アウトプットして干からびて空っぽになってしまうだろう。それを遮断するには、ここから出て行かなきゃならない、移動しよう。そう思って『深夜特急』の旅に出たのです。

遠くで自分を手に入れる

デリーからロンドンまでバスで行けるか、は重要なテーマでしたが、そのもうちょっと奥には、このままでは多分だめだろう、インプットできるものを手に入れなくてはいけないという気持ちがあったのだと思います。実際に旅に出て、思いもかけないさまざまなことを学ぶことができました。

たとえば、僕は英語をまったく喋れませんでした。『深夜特急』の旅に出る前に、日本の最も有名な建築家の一人である、磯崎新▼さんと奥様とハワイに行って、一緒に時間を過ごす経験をしました。僕にとっては初めての海外で、レストランに入ってもウェイターに何を言われているのか、全然わからない。すると、磯崎新さんの奥様の宮脇愛子▼さんが「サラダにどんなドレッシングをかけるのかを聞いているのよ」と教えてくれた。僕はとっさに「Is there French dressing?」と聞いたのです。しかし、彼も僕が何を言っているのか全然わからない。

見かねた愛子さんが「そういうときはhaveを使うのよ」と。僕が「Do you have French dressing?」と聞くと、ウェイターは「No」と答えてくれた。

そうなんだ、haveを使えばいいんだと、初めて学んだ。だから、『深夜特急』の旅でも、とにかくhaveをやたらに連発しました。それで本当に旅ができる。あと三つくらいの動詞を知っていれば通じていくのです。あるいは中国人や華僑がいる所では漢字を連ねれば、大体の意思疎通ができる。そうしたことを、一個一個学んでいきました。

▼磯崎新
建築家。一九三一年生まれ。東京大学工学部建築学科卒業後、戦後日本を代表する建築家、丹下健三の研究室に所属する。独立後、つくばセンタービルやロサンゼルス現代美術館、由布院駅駅舎などポストモダニズム建築の旗手として活躍。二〇一九年に、「建築界のノーベル賞」と呼ばれるプリツカー賞を受賞。

▼宮脇愛子
彫刻家。一九二九年生まれ。文化学院入学後、カリフォルニア大学留学を経て、一九五九年初個展。以後、パイプやワイヤーを用いた金属彫刻を制作。《うつろひ》シリーズは代表的な作品群であり、夫の磯崎新設計の岡山県奈義町現代美術館にも収蔵されている。二〇一四年没。

「旅人は尋ね、自由になる」

旅をするうえで最も大事なことは、尋ねることです。わかっていても尋ねる。尋ねると世界が広がる。尋ねるとそこで何かが生まれる。たとえば「ここから駅までどう行ったらいいですか」と尋ねるとします。すると、親切なひとは駅まで連れて行ってくれるでしょう。連れて行ってくれる間に話が広がるかもしれない。口頭で教えてくれるだけでも、もちろんいいよね。あるいはそのひとに言葉が通じなかったりしたら、きっとその周りのひとが何か助けてくれます。僕の経験上、英語が簡単に通じない所は、暇なひとがいっぱいいる地域です。ですから、尋ねたひとがきっと大騒ぎしていろいろと助けてくれる。そういうことを旅をしていくなかで一個一個学んでいくわけです。

出発地のインドだけでも、とても大事なことを学びました。インドではご飯を手で食べます。お箸もスプーンもフォークも持たなくて済む。それからトイレで紙を使わない。どうするか。手で拭く。それはウォシュレットより遥かに気持ちが良いのです。自分の手ってやわらかいじゃないですか、無限に。

インドで、手でごはんが食べられるようになって、手で拭けるようになった。するとモノから解き放たれて、とても気持ちが良いのです。行く先々で泊まる所が無いと地べたで寝ることになります。広場で現地のひとと一緒に寝ると土は温かくて、とても気持ちが良い。野宿ができるようになって、また一つ自由になった。貧しい地帯を旅していると物乞いのひとに出会います。僕は「この子ひとりにお金を恵んであげてもこの貧しい状態はまったく変わらない」と思って、何もあげていませんでした。しかし、僕より金のないオランダ人のバックパッカーが、子どもたち三人に「お金ちょうだい」と引っ張られて、ポケットから小銭を出して三人にあげちゃったんですよ。彼は本当に金がなくて誰かがクッキーを落とすと拾って食べるようなやつだったんだけど、子どもたちに言われて、なけなしの小銭を四つに分けた。そして自分に一つ、あと三つを子どもたち一人ずつにあげた。

ああそういうことか。僕はいままでひとりにあげたってこの子たちの人生は変わらないんだからと言ってきたけれど、それは単に僕がケチだってことに過ぎないじゃないか。あげたかったら彼みたいにあげればいい、それで自分のお金が無くなったら彼みたいに拾って食べればいい、と気がつく。

『深夜特急』の旅を終えて、僕はどこで生きたっていいし、どこでも生きられる自信を手に入れました。で、それは自分が移動して、旅をしなければ手に入れられなかったものだと思うのです。

「背丈を知る、背を高くする」

旅の効用は、自分の背の高さを知らせてくれることです。自分には何ができて、何ができないか。自分はどのくらいの力量しかないか。旅をしているとよくわかります。精神的、人間的な背丈がわかるのです。重要なのは、その人間としての背丈をどう高くするかだろうと思います。どうすれば自分の背丈を、高くすることができるのか。

旅をすること。移動すること。ここではない所に行って身を置くこと。それによって自分の背丈が測られて、その背丈に足りないものを補おうと思う。とにかく、ここではない所に行ってみる。外国じゃなくてもいいし、日本の国内でもいい。いまある場所から離れる。それが自分の背丈を認識する一歩です。そして、その背丈を高くするのもやっぱり移動すること、旅をすることです。旅がそのひとの背丈を高くする理由の一つは、予期しないことが起きるからだと考えます。思いも寄らないこと、思いがけないこと、予期しないことに遭遇したときに自分はどう振る舞うか。それを一回一回試されて、乗り越えていく。それによって、ほんの少しずつだけれども背丈が高くなると思うのです。

「孤独ではない」

みなさんは、「ソロ」という単語を聞いたことがあると思います。ソロ、ソリストとか言いますよね。登山家にもソロ、単独で山を登るひとがいます。僕の作品の『凍』は、ソロクライマーの山野井泰史(やまのいやすし)▼さんのヒマラヤ登山を描いた

▼**山野井泰史**
登山家。一九六五年生まれ。中学三年で日本登攀クラブに入会。高校卒業後からアメリカ・ヨセミテのエルキャピタン・ラーキングフィアなどに登る。卓越したソロクライミング技術で世界屈指のクライマーと言われる。二〇〇四年にはヒマラヤ・ギャチュンカン北壁の単独登頂に成功したが、帰途、登山家の妻・妙子とともに雪崩にあい、手足の指十本を凍傷で失った。同年朝日スポーツ賞。二〇〇六年、妙子とともに植村直己冒険賞。著作に『垂直の記憶』。

ものです。僕は、高尾山に登ったくらいなんだけれど、『凍』を書くにあたって、山野井さんが登ったチベットのギャチュンカンにちょっと行ってみたいと思っているとと山野井さんが「じゃあ一緒に行ってみますか」って。「僕、高尾山しか登ったことがないけど、平気ですか」と言うと「じゃあ今度、富士山登ってみましょう」。それで山野井さんと一緒に富士山に登りました。当時まだ富士山頂には観測所があり、かつて山野井さんがそこでアルバイトをしていた縁で、みんなで僕らを歓迎してくれたのです。観測所で血中にどのくらい酸素が取り込めているかを測ると、「沢木さんは血中酸素濃度が高いから、わりと高い山でも平気なんじゃないかな」と言われました。それでヒマラヤに行った。

怖かった。すごく怖かった。細い道の片側は崖、みたいな所で前に山野井さんがいて「そこに右足置いて、で、左足をちゃんと置かないと落ちますから」。落ちたら死ぬわけじゃないですか。そんなギャチュンカンの五、六〇〇〇メートルの所まで彼と一緒に行動して、彼の生き方や考え方を知るうちに「ソロ」という言葉が僕のなかでイメージとして、とても濃くなっていったのです。

これまで自分は何をやっていたか。会社に行くのをやめてフリーランスになり、仕事が増えすぎたときに逃げ出して『深夜特急』の旅に出て、何をやっていたのか。それは要するに、ソロ、一人で生きてゆける力を身につけるために、いろいろなことをやっていたのかなという気がするんですね。

けれども、人間はたった一人では生きられないから、パーティを組む。たと

▼**ギャチュンカン**
中国では格仲康の字をあてる。ヒマラヤ山脈中部、クーンブヒマール（エベレスト山群）の高峰。ネパールと中国チベット（西蔵）自治区との国境をなす稜線上に位置する。標高七九二二メートル。一九六四年、日本の長野県山岳連盟隊が初登頂に成功した。

えば結婚して家族をつくる。これはパーティです。あるいは企業でもパーティを組まなければ成立しません。ソロとして力のあるひとたちがゆるやかなパーティを組めば、そのパーティは素晴らしいものになるけれど、パーティに依存するひとがいると、そのパーティは弱くなる。ですから仮に会社に入っても、万が一、予期しないことが起きたときにソロで生きられる自分を作っておく必要がある。僕は長い年月をかけてソロで生きられる自分を作って来たのだと思います。

ソロで生きることとは、仕事が一人でできることなどではまったくありません。ソロで生きることとは極端に言うと、何でも一人でできることです。僕は結婚するまで家事はほとんどできませんでした。それを見て可哀想だと思ったうちの奥さんに、料理を作ること、アイロンをかけること、片付けることを何十年にもわたって仕込まれて、僕は本当に何でもできるようになった。それは文章がうまいとか、そういうレベルではありません。

もしこれから君たちが大学生になって一人で暮らす場合にも、家事は生きることの基本です。それはソロで生きていくための必須の条件でもある。仕事がソロでできると言って偉そうにしているのはまだ半端で、どのようにしても一人で生きられなければソロとは言えません。好きなひとがいるから、家庭という形でゆるやかなパーティをもつ。だけど、その根底にはいざとなればソロで生きられる力をつけていることが必須の条件になります。みなさんには、まだまだ先の話のように思うかもしれないけれど、いずれはソロで生きることになります。どんな状況になってもソロで生きられるように自分を鍛えていく、その鍛え方をいまのうちから考えておくといいと思うな。旅をする、スポーツをする、その他諸々のことをする。それらは何かに属するためのものではなくて、自分が一人で、ソロで存在できるためにやることなのだと強く意識したら、すごく良いんじゃないかと思います。僕の基本的な話はこれで終わります。

Q&A

——作文を書く際に、どうしてもありきたりの文の羅列になってしまいます。どうしたら良い文章が書けるでしょうか。

詩人の立原道造▼はソネットと呼ばれる定型詩を書いています。彼は建築家でもあって、画板に大きな紙を置いて詩を書く。たとえば一行目を消して最終行に移動させる。そうやって文章の見取り図を作って、入れ替えながら彼は詩を書いていた。僕はそれをほとんど真似しました。

長い文章を書こうと思わなくていい。自分で思いついた断片を羅列していくと、文章の構成が視覚的に見えてくる。それを並べかえて、接続詞をつけていけば、長い文章になりますよね。断片を繋げて、あるいは繋げずに、そこに何かを見ていると補うべき単語が見えてくる。それを積み木細工のように移動させていくと、文章は成立します。やってみてください。

▼立原道造
大正時代、四季派を代表する詩人のひとり。音楽的で繊細な独自の抒情詩を残した。一九三九年、詩作と建築とで才能を見せはじめた矢先、結核のため二十四歳で夭逝した。

わたしの思い出の授業、思い出の先生

中学3年のとき、新しく担任になった女性教師が、クラスのみんなに、1週間だけ日記を書いてきてほしいと言った。それを読めば、君たちのことが少しはわかるかもしれないから、と。

私はそれまで日記などというものを書いたことはなかったが、仕方なく薄いノートに1週間分の日記を書いて提出した。しかし、それは、私にとって生まれて初めて、ひとに読ませるための文章を書くという経験になったのだ。

担任の先生は、その薄い日記帳に書かれた事項に対して、小さな赤い字でいろいろな感想を書き記して戻してくれた。そのとき、なるほど、ひとはこんな風に読んでくれるのかと新鮮な驚きを覚えた。

もし、このときのことがなかったら、現在のような、文章を書いて暮らすという私の人生はなかったかもしれない。

わたしの仕事をもっと知るための3冊

沢木耕太郎『旅する力 ── 深夜特急ノート』(新潮文庫)

沢木耕太郎『キャパの十字架』(文春文庫)

沢木耕太郎『銀河を渡る ── 全エッセイ』(新潮社)

天然知能の時間

郡司ペギオ幸夫

ぐんじ・ぺぎお・ゆきお＝理学者。一九五九年生まれ。早稲田大学理工学術院基幹理工学部表現工学科教授。東北大学理学部卒。理学博士。一九九九年神戸大学教授を経て二〇一四年より現職。価値を客観化できない徹底した個別性をテーマとする。著書に『時間の正体』『群れは意識をもつ』『生命、微動だにせず』『天然知能』など。

今日は「天然知能の時間」というテーマでお話しします。

いま人工知能が大流行りです。人工知能は、ある条件のもとで問題と解答の間を一致させることで成り立っている知能です。そうした人工知能的な問題と解答をめぐる繋がり方、それに断定口調にも、僕は違和感をもっています。僕が提唱している「天然知能」では、問題に対して解答を与えたつもりの断定口調にはなりません。天然知能では、答えは一つではなく、これでいいのかというツッコミがつねに入る。

人工知能では、問題に対して解答を得る方法は計算です。一方、認知や知覚は計算によって成立しません。それは経験によって成立するのです。そういったものをきちんと考えていきたいというのが、天然知能を提唱したきっかけです。

マルセル・デュシャン▼という二十世紀初頭に活動した美術家がいます。女装癖があって、ローズ・セラヴィという名で写っている写真が残っています。作品としては「チョコレート粉砕器」という油彩画。有名なのは小便器に「泉」▼

というタイトルをつけた作品です。そのときは、R・マットという偽名でサインをしている。この作品は会場からすぐに撤去されます。理由は、ひとつは、不衛生であることです。もうひとつは、既製品で作家の手が入っていないのではないか、というものです。作家のオリジナリティがないというので出品を却下されてしまうのです。

しかしデュシャンにとって、そうした批判は織り込み済みで、作品が却下されることを予想し、それに反論するためにわざと偽名を使ったのです。デュシャンは偽名ではなく、自身の名で新聞や雑誌で反論を展開します。

▼マルセル・デュシャン
美術家。一八八七年生まれ。現代美術の先駆者。「レディ・メイド」と呼ばれる既製品による作品を発表した。一九六八年没。

▼「泉」

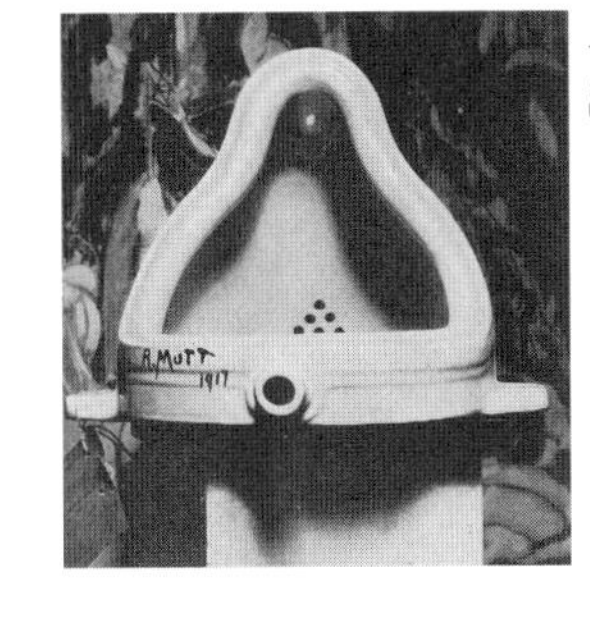

「デュシャンが問題にしたこと」

デュシャンの反論はこうです。不衛生と言うが一度も使っていないのでまったく衛生的である。また作家のオリジナリティがないと言うけれど、タイトルを見て言っているのか。「泉」というタイトルで何を描くかが作家のオリジナリティなのだと。自分は意識してこの小便器を選んだ。だから、この作品にはオリジナリティがあるのだというのがデュシャンの主張です。

作品「ローズ・セラヴィ、何故くしゃみをしない？」は、鳥かごみたいなもののなかに角砂糖がいっぱいある。角砂糖はじつは大理石でできています。甲イカの骨が鳥かごからはみ出しているのですが、その材質は大理石と同じ石灰質です。この作品に対してもさまざまな解釈があります。タイトルにある「ローズ・セラヴィ」とは、女装をしたときのデュシャン本人のことです。

作品「彼女の独身者たちによって裸にされた花嫁、さえも」（大ガラス）も有名です。これについてもさまざまな解釈がある。一九五〇年代に行った講演でデュシャンは、作家の意図と鑑賞者の評価の間には大きなギャップがあって、作品になった瞬間にどう見られるかは作家の意図と関係なくなってしまうと語っている。その意味では、「泉」は作家の意図と鑑賞者の評価とのギャップをはじめから内包している作品です。意図は「泉」、実践し実現されたものは小便器。このギャップは埋めようがない。

この意図と実現の問題について、彫刻を例にして考えてみましょう。彫刻家は人間の像を作りたいと考えている。目の前にあるのは木の塊。ここには大きなギャップがあります。彫刻家は木を彫っていくなかで意図と実現を一致させ、作品が完成したとき意図が実現されたとみるわけです。

これがそれまでの芸術の考え方でもあったのですが、デュシャンは意図と実現のギャップこそがアートだと考えた。「泉」を見たひとはなぜこれがアートとして成立するのか、なぜ小便器が泉なのかと、そのひとなりにアート概念にさまざまなものを招喚させる。そこでなんとなくわかったという気持ちが降りてくる。そうしたものこそがアートだとデュシャンは主張する。見ている者の鑑賞のあり方そのものをデュシャンは問うた。

われわれの通常の知覚は、一言でいえば「百聞は一見にしかず」です。たとえば「椅子とは何か」と問われれば、目の前に椅子を出されれば、それが椅子だとわかる。普通はそれで思考を停止してしまう。しかし、それでいいのか、といったことまでデュシャンの作品は問題にしているのです。

宮沢賢治の開いた思想

宮沢賢治▼に「なめとこ山の熊」という童話があります。なめとこ山に熊がいて、猟師の小十郎が熊に申し訳ないと思いながら熊を撃っているのです。熊の皮と胆を町で売るのですが、買い叩かれて苦しい生活を送っている。熊のほうはそんなどんくさい小十郎が好きなのです。彼が山にやってくると上のほうから眺めている。一見楽しそうな関係です。しかし、熊撃ちと熊ですから、出会ったら殺す／殺されるの関係になる。

ある日、小十郎が大きな熊と出会うと、熊が「二年ばかり待ってくれ」と懇願する。いまはやる仕事があるので、「二年目にはおれもおまえの家の前でちゃんと死んでいてやるから」と約束する。小十郎はそれで撃つのをやめる。二年経つと、その熊が小十郎の前に現れて血を吐いて倒れて、約束を果たす。最後は、小十郎が大きな熊とばったり出会ってしまって、熊が小十郎を殺してしまう。熊は「おお小十郎おまえを殺すつもりはなかつた」といい、小十郎は青い

▼宮沢賢治
童話作家、詩人。一八九六年、岩手県花巻生まれ。花巻農学校教諭ののち農民指導のために羅須地人協会を設立。童話に『銀河鉄道の夜』『風の又三郎』『どんぐりと山猫』など。生前刊行されたのは詩集『春と修羅』と童話集『注文の多い料理店』のみ。没後、草野心平らの尽力によって作品が広まった。一九三三年没。

星のような光を見て「これが死んだしるしだ。死ぬとき見る火だ。熊ども、ゆるせよ」と思う。熊たちは小十郎を山のいちばん高いところに置く。ナレーションのような文章が入って、「思いなしかその死んで凍えてしまった小十郎の顔はまるで生きてるときのように冴え冴えして何か笑っているようにさえ見えたのだ」と結ばれます。

熊と小十郎は「殺す／殺される」の関係にある。ここまで「意図と実現」とか「問いと解決」という言い方をしましたが、熊と小十郎にはそうした関係は成り立たない。「殺す／殺される」は、出会ったらどちらかがいなくなる関係、つまり排他的な関係です。この条件がきっちりと敷かれるところでは、どちらかがいなくなるしかない。これは生態というものの現実です。これを認めることは、ある種のエコ思想につながっていきます。生態系の思想は、一人ひとりの生存より、大局的な見地を重要視するからです。エコ思想は、外部というものを考えない、閉じた思想です。

それに対して「なめとこ山の熊」はそうなっていない。熊は殺されようとしたときに「二年ばかり待ってくれ」と頼む。熊も小十郎の亡骸を弔うかのようにみんなでひれ伏している。殺す／殺される関係を前提としながら、そうした関係が無効になるように、熊と小十郎はやりあっている。閉じた生態系の世界では考えられないような、二項対立の世界から逸脱した外部がやってきているのです。この外部が知性にとって重要なのだと僕は考えます。

「ダサカッコワルイ」でいい

「ダサかっこいい」と「ダサカッコワルイ」の天然知能について説明します。

製作の場合の「かっこいい」とは、意図と実現が一致することです（図1）。右上から左下につづく線は、プランを立てて（意図）それが予定通りに実現すれば、線がつながり「かっこいい」となります。この場合、想定内の出来事ですので、外部はありません。「かっこワルイ」は意図と実現が一致していません。つまり思った通りにできないので、線がつながりません。端的にいえば失敗することで、そこには外部の関与はありません。

しかし考えてみれば、生きていれば、想定しなかったことが次々と起こるものです。つまり外部がやってきます。これが「ダサい」状況です。すると「ダサかっこいい」は、外部はあるものの、意図と実現の関係が変わるわけではない（図2）。

重要なことは、何かこれまでにない新しいことをもたらすためには、問題と解答、意図と実現の間にギャップを作り、その文脈を逸脱することだと考えます。外部を招き入れることがそのひとつの仕掛けになる（図3）。それが「ダサカッコワルイ」です。意図から実現へと向かう文脈から逸脱し、そこから自由意志を開設していく。これこそが天然知能の性格です。

たとえばシャツなら、ノリがきちんと付いて体にフィットしているもの、そ

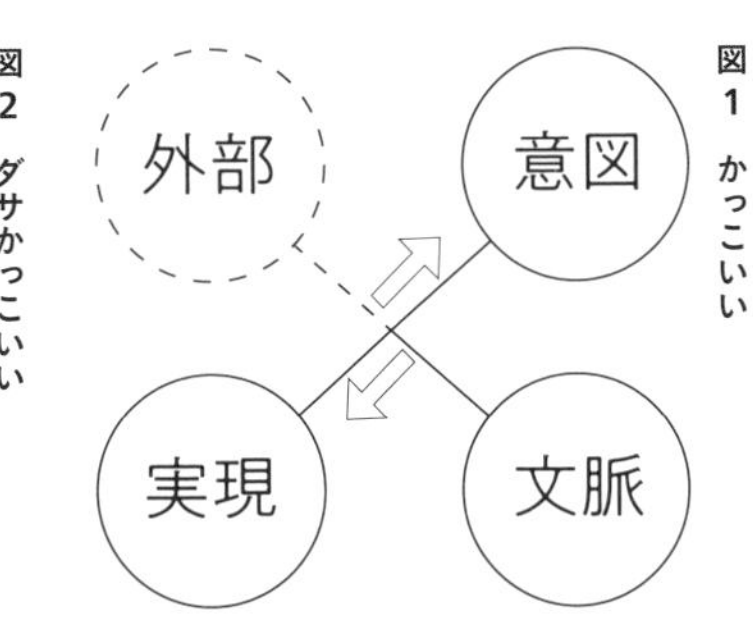

図1　かっこいい

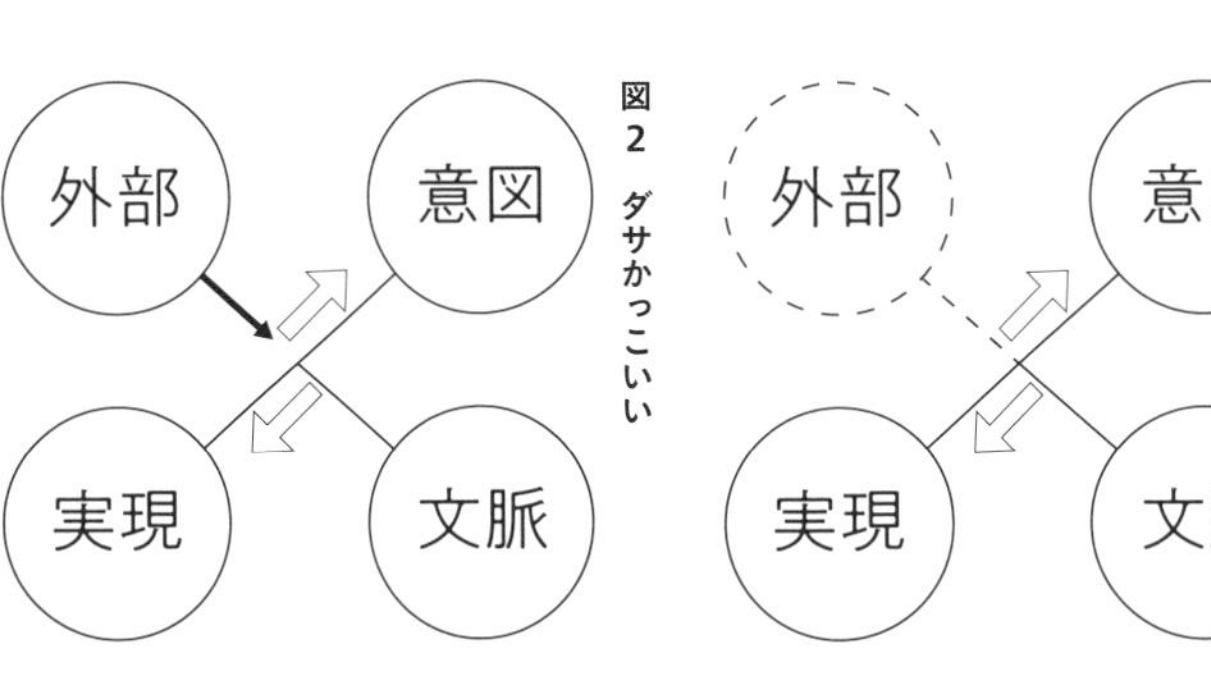

図2　ダサかっこいい

れが「かっこいい」。すこし汚れているのが「ダサかっこいい」。それに対して「ダサカッコワルイ」は、ボタンがずれていて、しかもそのシャツに生のサカナが飛び込んでくるようなものです。

「外部がやってくる」

ここで話を変えます。外部からやってくるものとは何なのか。学生のころ、よく変なものを見たのでその話をします。それは、幽霊やＵＦＯの類いです。雑誌やテレビを見ると、それが本当に存在するのか、真贋論争がエンターテインメントとして展開されています。重要なことは、ある一定数のひとが、昔から幽霊やＵＦＯを見たと言っていることでしょう。ただし宇宙についての知識がなかった過去のヨーロッパでは、ＵＦＯを「さまよえるオランダ人▼」だと考えていた。つまり幽霊やＵＦＯは、僕たちの肉体や生活空間の外に本当にいるのか、心の奥底にあるものが現れるのか、どちらかはわかりませんが、僕たちの認識する世界の外部からやってくるようなものではあるわけです。存在しようが、幻だろうが、見るひとはいるということです。この意味で僕は、真贋論争には興味がありません。

学生のころ、夜間、遅くまで研究室にいたものでした。友人と二人だけになって、研究室の学生居室を消灯し、まっすぐの廊下の突き当たりにきてエレベー

図3　ダサカッコワルイ

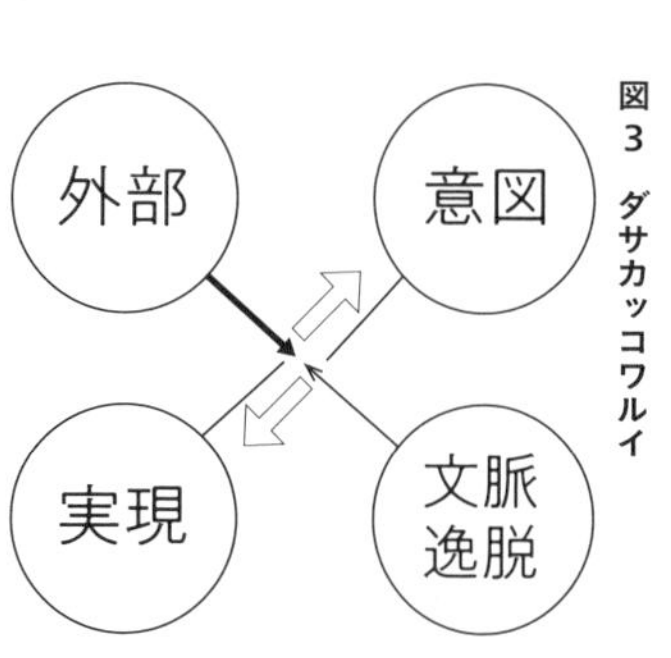

▼さまよえるオランダ人
神罰によってただ一人永遠に希望峰近海を彷徨い続けているオランダ人船長の幽霊船がある、というヨーロッパの船乗りに伝わる伝説。この話に着想を得たリヒャルト・ワグナーによるオペラが有名。

ターを待っていたときのことです。真っ暗な廊下の向こうに、ぼんやりと誰かがこちらを見ていました。仄かに明るい上半身を、廊下に置かれた棚から斜めに突き出しています。あれ、誰かいるけど、まだ誰かいたか。隣の友人にそう、聞きましたが、何、怖いこと言ってる、何も見えないよ、と言います。そこで戻って研究室内を確かめると、誰もいません。おかしいと思ってエレベーターに戻ったときの友人は、怖いこと言わないでくれと言って、本当に真っ青でした。

研究室の石油ストーブをみんなで囲んでいたときのことです。六、七人で、コーヒーを飲みながら、何やら議論していました。そのとき、ぐんじ、ぐんじと僕を呼ぶ声がします。はい、と立ち上がって、ドアを開けると、薄暗い廊下には誰もいません。誰もいないけど、声したよね、と呟きながらストーブの輪に戻りました。十二時零零分零零秒。後輩が意味ありげに腕時計を読み上げました。この当時、研究室の院生が何人か亡くなっていたこともあって、みんな押し黙ってしまいました。そして声など、僕以外、誰にも聞こえなかったのです。

廊下に隠れていた影や、僕を呼ぶ声は僕にとってまったく予想しないもので、つまりはダサいものだったのです。結局、当時の僕は、感じることと認識することが大きくずれていて、そこにやってきたものこそが、影や声だったのです。

同じ類いの経験をもうひとつ挙げます。街を歩いていると、友人が歩いてます。僕は声をかけました。それで二十分くらい話をしたでしょうか。よく見たら、友人ではなくまったく知らないひとでした。誰かに似ているひと、というのでもない。途中で知らないひとと話していることがわかったので、気まずくなってしまい「じゃあ、またね」と言って別れたのです。これも認識と感覚の齟齬です。しかし、顔を知らないからこそ、そのひとを知っているという関係もあります。知らない同士は、ふつうだと排他的な関係になるところが、二つが一緒になって、ねじれた関係を成立させてしまう。

両者をつなぎとめるのは、「友人ではない友人」という感覚です。デュシャンの「泉」というタイトルで小便器がやってくるように、夜に人影や自分を呼ぶ声がやってくるように、ここでは「友人ではない友人」という感覚がやってきた。顔を知らないのに知っているというロジックは、本来ならば成立するはずがないのに成立している状態です。

逆のことをもうひとつ。毎日パソコンを持って家と大学を往復していたことがありました。ある日、家に帰ってカバンを開けたらパソコンがない。どこかに忘れてきたのか、と思って不安になりました。翌朝、大学に行きました。机を見ると、自分と同じパソコンが置いてある。そのパソコンは自分が知っているパソコンと同じ箇所に傷がある。かつ同じシールが同じ箇所に貼ってある。シールの剥がれ具合も同じ。なかを開くと、同じフォルダーやファイルがあり、同じ並び方をしている。プログラムを開くとやはり同じ結果がでる。どこからどう見ても同じパソコンなのですが、僕は「自分のパソコンとそっくりのものが作られている」と確信してしまったのです。

それで朝まだ早いのにもかかわらず、教えている大学院生に電話して「いったい誰がこんな悪ふざけをしたんだ！」と怒鳴ってしまった。大学院生は僕のことをよく知っているので「郡司さん、冷静になってよく考えてください」と言った。それを聞いて僕も落ち着いて、目の前にあるのは確かに自分のパソコンだとわかったのです。

ひとや事物に関するミスマッチに、カプグラ症候群とフレゴリー錯覚があります。カプグラ症候群は、既知の人物なのに親近感を欠く経験です。自分の家族を遠くから見て、これは家族ではないと確信してしまう。たとえば、自分の家族は宇宙人ではないかと感じてしまうのです。フレゴリー錯覚は、その反対で、まったく知らないひとに親近感を感じたり、まったく知らないものを知っていると錯覚してしまう。これらは、かつて統合失調症のひとに特有のものと考えられていたのですが、いまはいろんなひとがこの症状をもつことがわかっています。

「デジャビュの正体」

さて、ここからデジャビュの話をしていきます。

あるとき目の前でおばあさんがカートを引っ張っていた。車輪が濡れているようで、そのために轍ができているのだと、その様子を十分間も見ていました。ところが、突然、車輪と轍がずれたのです。それでようやく轍はおばあさんがカートを引いて作っているのではないことがわかった。そのとき、激しいデジャビュ感に襲われたのです。

つまり、原因と結果の関係がずれていないときは、濡れた車輪が轍を作ったと思っていた。ところが濡れた車輪と轍がずれてしまった。これはどういうことかというと、この轍はだいぶ前からできていて、たまたまおばあさんが、列車がレールの上を走るように、カートを引いていたということです。つまり車輪は乾いていて、たまたま轍の上を走っていただけだった。ずれた瞬間のこの映像は正しい。対して、車輪が轍を作っていたという解釈は正しくないので消えるはずなのです。

「現在」は与えられるものなのです。どういうことかというと、現在はだれかによって解釈され、それを自分のなかで納得させている。それがある意味で現在を完了させ、現在完了形としていまを定着させている。すると轍と車輪がずれた瞬間、濡れた車輪が轍を作っている解釈は、接続すべき現在がないわけです。ここでは現在は不在です。不在であるので消えてくれればいいのですが、現実には残っている。現在と接続しない完了形をどう考えたらいいのか。これは過去完了しか考えられない。ここで現在完了と過去完了が共立してしまう。現在完了としていま起こっているにもかかわらず、過去完了、つまり過去においても経験したものであるという感覚が起きるのです。

おばあさんがカートを引いてそこに轍ができている様子を見ているとき、僕は激しいデジャビュに襲われたのですが、その理由はいま述べたようなことではないかと思ったのです。

純粋なつかしさ、といったようなものが、そのときに起きた。純粋なつかしさとは、どういうものか。なつかしい、というのはモノに付随しているものです。たとえば写真です。昔の写真を見てなつかしいと感じる。これはモノに付随したなつかしさです。純粋なつかしさ、というのは、そうした個別的なモノと一切かかわりをもたないような感覚です。なつかしさそのものと言っていい。それがデジャビュの正体ではないでしょうか。

それは言ってみれば、探し物が不在なのに探し物を探している。nothing を探している。それを記憶のなかでやっている。記憶はよく引き出しやカバンをメタファーとして捉えられますが、そうした記憶の引き出しを探しはじめると、次々といろんなものが出てくる。すると最後は、記憶の記憶になり、記憶の記憶の解釈になり、と抽象的な概念になっていきます。抽象的ななつかしさ、といったものになっていく。こういうかたちでデジャビュは激しいなつかしさをもたらすのだと思うのです。

脳科学や認知科学は、デジャビュについて、モノとして認識するときにはこれは初めてのものであるとわかっているのだけど、感覚的には昔体験したものでなつかしく感じることで、感覚と認識のミスマッチがデジャビュの原因であると説明します。しかしそれだけでは、デジャビュのときに付随する抽象的なんだけどなつかしい感じ、デジャビュのリアリティがどこから発生するのかがわからない。おそらく認識と感覚の齟齬、穴ぼこを埋められようもないのだけど、埋めようとして、自分の記憶を手繰りよせ、外部として招喚する。それが徹底したなつかしさ、純粋なつかしさとしてのデジャビュのリアリティをつくっているのです。

幽霊のような影や声が錯乱しかもたらされないのか。外部からくる「友人」とか陰謀とか幽霊だけでなく、人間は外部を招喚することでリアリティをつくっているのです。よくよく考えるとデジャビュとはそれです。デジャビュと同じように、ちょっと前といまは、外部のリアリティに接続して、われわれは幅のある「いま」という時間を生きているのです。それを結論として終わります。

Q&A

――外部のことをおっしゃいましたが、僕には外部の正体がよくわかりません。小さいころ、自分以外のひとはみんなロボットだと思っていました。いまは人間だと認識しています。それは感覚だったのだという認識は外部によってどんどんアップデートしていく。その外部は、自分の頭のなかから無意識的に湧き出るものか、ひとの解釈が入ってきたものなのか、それがよくわからない。最終的に人間は、似たような思考に落としこまれます。小さいころは違った考えをもっていても、どうして似たような考えになってしまうのでしょうか。

どうして人間は似たようなものなのか、という感覚をもったとしても、本当にそうなっているかどうかはわかりません。共通部分を集めて一般化できるものを語ることがわれわれの認識や思考様式になるのです。たまたま一般化されている部分がそうなのであって、それを反証するものがいつ見つかるかわからない。見つからない以上、みんながそう思っているだけです。子どものころ、周りがみんなロボットじゃないかと思う。もちろん他人が自分と同じように心をもっているかどうかはわかりっこないわけです。だから、全部、作りものではないかと思うのは当然のことです。小学生や中学生のときは、そういうことを思うひとは少なくない。自分が想定していない世界があるということ、つまり自分の思い通りにならない世界があることに気づくことは、いちばん大事なことです。それが自分の内側からやってくるのか、外側からやってくるのか、それは一見わからないものですが、ひとつ言えるのは、自分のなかに全部あると考える必要はどこにもないということ。だって、人生においては、次々に考

えていなかったことがやってくるわけですから、それは自分のそれまでの世界の外部がやってくるということにほかなりません。

わたしの思い出の授業、思い出の先生

直接教わったわけではありませんが、大学院時代に知り合いになりました松野孝一郎先生、大学に就職し、しばらくして会いに行ったマイケル・コンラッド先生、その直後に会いましたオットー・レスラー先生の3人が、以後の考える指針に決定的でした。

松野先生には、機械論が成立する基底の奥に、これを実現させようとする運動それ自体があるという思想の意味を実感させられ、コンラッド先生には計算というものを極力広く考えることで、生命とは何か、存在とは何かを考える転回が可能となることを教えられ、レスラー先生には、理解する装置としての力学系を構想する発想の自由さを知らされました。

そして、3人とも、他人に対する目配りや心遣いが細やかでありながら、どこかとんちんかんで、おかしなひとたちでした。

わたしの仕事をもっと知るための3冊

郡司ペギオ幸夫『天然知能』(講談社選書メチエ)

中村恭子・郡司ペギオ幸夫『TANKURI:創造性を撃つ』(水声社)

郡司ペギオ幸夫『群れは意識を持つ――個の自由と集団の秩序』(PHP新書)

仕事と人生と私

吉川浩満

よしかわ・ひろみつ＝文筆業。一九七二年生まれ。慶應義塾大学総合政策学部卒業。国書刊行会、ヤフーを経て、現職。著書に『人間の解剖はサルの解剖のための鍵である』『理不尽な進化』『脳がわかれば心がわかるか』（山本貴光との共著）など。訳書にメアリー・セットガスト『先史学者プラトン』（山本貴光との共訳）など。

私の理想——大きな志とやり抜く力

私は一介の物書きにすぎず、学問や芸術についてみなさんに教えを授けるだけの専門的知識をもち合わせているわけではありません。そこで今日は「仕事」について、私自身が経験し考察してきたことを簡単にお話ししたいと思います。

“Boys be ambitious”（少年よ、大志を抱け）という言葉をご存じですか。札幌農学校のクラーク博士の有名な言葉ですが、これが若いころの私の理想でした。若いひとは大きな志をもてとよく言われますよね。私もそうありたいと願ってきました。

「私は天才ではありません。ただひとより長くひとつのことに付き合ってきただけです」——アインシュタイン博士の言葉ですが、これがもうひとつの理想でした。将棋で有名な羽生善治さんも『才能とは続けられること』（ＰＨＰ研究所）という本を出しています。それを裏付けるかのように、アメリカの心理学者が書いた『やり抜く力　GRIT』（ダイヤモンド社）という本にも、生まれもった才能よりも、何かひとつのことをしっかりとやり抜くことが成功の秘訣だ、とあります。

そういうわけで、私の理想は大きな志を抱くこと、そして長く続けることでした。そんな私は現在どうなっているのか。次に私の現実についてお話しします。

「私の現実――四つの仕事」

大学を卒業した後、いくつかの会社に勤めて、いまは大まかに言うと四つ仕事をしています。身分はフリーランスです。アルバイトを四つかけもちしていると思ってください。

一つめは文筆業です。いまのところいちばん新しい本は、昨年出した『人間の解剖はサルの解剖のための鍵である』（河出書房新社）。意味不明なタイトルかもしれませんね。ほかには『理不尽な進化』（朝日出版社）とか『脳がわかれば心がわかるか』（山本貴光と共著、太田出版）、『問題がモンダイなのだ』（山本と共著、筑摩書房）という本も書きました。こんな風にちょっと変なタイトルが特徴です。

もう一つ私の文筆業の特徴をあげると、どちらかというと理系っぽく見える本が多いことです。ただ、私は理系文系という分け方はあまりよくないと思っています。そもそもあるテーマを追究するときには、理系文系関係なく、いろいろな学問から知識や考え方を吸収しないといけませんから。

そのうえであえて分けるとすれば、私はいわゆるド文系の人間です。じゃあなんでこんな理系っぽい本を書いているのか。それは、理系の物事を文系的な視点から見る、逆に、文系の物事を理系の視点から見る、というように視点をクロスさせることで、意外な発想や発見に出会えるんじゃないかと思っているからです。

二つめは会社での仕事です。少し前までは学術論文を載せる学会誌の編集をしていましたが、つい最近転職しまして、いまはケーブルテレビ局で番組の編成表をつくる仕事をしています。出入りの業者のような契約形態ですが、週四日から五日間をフルタイムで、会社員のように働いています。

三つめの仕事は大学の非常勤講師です。毎年春学期だけ週に一回、大学に入学したばかりの学生さんを相手に、「自己管理と社会規範」という授業を受けもっています。一種の社会人入門のような、あるいはリベラルアーツ入門のような内容です。

四つめの仕事は卓球コーチです。もう十年くらいになりますね。世田谷の中高一貫女子校で週末だけ卓球部コーチをしています。ほかに番外編でＤＪなんかもやっています。

冒頭では「大志を抱き」「ひとつのことを長く続けること」が理想だったと言いましたが、こんなふうに実際にはいろいろと小さいことをたくさんやっています。どうしてこうなったのか。能力上また性格上の問題から、どちらもできなかったのです。

大志抱けず、長続きせず――私の履歴書

私もうんと若いころにはいちおう大志がありました。高校三年生まで部活少年で、いつか卓球選手になって実業団チームに入りたいという野望があったんですが、思うように上達せずやめてしまいました。セルフ逆ギレというか、ふがいない自分に勝手にムカついて、もう二度とやるもんかと思いました。

そして大学で初めて、いわゆる「学芸」、学問や芸術に出会いました。それまでも触れる機会はいくらでもあったはずなんですが、高校を出るまでは卓球一筋でしたから。大学生になってからその魅力に気づいて、将来は本をつくる職業につきたいと思うようになった。それで大学を出てすぐに国書刊行会という出版社に入りました。名前から想像すると国や政府の本を作っているのかと思うかもしれませんが、国とはまったく関係ありません。幻想文学や実験文学、探偵小説や魔術書といったマニアックな本をたくさん出している出版社です。

当時は若くて、せっかく本をつくる職業についたなら、飛びぬけて立派な編集者になりたいと思っていました。編集者というのは本を企画して、書いてほしいひとに依頼して、それを読者に届ける仕事です。そこで誰もが唸るような

仕事をしたい、そうでなければ意味がないくらいに思っていた。ここでもまだいちおう大志はあったんですね。でも、先輩のカリスマ編集者の仕事ぶりを見て、こりゃ自分にはとうてい無理だと早々にあきらめてしまいました。またセルフ逆ギレで、それなら会社にいる意味がないと思い込んでやめてしまったんです。

それでヤフー（Yahoo! JAPAN）というインターネットの会社に入りました。私が入社したのはヤフーがサービスを開始したばかりの一九九六年で、スタッフも十人くらいしかいませんでした。私はパソコンなどの電子機器が好きで、かなり早いころからインターネットも使っていたのですが、グーグルもユーチューブもＳＮＳも存在しない時代です。まともなポータルサイト（ウェブにアクセスする際の入り口となるサイト）は唯一ヤフーだけでした。そこで、こんなふうに思ったのです。「待てよ、これでヤフーに入ったら、ほとんど世界で唯一の職業につけるから、逆ギレしないですむかな」と。入社の試験も面接も一瞬で通りました。当時はヤフーなんて胡散臭い名前の会社などあまり知られていませんでしたから、応募者も少なかったのではないでしょうか。

ＡＩプログラムによるインターネット検索システムが当たり前になった現在からは想像もできませんが、そのころのヤフーでは人力で検索用のデータベースをつくっていました。いろんなウェブサイトをジャンル別に分類し、タイトルや内容を手入力して、ユーザーが一覧できるように整理するという仕事です。ウェブサイトの数が少なかったからできたことですね。手作業をしているわれわれ人間にとってはすでに厖大な数でしたが……。

ヤフーでの仕事は寝食を忘れるほど楽しいものでした。それに経済的にも、お金があるってこういうことか、という気分を生まれて初めて味わいました。でも、短期間に大量の仕事をしたせいか、一種の燃え尽き症候群みたいになってしまいます。それに加えてチーム運営や人事といった人間関係にも苦しみました。二十代なかばで部下を何人も抱えるというのは、未熟な若造にはなかなか荷が重かった。おっさんになって多少は経験を積んだいまならもう少しうまくできるかもしれませんが、当時は年上のひともいるようなチームをうまくマネジメントすることができず、批判されたりしてつらかったですね。そういうわけで、ちょっと鬱っぽくなったんですよ。というか完全に鬱でした。どうしても会社に足が向かず、毎日家の前からタクシーで出勤する有り様でした。

ちょうどそのころ、とある編集者から本の執筆依頼が来たんです。そのひとは、当時趣味で書いていたブログを読んでくれていて、この内容を膨らませて本にしないかと言ってくれました。ちょうど仕事がしんどいときだったので、執筆という大義名分を得て、渡りに船とばかりに退職しました。

それで本を書きはじめました。いっしょにウェブサイトをやっていた山本貴光くんと二人三脚で悪戦苦闘のすえ、二〇〇四年に最初の本が出ました。三十二歳のころです。それまで、自分が本を書くことになるなんて思ってもいませんでした。また、その延長線上で大学の授業を受けもつようになるなんてことも。

じつは最初の本を書き上げたときにも、恥ずかしながらふたたび燃え尽き症候群みたいになってしまいました。そのころにふと思いついて卓球を再開したんです。そうしたら見事にまたハマってしまった。最初は自分のために練習をするだけだったのですが、いつの間にか、中国人の専業コーチが経営している卓球場で生徒さんを教えるアルバイトもはじめていました。そこに通っていた高校生の生徒さんから、学校の部活動にも来てくれと呼ばれたわけです。

振り返ってみると、最初は私も大志を抱いてひとつのことを続けようと（少しは）がんばったことがわかります。でも、能力上また性格上、それがなかなかうまくいかなくてグダグダになり、すべて行きがかり上の仕事になった結果、いまご紹介した四つの仕事を組み合わせるようなかたちに落ち着いた次第です。

成り行きと運と縁——小さな夢や志

さて、大事なことなので急いで付け加えたいのですが、みなさんも私みたいにやったらどうか、などと言うつもりはありません。むしろ、俺みたいになるな！（「しくじり先生」）とさえ思います。私のやり方は、ほとんど成り行きまかせ、いいかえれば他人まかせであるために、けっこう危険でしょうから。私としても好きこのんで成り行きまかせにしたのではなく、仕方なくそうなっただけなのです。

もうひとつ付け加えておかなければならないことは、私はおそらく非常に運がよいということです。まず、あるていど好きなことができる環境にいられること自体が幸運ですよね。病気・障害や貧困、災害、政治状況などのせいできわめて不自由な生活を余儀なくされているひとはたくさんいます。根本的すぎてあまり意識しないことかもしれませんが。

また、時代との相性もよかったかもしれません。ちょうどＭａｃやＰＤＡ（個人情報端末）といったデジタルガジェットで遊んでいるころにインターネットが出てきて、それがたまたまヤフーができたころと重なっていた。働きはじめたころは貧困状態だったのですが、ヤフーでの仕事のおかげで生活のための経済的な基盤を築くことができました。これも運です。言うまでもないことですが、私が世の中を動かしたのではありません。私は世の中の流れに乗っただけです。

ほかにもあります。私に本を書けと言ってくれた編集者は、ある著者から「吉川というやつが何か面白いことを書くかもしれないよ」と勧められたそうです。それがなければ文筆業ははじめていません。テレビ局での仕事も、十年くらい前からお世話になっている卓球仲間が紹介してくれました。

自分でも驚きますが、私の仕事には運や縁の影響がじつに大きいと感じます（誰だってよくもわるくも、多かれ少なかれそうなんじゃないかと想像していますが）。とはいえ、運と縁の要因がいかに大きいと言っても、すべてとは思いません。もしすべてなら、自分はそれ以外になんの取り柄もない人間ということになってしまいます。もちろんその可能性もありますが、それだとさすがに少し寂しい気がする。

そこで、大志を抱けず長続きもしない結果として、成り行きでいくつもの仕事をかけもちする羽目になった私にも、何かしら取り柄のようなものはないのかと考えてみました。その結果、若干の無理矢理感は否めませんが、こんなことが言えるかもしれないと思いました。私には大きな夢や志を抱くことはできなかったけれど、小さな夢や志、たとえば目の前にある好きな物事や魅力を感じる物事にはけっこう忠実だったのではないかと。遠大な夢や飛びぬけた特技はなくとも、小さな夢やそこそこの特技、そして好きな物・事・ひとならある。私はそのなかでやりくりをしてきたのだと思います。

労働・仕事・活動——ぜんぶひとりのなかで

中高生のみなさんにこんな話をしてよいものかわかりませんが、四十七歳の正直な気持ちをお伝えすると、ふだんの私の頭のなかの大半を占めているのはお金のことです。金儲けをしたいとか金持ちになりたいとかではありません。自分と家族が健康で文化的な生活を送ることができるだけのお金をどう捻出するかという話。私に生活費をポンとくれるひとはいないので、自分でお金を稼がないといけない。

でも、そうは言っても、お金ばかりではたぶん人生はおもしろくない。楽しみや意義のようなものもほしい。じゃあどうすればいいのか？　このことについて考えるときにヒントになる考え方があります。二十世紀の有名な哲学者ハンナ・アーレント▼が『活動的生』（みすず書房／『人間の条件』ちくま学芸文庫）という本のなかで書いた、職業についての考察です。

アーレントによれば、人間の活動には「労働」「仕事」「活動」という三つの局面があります。「労働」とは生命を維持するため、生活のために行うものです。だから労働は必要なものだけど、価値が低いというんですね。労働よりも価値が高いのが「仕事」です。日常会話では労働も仕事といいますが、アーレント的な意味での仕事とは、人間が専門的技術を用いて作品や消費財をつくることを意味します。そしていちばん価値があるのが「活動」です。これはモノに頼らずに人間と人間が言語によって直接的に協力したり対立したりする行動で、典型的には政治活動を指します。

アーレントはこの「労働」「仕事」「活動」という三分類を、古代ギリシャを模範に考えて提案しました。古代において労働は基本的に奴隷が行いました。仕事は職人のもの、活動は自由な市民（成人男性）だけのものでした。身分によって活動の種類が決められていたということですね。アーレントが三分類に価値

▼ハンナ・アーレント
アメリカの政治学者、哲学者。一九〇六年生まれ。ドイツ生まれのユダヤ人女性で、ナチス政権成立後、フランスに移った後、アメリカに亡命。ナチズムとソ連共産主義など、全体主義成立の原因を研究した。一九七五年没。『活動的生』は英語で発表、刊行した『人間の条件（原題：*The Human Condition*）』を、アーレント自身が母語であるドイツ語に翻訳したもの。一九五八年刊。

の序列をつけたことには、こうした背景があったと言われています。

でも、現代社会の状況は古代ギリシャとはかなり違います。ひどい会社に入ってしまった場合など、私たちも隷属的な状態に置かれてしまうことはあるけれど、それだけでは自由な市民という立場を失うことはありません。基本的人権をそなえた市民として、形式上は自由に職業を選択したり、選挙に行ったりデモに参加したりすることができる。つまり、現代社会においては、ひとりの人間が労働・仕事・活動の三局面をすべて兼ね備えている。あとは、この割合をどうしていくか、どうバランスをとるかという話になります。

いまのところの私の結論は、会社勤務という「労働」によって生活費を確保しつつ、文筆業、卓球コーチ、大学講師などの「仕事」を楽しみながら行うというものです。アーレント的な意味での「活動」は、恥ずかしながら私のなかにはほとんどないのですが、あえていうなら、こうしてみなさんの前でお話ししたりすることは活動の一種なのではないかと思います。

今日は私が成り行きまかせにいくつもの仕事をかけもちしている現状についてお話ししてきました。たまに、あなたに「本職」はないのか、そんなことでいいのかと尋ねられることがあります。たしかにひとつの仕事に打ち込めるひとは格好いいですが、これまで述べてきたとおり、私にはそれができません。そこで私がとった方策というのが、アーレント的な「労働」「仕事」「活動」を自分のなかでバランスよく配分するというものでした。それぞれがどのような割合を占めるのがよいのかは、まだまだ試行錯誤中ではありますが。

講演の冒頭に戻ります。一般論としては、私もみなさんに大志を抱いてほしいし、ひとつのことを長く続けてほしいと思います。また、そうしようと努力しているひとにには支援を惜しみません。ですが、そうじゃないひともいるでしょう。どれくらいでしょうか。一割？　半分？　はたまた八割？　見当もつきませんが、とりあえず今日は、そうじゃないひとに向けてお話をさせていただきました。

別にそれが価値のある生き方だと言いたいわけではないんです。ただ、もし大志を抱けず、ひとつのことを長く続けられなかったとしても、小さな好きな物事、少しでも得意な物事があれば、それなりにいろいろと楽しいことができるかもしれないよ、と言いたいのです。

天職という言葉がありますね。もとは神から与えられた使命という意味です。天職があればいいですが、ないならないでやりようがなくはない。うまくやれているかどうかはわかりませんが、私の実例を示すことで、そうじゃないひとでも大丈夫なんじゃないかな、ということが伝われればと思います。

Q&A

――ある集団のなかで求められるイメージと自分が重ならなくても、集団のなかでうまくやっていく方法はあると思いますか。

実感のこもった質問でよくわかります。どんな集団にいても、求められるイメージと自分のイメージがピッタリと重なることはなかなかないですよね。そういうときは苦しみますが、簡単な答えはないと思います。少なくとも私は、二十何歳まで自分には天職が必要で、「情熱大陸」▼に出るようなひとにならなければと思っていました。実際、それが現代社会においては標準的な価値観かもしれません。でも、それは自分には無理だとわかってからは、標準的な価値観は尊重すべきという建前を認めたうえで、自分は違うふうにしてもいいやと思うようになりました。そういうひとは少なくないと思います。社会に期待される役割と自分のしたいことが一致することはあまりありませんから、つねにそうやって折衝していくしかないんでしょうね。

▼「**情熱大陸**」
毎日放送制作のドキュメンタリー番組。さまざまな分野で活躍するひとに密着する。

——先生の研究領域は多岐にわたりますが、文筆業をされていて、他の仕事をしていたからこそできたことはありますか。

基本的にものを書く仕事は、起きたことすべてがネタ候補、研究候補です。いろいろな仕事をしたり卓球をしたり、いろいろな場所に行き、ひとに会い、ものを読んだりしたほうが、ものを書く仕事には役に立つと思います。仮にそれについて書かなかったとしても、考える下地になりますから。私がとくによかったなと思うのは、さまざまな労働・仕事・活動を通して、さまざまなひとと知り合えたことです。物書き仲間、出版関係者、大学の先生とも付き合いがありますが、会社の上司や同僚、卓球チームの仲間や教え子もいます。学生から無職、社長、年金生活者まで、老若男女ぜんぜん違うひとたちと付き合うことは、直接何かの役に立つことはないかもしれないけれど、とてもおもしろいですよ。

わたしの思い出の授業、思い出の先生

中学校にアパッチと呼ばれていた若い女性の先生がいました（なぜアパッチだったのかはわかりません。由来は『アパッチ野球軍』でしょうか）。歴史の授業で彼女は教室に大きな写真パネルを持ってきて、戦争の悲惨さ非道さを涙ながらに、というか文字どおり泣きながらわれわれに訴えました。この授業によって私は、人間には途方もない不正義や残虐行為ができるのだということを知りました。難しいことはなにもわかりませんでしたが、子ども心にも不正義と残虐行為を許してはならないということは伝わりました。

わたしの仕事をもっと知るための3冊

吉川浩満『人間の解剖はサルの解剖のための鍵である』（河出書房新社）
吉川浩満『理不尽な進化――遺伝子と運のあいだ』（朝日出版社）
山本貴光・吉川浩満『脳がわかれば心がわかるか――脳科学リテラシー養成講座』（太田出版）

第2章

他者と生きるとは

知らない誰かの隣人になる

岸政彦

きし・まさひこ＝社会学者。一九六七年生まれ。立命館大学大学院先端総合学術研究科教授。著書に『同化と他者化』『街の人生』『断片的なものの社会学』『はじめての沖縄』など。小説『ビニール傘』が第百五十六回芥川賞候補、第三十回三島賞候補になった。

社会学の研究をしてます。それまで知らなかったひとにいきなり会って、人生を聞く仕事です。社会学とは何でしょうか。

どういうわけか、いま高校の国語の教科書に僕の文章が載っていますが、社会学自体は高校の教科には入っていません。高校まで教科に一切出てこなくて、大学に入ってから突然頻繁に登場する。教えている大学は多く、取り組むひとの数も多いです。けれど、よくわからない学問でもあります。僕は中学生のときから社会学者になろうと考えていました。社会学者かミュージシャンかどっちかやと思ってました。音楽の才能がなくて、しかたなく社会学者の道を選んだんです（笑）。

社会学は、簡単に言えば、社会問題の調査研究をする学問です。さまざまな調査方法があります。たとえば「アンケート調査」。何千、何万というひとにアンケートを取り、確率や統計を使います。「理論」は難しい本や論文を読んで論文を書きます。そして、「質的調査」があります。僕は質的調査をやってます。

この調査を行う方法をフィールドワークといいます。

「フィールドワークでわかること」

フィールドワークでは町に出てひとに会って、実際に話を聞きます。何千人には当然聞けない。何百人でも聞けません。出会って、目の前のひとと目を合わせて、言葉を合わせて、言葉を交わして話を聞く。

アンケート調査で何千人というひとにアンケートを取るとさまざまなことがわかります。たとえば、東京のひとはそばが好きからうどんが好きか、それに比べて大阪はどうかなどが数字で出ます。でもフィールドワークは違います。

たとえば、君はそばとうどんとどっちが好き？

——そばが好きです。

そばやな。たとえば、どんなそば好き？

——あったかい。

わははは。あったかいそば、な。なんだか予想外な答えになった。具は何がいい？

——天ぷらがいいです。

たとえばいま、彼に「そばとうどんどっちが好き？」と質問した。すると「そば」と答えてくれた。じゃあ「どんなそばが好き？」と訊ねると「あったかいそば」と答えた。予想外の答えで少しびっくりしました。あったかいそばが好きっていうのはいいな、今日は寒いし。いまのような答えはアンケート調査からは出てきません。「天ぷら乗ってたら最高」なんてね。リアルな答えがふたりで話をしていると出てくる。僕はそれが好きなのです。

質的調査にもさまざまな種類がありますが、僕がやってるのは「生活史」です。これはマニアックな調査法で、たくさんのひとに聞くんじゃなくて、たまたま出会った、たったひとりのひとに話を聞きます。いままで僕が話を聞いてきたひとは在日コリアン、沖縄のひと、被差別部落のひと、障害者、セックスワーカー、元ヤクザ、ゲイの青年、シングルマザーで生活保護をもらっているひと、トランスジェンダーのひとなどです。話を聞くのは二、三時間。最長で八時間聞いたことがあります。たったひとりの生い立ちや、暮らしぶりを聞くのです。

社会学の目的は何か。社会調査の目的はふたつあります。ひとつは、はっきりさせること。たとえば、次の選挙をやったらどこが勝つかや、なぜこの政党を支持しているのか。あと女性がシングルマザーになるとかなりの確率で貧困になるだとか。

「理解する」ということ

そしてもうひとつの目的について。僕ら質的調査の目的はよくわからないですよね。理解することを目指します。どういうことなのかよくわからないですよね。理解することをもう少しわかりやすく、大学入ってきたばっかりのひとにも伝えれないものかと思って教科書を書いたりもしてるのですが、結局理解が何かはなかなかわからない。わからないけれどこういう話があります。

丸山里美さんという女性の社会学者が、自身も公園での生活を体験して女性ホームレスについて調べました。

日本のホームレスのなかで約三パーセントが女性といわれています。そして女性のホームレスはものすごくしんどいです。性的な被害も多いし、ただでさえしんどい思いをするだろうホームレスのなかでも特にしんどい思いをしている。

ある軽度知的障害の女性ホームレスが公園に住んでいました。このひとは生活保護をもらってアパートに入ります。ところが、結局自分の意思でアパートを出て公園に戻ってしまった。せっかく生活保護もらって屋根のある、あたたかいふとんもあるアパートで暮らせるようになったのにです。なぜかわかりますか？　わかりませんよね。みんな、いまの話を聞いてどう思いましたか？　そのひとにこれからも生活保護を与えるべきでしょうか？　自分の意思で公園に帰ってきたこのひとに税金から生活保護を出す？　この状況は自己責任では と言えてしまうようにも思います。でも、人間はしんどいところに自分の意思で入っていくひとが案外多かったりします。

ポール・ウィリス▼の『ハマータウンの野郎ども』という本があります。七〇年代調査系の社会学書の金字塔です。そこにイギリスでのフィールドワークの話が出てきます。当時三十歳ぐらいだった著者が、イギリスの労働者階級の町の荒れた高校に入り込んで、非行少年と生活を共にした記録です。

どこの国でも同じかもしれませんが、いい大学に行けないといい仕事に就けない。勉強を頑張ったらいい仕事に就けるとわかってるのに、労働者階級出身の子どもたちが貧しい労働者になっていくのはなぜかという本です。

本に出てくるこの子たちも自分の意思で不良になっていきます。悪い行いには暗い未来が待っている。けれど、たとえばちょっと真面目に頑張ったところでいい未来があるかというと、大した未来はないわけです。未来がないとは言わないまでも、かなり制限されている。そうすると、つまらない学校でつまらない勉強を我慢してやるよりも、バイクに乗っているほうが楽しい。その状況を知ったとき「そういう状況だったら、そう行動するのもしょうがないな」と

▼ポール・ウィリス
イギリスの文化社会学者。一九五〇年生まれ。一九七七年『ハマータウンの野郎ども』を発表。肉体労働を中等学校卒業後の職業として選択し労働者階級の再生産が行われていく様子を書き、イギリス社会における階級の再生産を批判的に浮き彫りにした。

なる。だから、僕が考える理解は、そうするのは当然、あるいはそうするのも仕方ないと話をするひとの近くまで考えをもっていくこと。これを僕は理解と読んでいます。

「誰かの隣人になる」

女性ホームレスの調査の話に戻るのですが、本のなかに女性ホームレスの詳しいインタビューが載っています。それを読むと公園でどんな暮らしをしていたのかわかります。そして「あ、なるほど、これは公園に帰ってくるわ」と思う。まず、お金をもらえるからってアパートのなかにずっとひとりでいるのは、普通の人間にとっては辛いことです。公園で何年か暮らしていると、仲間がいる。ボランティアが炊き出しをやってくれたり、つながりができてくる。そうすると、ひとりの人間が動物園の檻のようなところに閉じ込められて、ご飯だけ食べているような生活と公園のどちらがいいかという話になって公園に帰ってきてしまう。

だから僕らがやるべきことは、生活保護を与えてアパートに入れたらそれで終わりではないのです。いまの生活から離れることが本人にとってはとてもつらいことかもしれない。もちろん寝る場所が手に入って救われるひとも多いです。だからまず、生活保護を与えてアパートに住んでもらうっていうのは出発点として当然だけれど、その先がない。じつはその先のほうが大切なひともいる。そして、アパートよりもつながりがある公園のほうに帰ってきちゃうひとが全員ではないけれどやっぱりひとりふたりいてもおかしくない。

僕らは当事者にはなれません。たとえば調査で路上生活をしてみたりもするし、僕は沖縄に二十五年通って何百人とインタビューしてきました。けれど、沖縄で僕はやっぱりよそ者です。障害者や脳性麻痺のひとにも話を聞いて「あ、そうなんや」と発見があったり、学んだりするけれど、立場を入れ替えることはできません。でも、だからといって「勝手にしろよ、自己責任だ、全部」とはしたくない。

この社会にどういうひとがいて、どういう思いで暮らしてるのかを学びたい。在日コリアンがヘイトスピーチされていると。それはしんどいだろうなと思うけれど、言われる側にはなれないからわからないことも多い。でも話を聞いて学ぶことはできる。学ぶことはできます。ひとは隣人にはなれる。

たとえば、女子はホームレスが怖いかもしれない。おっちゃんがそのへんで寝ていたらこわい。それはひとつのリアルです。だけど、危害を加えるホームレスと、危害を加えられるホームレスと、どっちが多いと思いますか？　危害を加えられるホームレスのほうが多いです。

数多くのホームレスが一般市民から嫌がらせをされる経験をしてます。たとえばダンボールで寝てるところに火のついたタバコを入れられたり、寝床を水で濡らされたり。何年か前ですが、大阪の少年のグループがホームレスを殴り殺した事件もあります。逆にホームレスが一般市民をリンチして殺したことは一切ない。

ホームレスのほうが、怖いって思いながら寝ています。夜中に酔っ払いの足音が近づいてくると「蹴られるんじゃないか、殴られるんじゃないか」と考えてビクッとするそうです。

「誰かの生活を掬い上げる」

東京大学名誉教授の上野千鶴子▼さんが二〇一九年に東大の入学式で贈った祝辞が話題になりました。みなさん知っていますか？

東京大学の入学式に出席するのはほとんど男子学生。二割から三割しか女子はいません。男子学生ばかりの入学式のなかで、上野さんが「君たち東大に入ってきてる男子は下駄を履かせてもらっている」という話をした。

男性でいることが女子に対してどれだけ有利か。確かに選択は自分の意思でしている。でも、女子はどこかで高望みを諦めている。これは、教育社会学で野心の冷却といいます。どの段階かで女子は野心を捨ててしまう。

東大が男子ばかりで女子がいないのであれば、単純に女子が受けたらいいと思ってしまうかもしれない。でも日本社会で女性が直面するさまざまな問題に

▼上野千鶴子
フェミニスト、社会学者。東京大学名誉教授。一九四八年生まれ。ジェンダー研究、介護研究の第一人者であり、指導的な理論家のひとり。一九九四年『近代家族の成立と終焉』でサントリー学芸賞受賞。著書多数。

ついて考えると、受験勉強にコストをかける合理性がなくなっていくことは理解できます。こう考えると、たとえば東大を受験する女子が少ないのは、女子の責任なんじゃなくて、社会全体の責任である、ということになりますよね。自由な選択を意図的にやって生まれた結果については、そのひとが負う。そのくらい、責任という言葉は、限定して使わないといけない。自己責任どうかの判断は人間とは何かにつながっていきます。

いま沖縄戦▼の調査をしています。一九四五年沖縄ではものすごく残酷な地上戦がありました。人口の四分の一がなくなったとも言われる大きな戦争です。沖縄の八十代後半から九十歳くらいのひとに会ってひとりひとり戦争の体験談を聞いていています。

今ひとりで五十五人聞いてます。百人目標でやっているのだけれど、四十人めぐらいで、ちょっと鬱になってきた。しんどい話をずっと聞いてるんです。

▼沖縄戦
南西諸島に上陸したアメリカ軍を主体とした連合軍と日本軍の間での戦い。戦闘は主に沖縄本島で行われ戦没者は約十二万人。集団自決を強要された人たちや、毒薬を注射されて死んでいった子ども、自らの手で家族を死に追いやった人びとなどさまざまな惨劇がおこった。

「集団自決で一家全滅したおじいちゃんの話」

ついこの間沖縄のある場所で集団自決で一家全滅したおじいちゃんの話を聞きました。米兵がやってくると捕虜になるしかない。でも、昔の日本では捕虜になるぐらいだったら死ねという教育だった。だから、手榴弾を渡されて、手榴弾を囲んでみんなで自殺をするのです。集団自決で、みんな内臓を爆風で飛ばされて、お父さんやお母さんが目の前で一瞬でいなくなった。そのひとは体がちっちゃくて後ろに居たから助かったんだって。家族全員のなかで唯一助かった。

集団自決で死んだ、当時五歳ぐらいの弟の思い出をしゃべるときに、おじいちゃんは嗚咽というか号泣していた。インタビューの途中で、八十、九十歳のおじいちゃんを俺は泣かした。

机の脚を握りしめて、声を殺して泣くんだよ。そうするとこっちも、インタビューが三分間ぐらい止まる。止まって、ずっと嗚咽を聞いている。

でも、ものすごく意外なことに、そのひとは基地賛成派でした。僕自身は、個人的には、明確に沖縄の米軍基地には反対しています。あれは負担が重すぎる。置いてもいいけれど、もし沖縄に置くのであれば、大阪や東京にも均等に置くべき。沖縄に押し付けすぎです。

だけど、そのおじいちゃんはいろんな経験してきて七十年、七十五年経って「私は米軍基地があるのはしょうがないと思う」と言っていた。

単に米軍万歳、軍隊万歳と言ってるわけではない。仕方なく言っている。つらいやん、そんなん。おじいちゃんの家族はみんな戦争で死んだのに。自分だけ生き残って、いままでものすごく苦労をして。子どもも孫もいっぱいつくって、孫やひ孫に囲まれて、穏やかな老後を暮らしているのだけれど、そのひとが基地はあっても仕方ないって言ったんです。だから人間って複雑やなと思います。

意見の違うひとを全否定はせずに、僕は基地には反対だけどそのひとが「仕方ない」って言った気持ちは尊重したいです。理解したいと思います。同意はできないけれど理解はしたい。そのおじいちゃんとはとても長くしゃべりました。誰にも言ってないけどという話をいっぱい聞いた。みんな限られた状況のなかで必死で生きてる。みんなもそうやろ？　生活史調査をすると、そういうことがわかってくるんです。

僕は根がすごく暗い。幼稚園のときに遊びに行って、外でちっちゃい小石を拾ってきて、部屋に集めていた。暗いやろ（笑）。

欠けたガラスや落ちているネジとかそういうものを集めて「おお」って見ていた。だから僕はすごく現場系なのだけど、哲学が好き。ちょっと抽象的な方法論の論文を書いたりもしています。

でも一番中心にあるのは生活史調査で、一番書きたいのはこういうことだと思っています。

今日はせっかく話をしたから、家帰って家族にインタビューしてみてください。家族やおじいちゃん、おばあちゃんが元気なうちに。

「おばあちゃん。そんなんやったん、じつは」みたいなことがたくさんあります。「一回離婚してんねん」みたいな話とか、普通にびっくりするような話が出てくると思います。

別にいいやん、それも人生。結婚しなくてもいい。ちなみに君たちの世代は半分以上が一生独身になると思います。いまの生涯非婚率の伸び方は右肩上がりです。急激なカーブで生涯独身が増えています。だから君たちもかなり独身のひとが多いと思います。だから結婚しなくてもいいわけ、全然いい。全然いいよ。

わたしの思い出の授業、思い出の先生

じつは、学校の授業にぜんぜん思い出ないんです。中学校のときは体罰がひどいところで、反抗ばかりしていました。高校は私学の超進学校に進んだんだけど、こんどは逆にめちゃめちゃ自由なところで、ほとんど授業に出たことないんです。ずっとサボって、映画館に行ったり、繁華街で遊んでいました。

僕が通った高校（名古屋の東海高校）は、いまでも変わりないと思いますが、リベラルな校風で、生徒が多少さぼっても、それをぜんぜん許してくれるところがありました。いい先生もたくさんいました。

ただ、やはり「自分」というものを作ってきたのは、音楽仲間や飲み友だちなど、学校の「外」の人間関係だったと思います。

大学に入ったらもう音楽をして街に出て酒を飲んで家にこもって難しい本を読む、ということしかしてなくて、ほんとうに授業には一切出なくなりました。なので、いまだに大学の授業をどうやればいいのかわかりません（笑）。

わたしの仕事をもっと知るための3冊

岸政彦『同化と他者化――戦後沖縄の本土就職者たち』（ナカニシヤ出版）
岸政彦『街の人生』（勁草書房）
岸政彦『断片的なものの社会学』（朝日出版社）

「男らしい」「女らしい」って何？

水無田気流

私の専門は社会学、とくにジェンダー論と呼ばれる分野を中心に研究を行っています。「ジェンダー」とは「文化的・社会的につくられた性差」を意味する言葉です。これは、日常的に「男性らしさ」や「女性らしさ」としてとらえられることがらが、社会でどのように人びとに作用するのかを研究する分野と言えます。「男らしい」「女らしい」と言うと、なんとなくわかった気になるひとも多いと思いますが、それが具体的にどういうことなのかを、今日はお話ししてみたいと思います。

さて、こんなデータがあります。子どもの教育に対して、「男の子は男の子らしく、女の子は女の子らしく育てるべき」と答えるひとの割合は、母親では四割程度、父親では六割強。みなさんは、小さいときから「女らしくしなさい」とか、「男の子なんだから泣いちゃだめ」なんて言われながら育ちましたか？

昔は「男子厨房に入らず」という言葉があって、男の子は家事をやってはいけませんと言われていましたが、みなさんはどうでしょうか。反対に、男の子

みなした・きりう＝詩人、社会学者。國學院大學教授。専門は文化社会学、ジェンダー論。一九七〇年生まれ。神奈川県出身。早稲田大学大学院社会科学研究科博士後期課程単位取得満期退学。著書に『シングルマザーの貧困』『「居場所」のない男、「時間」がない女』など。詩人として『音速平和』で中原中也賞、『Z境』で晩翠賞を受賞。

も女の子も「お皿ぐらい自分で片づけなさい」と言われてきたかもしれませんね。

日本とスウェーデンの意識調査

君たちの世代は「中学高校男女家庭科共修世代▼」と言われています。昔は男女別学で、一九七三年から、日本の専業主婦比率が一番高かった一九九三年までは、家庭科は女子だけの必修科目でした。たとえば女子が家庭科を学んでいる間、男子は剣道や柔道をやっていました。つまり、いまの四十〜五十代のひとは、武術は男子だけ、家庭科は女子だけがやりましょうという世代です。そのため、現在三十代以下の世代は家事をある程度スキルとして捉えていますが、それより上の世代になると「男性がやるものじゃない」というような価値観が根強いのです。

一方近年の意識調査では、女性の間で家事ができる男性の人気はすごく上がっているんです。これは他の先進国ではもっと顕著かもしれません。私が所属している國學院大學のジェンダー論の授業に、ゲストとしてスウェーデン大使館の政治経済報道官の方がいらしたとき、インターンの大学生に協力してもらい、「結婚相手に望むものは何ですか？」という質問から、スウェーデンの二十代の学生世代と國學院大學の学生との意識調査の統計を出してみました。スウェーデンも國學院大學も、男女ともに一位は「人柄」。なのでそれを省くと、

▼**中学高校男女家庭科共修世代**
男女同一の教育課程として家庭科を学んだ世代の総称。戦後長らく「男子向き」「女子向き」と区別されていた教育方針が一九七九年に国連で採択された「女性差別撤廃条約」の理念に反するとし、「家庭科の男女共修を進める会」などの団体を中心に議論された。一九九三年に中学校、一九九四年に高校での男女共修が実現した。

國學院の女子学生で一番多い答えは「経済力」でした。これは国の統計とほぼ同じ結果です。そして男子学生が結婚相手の女性に求めるもので「人柄」に次ぐ一番は「容姿」でした。

他方、スウェーデン人の男女の場合「経済力」を挙げたひとはゼロでした。では男性が女性に求めているものは何かというと、日本と同じく「容姿」でした。しかし、スウェーデン人女性が男性に求めるものは「家事・育児能力」だったのです。

スウェーデンでは、共働きが当たり前です。あちらで流行っているドラマの画面を見せてもらったら、ごつい北欧の男性が、アイロンをかけながら妻と話しているようなシーンが当たり前にありました。そんなわけで、家事ができることも男性の魅力になっているとなると、「男らしく、女らしく」と言っても、時代や国によってかなり違いがあるのではないかと思います。

「社会的につくられる性差」

先ほども言ったように、「ジェンダー」という言葉が示すのは、生まれながらの性別ではなく、環境によって形づくられる性であり、時代によっても、国や文化集団、宗教集団によっても異なります。この概念を一番最初に提起したのは、マーガレット・ミード▼という文化人類学者の女性でした。彼女が未開の

▼**マーガレット・ミード**
アメリカの文化人類学者。一九〇一年生まれ。サモア島で行った「人類と性」についての現地調査をまとめた『サモアの思春期』がアメリカでベストセラーとなり、学者としての地位を築く。著作は一九六〇年代のウーマンリブ運動のルーツとなり、ジェンダー研究の分野にも今日に続く多大な影響を与えた。一九七八年没。

ある部族を調査したときのこと。Aという部族では、無口なほうが男らしくて、泣いたり笑ったり、感情を表に出すほうが女らしいとされていました。ところがBという部族に行くと、反対に寡黙な女性が女らしく、男性は感情を表に出したほうが男らしいとされていた。このように、「男らしい」「女らしい」は絶対的な基準ではなく、それぞれの文化集団ごとに違っているのです。

たとえば服装について。いまは男女区別のない「ユニセックス」な服が一般的になっているので、女子でもジーパンなどパンツスタイルが珍しくなくなりました。でも、男子はあまりスカートは穿かないですよね。

男子がスカートを穿いているからといって警察に捕まることはありません。でも、異性の格好をするのが法律違反だった時代もありました。たとえばジャンヌ・ダルク▼。火刑に処されていますが、男装をしたことで異端とみなされ捕まったとされています。また、イスラム圏のひとたちは女性は髪の毛を覆うよう頭にスカーフを巻いていないといけませんよね。そういう規範がものすごく強く、それを破るとタブーに抵触してしまうということもあります。

このように、男らしい・女らしい振る舞いをしないと、社会からいろいろな有形無形の負荷をかけられることになります。これを社会学では「サンクション（動機要因）」と言います。サンクションには、ポジティブなものとネガティブなものがあります。ポジティブなサンクションというのは、男の子が男の子らしい振る舞いをすると、褒めます。そして男の子らしくない振る舞いをする

▼ジャンヌ・ダルク
十五世紀のフランスの国民的英雄であり聖人。イングランドとの百年戦争の最中、農家の娘として生まれる。十三歳ごろ、「フランスを救え」と神の啓示を受けたとして、フランス軍に参加。一四二八〜二九年のオルレアン包囲戦で指揮をとり、フランスを勝利に導いた。しかしその後の軍事的失敗により捕虜となり、また兵士の服を着用していたことから異端審問にかけられ、一四三一年、火刑に処された。

と、批判します。女の子も以下同文。そういうことによって、君たちは知らず知らずのうちに「男らしさ」「女らしさ」という規範を身に付けていくんですね。

うちには小学校六年生の息子がいるんですが、絶対に「男の子らしく」「女の子らしく」と言わずに育ててきたつもりです。でも、何かの拍子に「女の子みたいな格好は嫌だ」とか、将来どういうふうになりたいのと聞いたら「大学を出て就職して結婚してパパになって奥さんと子どもを食べさせて……」とか言うんですよね。「そんな古い男女の規範を内面化していて、この子の将来は大丈夫なのか？」と心配になりましたが、でもよく考えたらそういう発想をする私のほうが、世間からずれているのかなとも思いました。

ともあれ、親が一生懸命、「男らしい、女らしい」に関係なく育てようと思っても、世間の気風から「こうしなければいけない」という情報が入ってくる。問題は性差そのものではなく、ジェンダーバイアス（偏見）です。その「らしさ」が趣味の問題であるうちはいいんです。でも、これが生活上の不平等に結びついているとすると、どうでしょうか。

「呪いの言葉がもたらすもの」

この社会にはいろいろな恐ろしい呪いの言葉があります。たとえば「女の子は無理してまでいい大学に行かせる必要はない」「どうせ女の子はお嫁に行くんだから」とか、一方「男の子は無理させてもいい大学に行かせなくちゃいけない」「男の子なんだから泣くんじゃない」とか。

二〇一九年現在、短大・大学の現役進学率は全体の五四・八パーセントです。男子より女子のほうが多いですが、これは女子はできるだけ浪人させずに合格させたいので冒険をさせない傾向にあるのと、短大進学率が高いのがポイントです。短大に進むひとの九〇パーセントが女子ですが、四大の女子占有率は四四パーセントまで落ちてしまいます。学部における女子学生割合は、一番多いのが人文で七割弱。社会科学、経済や政治ではガクンと減って三五パーセント、理学は二七・八パーセント、工学は一五パーセント、農学は四五パーセントですが、医学・歯学でも三五・二パーセント、薬学や看護学だと七〇パーセントくらいですね。教育で六〇パーセントくらい。芸術系は九〇パーセント女子です。

男子はこれと逆転するわけだから、政治経済理工、医学などが多くなります。どうですか？　将来お金が儲かりそうな学部じゃないですか？　将来の高い社会的地位や収入、専門職に結びつきそうな学部専攻を見ると、女子の割合は低いんです。これは社会に出てもあまり出世できなかったりする現状を反映している面もあるし、親の意向も大きいです。というのも、日本のGDP▼比でみた教育費の家計支出割合はすごく高い。お金を稼いでいるのはほぼお父さんで、その六割以上が「男の子は男らしく」「女の子は女らしく」と思っているとい

▼GDP
Gross Domestic Product（国内総生産）の略称。ある国で一定期間のうちに生み出された新たな商品やサービスの付加価値を合計したもの。世界における景気や経済成長の指標とされている。

うことは、その価値観がおのずと子どもの進学行動にも反映されます。

日本の働くお母さん

みなさんは、二〇一二年に放映された味の素の企業CMをご存知でしょうか。「日本のお母さん」にエールを送る意図で作られた映像なのですが、お父さんの存在感が非常に薄いんです。お母さんが誰よりも早く起きてお弁当をつくって朝ご飯をつくって子どもに食べさせて、洗濯をして洗濯物を干しているときに、仕事の準備をしているお父さんが二秒くらい映るだけ(笑)。その後お母さんはスーツを着て、子どもたちを保育園へ送って、仕事が終わったらお迎えに行って、そのままスーパーで買物をして、最後手づくりの夕ご飯を食べている。その席にもお父さんの姿はありません。でも、社会生活基本調査▼等の統計調査を見ると、日本の女性は大体このペースで労働をしています。

「働く」というと、みなさんにとっては外に出てお金をもらうイメージが強いと思いますが、これを「有償労働」といいます。対して、家事・育児・介護のようにお金のもらえない労働を「無償労働」といいます。この無償労働と有償労働を合わせた総労働時間は、男性よりも女性のほうがずっと長いんです。過去二十年間で女性の就業率は跳ね上がりましたが、家事の負担割合はほとんど変わらず、平均して夫婦合計の家事総量の八五パーセント以上を女性が担って

▼社会生活基本調査
総務省統計局による統計調査。五年に一度、無作為に選ばれた世帯を調査員が訪問する。人びとの生活時間の配分や活動について調査し、行政施策の基礎資料として国民生活の実態を明らかにするのが目的とされる。

います。フルタイム同士の夫婦でも、夫の七人に一人はまったく家事をやりません。ということは、外で働いて、家でも家事・育児・介護全部こなしている女性が相当数いるということですね。

この問題を統計で見てみましょう。日本の有業男性は平日仕事時間の平均が六時間四十九分で、女性は四時間四十七分。女性のほうが短いと思うかもしれませんが、家事・育児・介護すべてを含む家事関連時間は、男性は週平均四十四分で、女性は三時間半程度です。ついでに言うと、平日の男性の家事関連時間は三十分程度に短くなるんですが、女性は平日・休日どちらも三時間三十分前後。つまり、有償労働の仕事と無償労働の家事を合わせた総労働時間で言うと、男性は一日平均七時間三十三分ですが、女性は八時間十五分と、女性が四十二分長い。

ただし、これは既婚か未婚かで大きな違いがあります。未婚女性の家事時間は一日平均一時間程度ですが、既婚女性は五時間程度になってしまいます。日本女性は、家庭を守ることに相当力を入れているということですね。とくに未就学児がいる家庭では、女性の家事関連時間は七時間三十四分、うち育児が三時間四十五分。これは先進国であるイギリス、アメリカ、ドイツ、フランス、ノルウェー、スウェーデンよりもずっと長いです。それにひきかえ日本の既婚男性の家事関連時間は一時間二十三分で、先進諸国のおおむね半分から三分の一です。このデータから、いかに日本は女性に家事が偏重している状況かがわかると思います。

いまは日本も共働き世帯がものすごく増えていて、専業主婦がいる世帯よりも六百十三万世帯多いです。にもかかわらず、社会は全然共働き仕様になっていません。これはなんとかしないと大変なことになります。

ジェンダーギャップ最低の先進国

日本は男女の平等度を表すジェンダーギャップ指数▼がきわめて低く、二〇一八年には百四十九ヵ国中百十位で、先進国最低の結果になりました。引き下げ要因は「政治参加」と「経済活動」分野ですが、「教育」もそれほど高くはありません。中等教育までは比較的男女の平等度が高いんですが、それ以降はどんどん低くなってしまいます。

男女の賃金格差も大きいです。国税庁による民間給与実態統計調査を見ると、男性は役付きになってくる五十代の前半にお給料が一番高くなっています。女性は二十代後半にピークが来て、あとは上がりません。日本の職場は就業慣行として年功賃金が根強いですが、女性は三十代半ばぐらいに出産・育児などで離職してしまうひとが多いです。産休や育休を取って就業継続できたとしても、いわゆるバリバリ働く出世コースからは外れてしまうひとが多くなる。入社したときは、むしろ男性よりも能力があったり成績が良かったりしても、性別に

▼**ジェンダーギャップ指数**
世界経済フォーラムが年に一度発表する、社会の男女平等度を測る国際的指数。政治・経済・教育・健康の四部門から計算される。二〇一九年、日本は百五十三ヵ国中百二十一位という過去最低の結果となった。

よってこういう差がついてしまいます。そして、正社員の女性が子どもを産むため三十代前後に仕事をやめてしまった場合、その先また正社員水準の仕事につくのは難しいというのが現状です。

子どもを一人産むことで得られなくなる、本来だったら定年まで勤めていたらもらえたはずのお金は機会費用といいますが、これはおよそ二億円といわれています。これは、おそらく一世帯の生活水準を根底から変えてしまう金額です。いま、日本の女性は一人目が生まれたときに半数が仕事をやめますが、もし子どもを産んでも妻が定年まで働き続けることができれば、家庭には二億円が入るわけです。それならば、男性はもっと協力して妻に仕事を続けてもらったほうが良くない？と思うわけですが、なかなかそれが進んでいかないんですね。

男性の家庭内自立

一方で、この国では男性は何の問題もなく幸せなのかというとそんなことはありません。自殺・孤独死・ひきこもりはどれも七割が男性。命に関わる問題は男性のほうが深刻です。事由別に見ると、経済生活問題事由の自殺は、四十代・五十代の男性が突出して多い。一家の大黒柱として働いて、子どもの教育費も家のローンもあるなか、リストラや減給の憂き目にあうと、ひとに言えなくて亡くなってしまうことがうかがわれます。

孤独死は一人暮らしの不審死を意味しますが、高リスクなのは五十代・六十代男性です。七十歳以上の一人暮らしのおじいさんの場合は、民生委員の方などが心配して見に来るんですが、五十代くらいの働き盛りのひとの姿が見えなくても、誰も心配しないんですね。でもその実、家のなかで倒れてそのままになってしまったなどというケースが起こりがちになります。

引きこもりも、七割が男性です。女性に比べて男性のほうが、社会的な体面を失うと社会復帰が難しくなってしまうからと考えられます。

日本の男女の平均寿命格差は六・四歳と、先進国でも非常に大きい部類ですが、じつはノルウェー、デンマーク、スウェーデン、アイスランド等々、男女平等度が高い国は男女の平均寿命格差が日本の半分くらいなんです。女性の社会進出が進んでいるので、男性だけが自分の健康を顧みないほど働かなくていいというのが理由のひとつですが、男性の地域社会や家庭への進出が進んでいるので、家のことを自分でできる男性が多いことも大きなポイントです。

ところが日本の男性、とくに中高年は家事のスキルや意識がとても低い。このため、妻がいるかいないかが平均寿命や健康寿命に与える影響が非常に大きいのです。医学雑誌の論文で、五十歳指定平均余命を婚姻関係別に算出したところ、離婚した男性は結婚継続している男性に比べて、九年平均余命が短くなるという結果になりました。妻に先立たれたり、離婚されたりすると健康的な食生活が保てず、飲酒や喫煙も慎まなくなる。それで、健康を損ねて早死にしてしまうのですね。ちなみに女性はこういう差が全然ありません。「自立」というと経済的なことばかり言われがちですが、自分の身の回りのことを自分でできるということもすごく重要です。経済的自立のための仕事のスキルは退職したら必要なくなるけれど、身の周りのことや健康管理をする能力は、人生の最後の瞬間まで自分の生活の質を高めてくれる重要なスキルです。みなさんも少しずつでいいから、勉強だけでなく身の周りのこともちゃんと自分でやっていけるようにしておいたほうが、きっと幸せな大人になれると思いますが、いかがでしょう。

「働き方改革」と「暮らし方改革」

近年、フェミニズムの第三波と言われる「ポストフェミニズム▼」という潮流があります。ビヨンセがフェミニズムの歌詞を歌ったり、シャネルのショーでフェミニズムのデモ行進風のパフォーマンスが行われたり、女性を力づける主旨のCMの賞が作られたりしています。たとえば、インドの生理用品の会社では、「女性が生理中にピクルスの壺を触るとピクルスが腐る」という迷信をはねのけようというCMを打ったところ、商品の好感度が二割から九割に跳ね上がって、社会現象になったそうです。「ジェンダー論」というと「女性が男性社会に物申す」というようなイメージがありますが、どんどんそうではな

▼**ポストフェミニズム**
女性参政権をめぐる第一波フェミニズム、ウーマンリブなどの女性解放運動を中心とした第二波フェミニズムなどのもつ「社会運動」的な要素から距離を取る、新しい時代のフェミニズム。#MeTooなど、ジェンダー問題をより個人的なものとして捉えるという特徴がある。

くなってきて、世界的にも「公正なものがクールである」という流れが生まれています。

これからの時代を生きるうえで大切なのは、固定化されたジェンダー役割規範を打破することや、多様な価値観を容認していくということ。「男の子らしく」「女の子らしく」という規範を打ち破り、そのひとの個性や適性が評価される社会になってほしいと願っています。そのためには、「働き方改革」だけでなく、男女問わず総合的な「暮らし方改革」が必要です。

日本はいま、ものすごい勢いで少子化していますが、厚生労働省調査では、一人目の子どもが生まれた世帯で、休日に家事・育児をしない父親の家庭では十年後に二人目以上が生まれている割合は一割ですが、六時間以上家事・育児をする父親の家庭の場合、九割に二人以上生まれているという結果が出ています。「少子化に特効薬なし」と言われているのですが、これはすごい数字です。男性の家事・育児参加は男性の居場所をつくり、平均寿命を押し上げ、健康にもいいだけではなく、少子化に対してもこれだけプラスの効果があるのです。

みなさんも、これから社会科学の数字や統計を扱うことがあると思いますが、そのとき、単に数値を覚えたり比較したり羅列したりするだけではなくて、そこにどういう人間の生活があるのかを想像してみてください。そこで生きるひとたちは、どんな気持ちでどんなふうに、何を望ましいと思って暮らしているのか。それを考えることで、統計は血肉のついた学問になっていきます。

Q&A

——近年、東京医科大学の不正入試▼や政治家による女性を侮辱する発言など、ジェンダーの問題が話題になっています。先生がおっしゃっている社会学的なジェンダー理論を社会に浸透させていくためにはどうすればいいと思いますか。

個人的なレベルでは、大学や学会報告だけではなくて、講演やインタビューの仕事をこまめに受けたり、書籍を書いたり、すごく苦手ですがテレビに呼ばれたらとりあえず断らないようにしています。そういうことをいろいろやってみて思うのは、おそらく最も動きやすいのは経済ですね。社会全体に「ジェンダー平等はクールである」という意識の高まりがあって消費社会も大きな影響を受けているため、企業の偉いおじさんたちもこれをマーケティングのなかに取り込むことに積極的になりつつあります。

それからSDGs（エスディージーズ）。▼これはジェンダー平等も含む概念で、影響は大きいです。ただ少し注釈を加えるならば、公正や正義のためではなく株主利益率、つまり株主の評価が高くなるからという理由でやっている企業もまだまだ多い。とはいえ、そういう理由だとしても、相対的に社会が改良される手はずになるのなら、あえて乗るのもいいと思います。ただ、それがあまりにも商業主義的なものに偏り、企業が儲かる言説に特化してしまうと危険です。「儲かるからジェンダー平等を達成しよう」という意識の企業は、儲からなくなったらやらないからです。だから一方で、「ジェンダー平等は公正のために必要である」とい

▼東京医科大学の不正入試
医学部医学科の一般入試で、女子合格者数を一定以下に調整するため、女子受験生の得点を一律で減点していた問題。二〇一八年に報道され、その後の調査で女子のみならず三浪以上の受験生にも減点対応がなされていたこと、毎年数名の受験生に加点対応がなされていたことが明るみに出た。元受験生らは複数の裁判を起こし、大学側は争う姿勢をみせている。

▼SDGs
「持続可能な開発目標」として、国連サミットで採択された二〇一六年から二〇三〇年までの国際目標。貧困や飢餓から環境問題、経済成長やジェンダー平等など、世界の多くの課題に対し「地球上の誰一人として取り残さない」ための十七のゴールが設定されている。国だけでなく、地域や企業の取り組みにも期待が高まっている。

うことも、強く言い続けなければならないと思っています。

わたしの思い出の授業、思い出の先生

Q1: 思い出の授業を教えてください

授業というのではありませんが、中学のときの音楽の先生がなぜか毎年市内で募集されている中学生対象の作曲コンクールに私が作品を提出することを勧めてくれました。提出締切の夏休み明けは、いつも音楽室で放課後先生に楽譜を見せ、ピアノを弾いて聴いてもらっていました。いまにして思うと、ぜいたくな時間をもらったように思っています。

Q2: なぜ記憶に残っているのですか?

先生の買いかぶりだと思いますが、「あなたは無から有を作ることができるひとだから」と、よく言われました。先生と名のつくひとからここまで過大に評価されることはなかったので、半ば恐縮したのを覚えています。

Q3: その授業は人生を変えましたか?

私自身は、さして音楽の才能があるとも思えず、音楽教室も中学のなかごろでやめてしまったのですが、いまにして思うと、長じて現代詩を書くことに作曲の感覚が影響を与えているように思います。

わたしの仕事をもっと知るための3冊

水無田気流『「居場所」のない男、「時間」がない女』(日本経済新聞出版社)

水無田気流『無頼化した女たち』(亜紀書房)

水無田気流『シングルマザーの貧困』(光文社新書)

なぜ人と人は支え合うのか
「障害」から考える

渡辺一史

わたなべ・かずふみ＝ノンフィクションライター。一九六八年生まれ。一九九一年、北海道大学文学部行動科学科を中退。以降、北海道内を拠点に活動する。著書に『こんな夜更けにバナナかよ』『北の無人駅から』『なぜ人と人は支え合うのか』など。

「地域で普通に生活したい」

「筋ジストロフィー▼」という病気を知っていますか？　全身の筋力が徐々に衰えていく難病で、治療法はまだいまのところ確立されていません。手や足が動かなくなるだけじゃなくて、この病気の怖いところは、内臓の筋力も衰えていってしまうということ。みんなはいま、無意識に呼吸をしていますが、肺をふくらませたり、しぼませたりするのにも筋力が必要です。呼吸筋がだんだん衰えていくと、自発呼吸ができなくなってしまいます。それから、みんなの心臓も、心筋という筋肉が正常に機能しているからバクバクと拍動して全身に血が流れるのですが、それもだんだん弱まってきます。

呼吸筋が弱まって自発呼吸ができなくなると、人工呼吸器をつけなくてはならなくなります。人工呼吸器は、肺の代用をしてくれる機械です。のどに穴を開けてカニューレという医療器具をつけ、四角い箱形の人工呼吸器から伸びる管を接続します。それで呼吸筋が衰えてもしばらくは生きていけるのですが、さらに病気が進行すると、心臓がうまく動かなくなり、心筋症になってお亡くなりになるというのが、多くの筋ジストロフィー▼のひとの亡くなり方なんですね。私の著書『こんな夜更けにバナナかよ』で取材した鹿野靖明(しかのやすあき)さんもまさにそうでした。

ただ、ひとつ違うことがありました。難病のある方は施設や病院で一生を終えることが多いのですが、彼は筋ジストロフィーという難病を抱えながらも、若いころから「地域で普通に生活したい」という志をもっていたのです。

といっても、自分では手も足も動かせないとなると、ひとりでは普通に生活できませんよね。でも、どんなに障害が重くても、自分の人生なんだから自分の思うように生きたいとか、好きなことを一生懸命やりたいとか、好きな場所に住みたい、あるいは好きなひとができたら恋愛もしてみたいとか、そういう思いは普通のひとと同じです。そこで、鹿野さんに代表される障害者のひとたちは、だいたい一九七〇~八〇年代から地域に出て、いまで言う「在宅福祉」の制度が皆無と言っていい時代から、自らボランティアを募集して、集まったひとたちに自分の介助をしてもらって、命がけで「地域で生きる」という生活スタイルを実践してきました。

どんなに障害が重くても地域で普通に生活できるような社会にしたい、そのためにボランティアを募集して生きていた……と、ここまで聞くと、困難にも

▼筋ジストロフィー

骨格筋の壊死・再生を主病変とする遺伝性筋疾患の総称。デュシェンヌ型、ベッカー型、遠位型ミオパチーなどさまざまな病型や疾患があるが、いずれも筋力の低下によって体を動かすことが難しくなり、呼吸や飲み込み、血液循環などに機能障害が出ることが多い。二〇一五年に施行された難病法で「指定難病」に定められ、調査・研究の推進や、重症者を中心に医療費助成などが行われている。現時点で根本的な治療法は確立されていないが、遺伝子治療などによる新薬の開発などが活発に行われている。

めげず、けなげに一生懸命頑張っている障害者と、それを献身的に支える善意に満ちあふれた若者たちのストーリーというイメージを抱きますよね。ところが、鹿野さんは実際に取材すると、自己主張が強く、とってもわがままなひとでした（笑）。

通常、人工呼吸器をつけると、痰（たん）が不定期的に気管内にたまり、それを吸引器という機械で吸い取ってあげないと窒息してしまうという困難も背負います。ですから、片時も鹿野さんのそばを離れられません。痰がたまりましたよというう呼吸器のアラームが鳴るたびに、介助者が吸引をするんです。いまは制度が変わりましたが、当時は痰の吸引は医療行為（医行為）とされていて、お医者さんや看護師さんなど医療職のひとしかやってはいけない行為でした。ただし、例外的に家族だけは痰の吸引をすることを黙認されていましたから、鹿野さんはそれを逆手にとって、「ボランティアは僕の家族だから」と主張しました。そして「何があっても僕が責任をとります」と言って、ボランティアとともに生きることを選んだのです。

この生活の様子を取材して書いた『こんな夜更けにバナナかよ』は二〇一八年に映画化され、筋ジストロフィーの重度身体障害者である鹿野さんの役は、大泉洋さんが演じてくれました。

▼**『こんな夜更けにバナナかよ』**
二〇〇三年『こんな夜更けにバナナかよ　筋ジス・鹿野靖明とボランティアたち』（北海道新聞社、二〇一三年文春文庫）。難病患者の鹿野さんと二十四時間体制で支えるボランティアとの交流を描いた。大宅壮一ノンフィクション賞、講談社ノンフィクション賞をダブル受賞。二〇一八年には主演・大泉洋、高畑充希、三浦春馬など豪華キャストによる映画『こんな夜更けにバナナかよ　愛しき実話』（前田哲監督）が全国公開された。

タバコ介助をどう考えるか

ところで、私が取材に訪れた当時、鹿野さんは人工呼吸器をつけているにもかかわらず、日常的にタバコを吸っていました。たとえば、みんながボランティアをやっているとして、障害者の方に「タバコを吸わせて」と言われたらどうしますか？

「人工呼吸器をつけているのにタバコなんて吸ったら体に悪いからやめたほうがいいですよ」と言ってやめさせるべきか、あくまで鹿野さんの人生なんだし彼のやりたいことをサポートするべきか、答えは大きく分けるとこの二つになると思います。あるいは、いまの時代は「受動喫煙で私の体に悪いからタバコをやめてください」というパターンもあるでしょう。そう言われたら、障害者だろうが健常者だろうが言い訳の余地はないのですが……（笑）。当時は、いまほど嫌煙権や受動喫煙の害がクローズアップされる時代ではありませんでしたが、それでも障害者がわざわざタバコを吸って健康を害するのはいかがなものか、という考え方は当然ありました。

では実際、鹿野さんを介助していたボランティアたちはどうだったのでしょうか。

本のなかにも登場するのですが、山内太郎くんという学生ボランティアがいました。彼はボランティアをはじめて間もないころ、鹿野さんから「タバコ吸

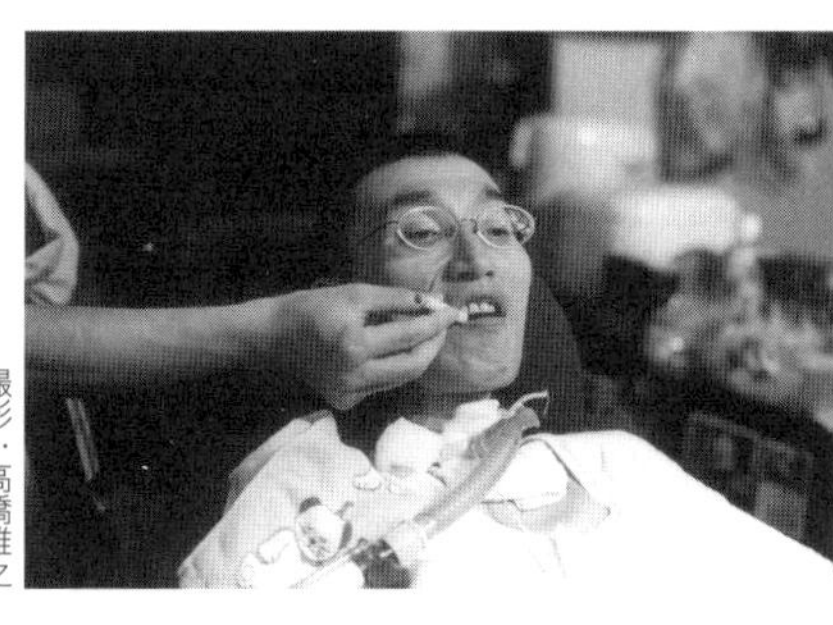

タバコ介助を受ける鹿野さん

撮影：高橋雅之

いたい」とタバコ介助を求められます。そのとき彼がどう考えたかというと、「人工呼吸器をつけているひとがタバコを吸うのは明らかに害だし、言ってみれば自殺行為に近い。それに手を貸すために自分は来ているわけじゃないから嫌だ」とはっきり言ったんですね。そう言われて鹿野さんは「てめえふざけんじゃねえよ、太郎。タバコ！」と言って大ゲンカになりました。それでも太郎くんは「嫌だ」と言い張ったんですね。すると、鹿野さんもとうとう「わかった。もう太郎には負けたよ」とあきらめて、太郎くんが帰った後、次に来たボランティアに「タバコ吸う！」と言ったわけなのですが（笑）。

この太郎くんに取材をして話を聞いたときに、「鹿野さんと最初にがっつりやり合ったことは、のちのちボランティアを続けていくうえですごく大事だった」と言っていました。嫌だなあと思ったことを口にしないで、はいはいと従っていたとしたら、自分はボランティアがあまり長続きしなかっただろう、と。彼は北海道大学の学生だったのですが、卒業して大学院に進学しても計六年間、鹿野さんが亡くなるまでボランティアを続けた中心人物のひとりでした。

さて、太郎くんの言った「タバコは体に悪いからやめたほうがいいですよ」という意見について、少し考えてみましょう。これは一見、相手に対する優しさや思いやりのようにも思えますけど、果たしてそうなのでしょうか。

このように「あなたのためを思って」という考え方は、少し難しい言葉で「パターナリズム▼」と言います。強い立場にあるひとが弱い立場にあるひとに対し

▼パターナリズム
強い立場にある者が、弱い立場にある者に対して、「あなたのために」という表向きの善意などを装って自分の判断を押しつけてきたり、当事者の意思や希望を聞かずに、保護者的・管理者的な立場から、代わりに意思決定をしてしまうこと。父権主義、家父長主義、温情主義などとも呼ばれる。

て、良かれと思って意思決定を行ってしまう支配パターンのひとつです。

こうした考え方に対して、鹿野さんは反抗しました。どうしてかというと、鹿野さんが嫌で飛び出した施設や病院こそ、まさにパターナリズムによって障害者を管理しがちな場だからです。それに対して、地域で普通に生活するという障害者の生活スタイルを、「自立生活」と呼んだりしますが、自立生活をする障害者にとっては、パターナリズムにどう抵抗して、自分の人生を自分で生きるかが生命線です。そもそも、鹿野さんのような重度身体障害者が施設を出てボランティアを集めながら生活すること自体、すごいリスクを背負っているわけですよね。言わば命がけで自立生活をしているわけで、そういうひとに向かって「タバコは体に悪いからやめたほうがいいですよ」というのもおかしな話です。太郎くんも、鹿野さんと時間をかけて話し合ううちに、このような生活をしている背景にはどんな考えがあるかということがだんだんわかってきて、最終的には「鹿野さんの人生、タバコを吸おうが吸うまいが、介助者がサポートするのは当然だ」というふうに考えが変わっていきました。

「障害者のマスターベーション」

大事なことは、お互いに考え方をぶつけ合うということ。鹿野さんは、「タバコは嫌だ」と言い張った太郎くんを、「ボランティアとしてダメだからやめさせよう」というふうには思わないで、「太郎はなかなか骨のあるボランティアだ」と逆に信頼を抱いたといいます。そこが人間関係の不思議なところですね。これは友人関係にもあてはまると思うのですが、何でも自分の言ったことに同調している割には、このひとは一体何を考えているんだろう?というひともいますよね。それよりは、自分の思ったことをはっきり口にしてくれるひとのほうが、性格の輪郭がつかみやすくて信頼できるということがあるでしょう?

鹿野さんのところでボランティアをするひとは、さまざまな無理難題に応えなくてはいけません。たとえば「アダルトビデオを見たい」と言われるとかね(笑)。

私も取材をはじめるまでは、障害者に性欲はあるんだろうかとか、あるとしたらどうしているんだろうか、というのは考えてはいけないことのように思っていました。でも、障害者だって当然、異性の裸を見たいとか、好きなひとができたら恋愛して結婚して家庭を築きたいとか、そういう感情が当たり前のようにあります。でも、手も足も動かない鹿野さんが「アダルトビデオを見たい」と言ったとき、ボランティアはどうすればいいのか。

映画では大泉さんが、ボランティア役の三浦春馬さんと一緒にエッチなビデオを見るシーンがあったり、同じくボランティア役の高畑充希さんが、鹿野さんの部屋にエッチなビデオがあるのを発見して、思わず「鹿野さん、これ見ていったい何するの?」とたずねるシーンもあります。

私が大学で授業をするときは真面目に、「青少年の性行動全国調査▼」から「自慰の経験率」のようなデータを参考にしながら、いまの高校生、大学生、あるいは中学生がどれくらいマスターベーションしているかという話をしたりします。私も、威張ることではありませんが中学一年生のときに初めてマスターベーションを体験して以来、自分の生活には欠かせないごく日常的な行為です。障害者にもそういう欲望があることをぜひ忘れないでほしいと思います。

もっとも、性というのは個人差がとても大きな世界です。何が正常で何が異常かは、性に関してはほとんどないと考えていいと思います。ひとは往々にして、自分の考えが「正常」で、自分とは異なる指向をもつひとを「異常」と思ってしまいがちですが、近年ではＬＧＢＴＱ（性的少数者）のひとたちが声を挙げはじめているように、本当にひとそれぞれ、多様な性のあり方があります。

鹿野さんのボランティアのひとたちも、介助をはじめる前は「障害者がマスターベーションなんて」と思っていたでしょうが、実際に生身の障害者と接してみると、タバコとか、アダルトビデオとか、イメージからハミ出すようなことがどんどん出てくるんですね。

「こんな夜更けにバナナかよ」

本のタイトルになった「バナナ事件」もそのひとつです。国吉（くによし）智宏さんとい

▼**青少年の性行動全国調査**
一般財団法人日本児童教育振興財団内日本性教育協会が実施している研究調査。青少年（中学生・高校生・大学生）の性についてのさまざまな意識や態度、経験を明らかにし、社会的背景などとの関連を検討。青少年の性が社会的に「問題化」した時期である一九七四年から、ほぼ六年ごとに全国的な規模で続けられている。

う北海道大学に通う学生ボランティアがいて、彼はコンビニでアルバイトをしながらボランティアをかけもちでやっていました。ですから、鹿野さんが寝てくれると自分も仮眠できるのですが、夜中に目を覚ましては、「腹が減ったからバナナ食べる！」なんて言う。それにもじつは事情があります。筋ジストロフィーのひとは筋力がないので寝返りも打てません。寝返りを打たないでずっと同じ体勢で寝ていると、どうなるかというと、鉄板の上に寝ているかのように体が痛くなります。ですから、そのたびに鹿野さんはボランティアを起こして、「体位交換」といって体の向きを変えてもらうのですが、要するに眠ることは、鹿野さんにとって体の痛みとの格闘でもあるんです。それに加えて、鹿野さんは「寝たら二度と目が覚めないんじゃないか」という恐怖心もあったそうです。そのせいで寝付きが悪く、毎日強い睡眠導入剤を飲んで寝るのですが、すぐ目を覚ましては「お腹空いた」などと言うのです。

もちろん、国吉さんもそうした事情はわかっているのですが、夜中の眠いときに「国ちゃん、腹減ったからバナナ食う」と言われたらカチンと来ますよね。自分の手足が動けば自分でバナナを取りに行けばいいだけの話で、鹿野さんはそれができないから頼んでいるのです。頭ではわかっていても、理性と感情は違いますから、ついムカッとして、無言で皮を向いて鹿野さんの口に押し込んで、バナナを食べさせたわけです。そして、ようやく一本食べ終わって、国吉さんがベッドに戻ろうとしたら、鹿野さんが背後から「国ちゃん、バナナもう

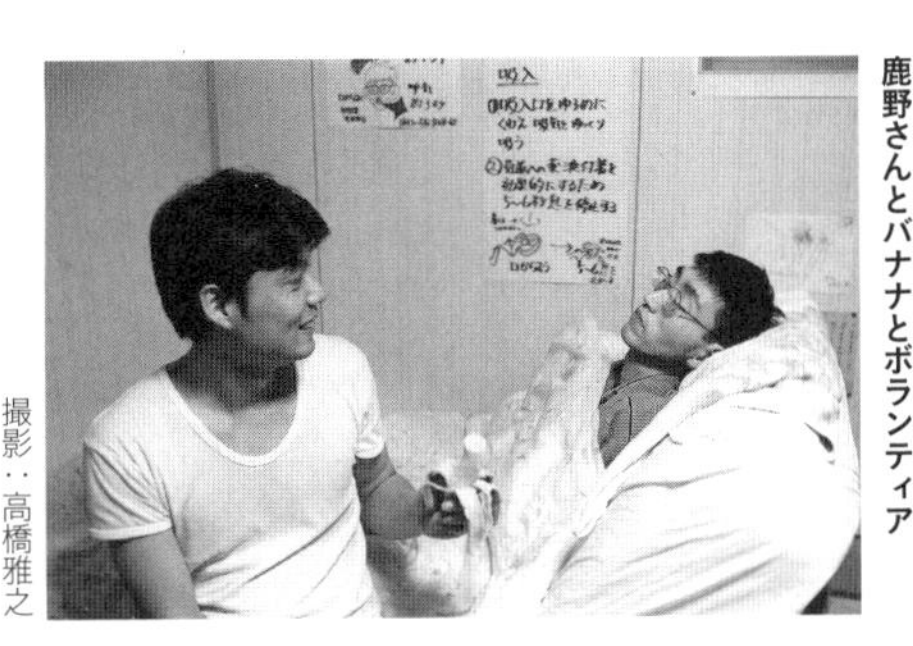

鹿野さんとバナナとボランティア

撮影：高橋雅之

一本」って（笑）。

日本は「他人に迷惑をかけてはいけない」という社会的規範がとても強い社会です。もし自分に障害があったり、入院して看護師さんにお世話をしてもらう立場になったときには、多少卑屈になりますよね。忙しい看護師さんに迷惑をかけるんじゃないかとか考えて、遠慮するひとも多いと思うんです。でも、鹿野さんは違います。自分では何もできないけれど、自分の人生を思うように生きたいという思いを貫く以上は、気が済むまでひとに頼み続けるバイタリティとたくましさがありました。

私は、じつは鹿野さんの取材をはじめるまで、福祉や障害、介護をテーマにした文章は書いたことのないライターでした。ですから、ぼんやりと「24時間テレビ　愛は地球を救う」のような美談と感動ドラマの世界なのかなと思っていたのですが、実際現場に入ってみると、ボランティアと鹿野さんの生身のぶつかりあいがたくさんありました。

そして、取材の一環で鹿野さんから介護をひと通り教わって、痰の吸引も一応マスターしたのですが、そうなると、鹿野さんからたびたび電話があって、「この日どうしてもボランティアが埋まらないから、渡辺さん介助に入ってくれないか」と。気づけば、取材をしているんだか、鹿野さんの介助をしているんだかわからないという状態に巻き込まれていったのです。

ちなみに、私はよく泊まり介助に入ったのですが、私のときはバナナではなくて「そうめん食べる！」でした（笑）。夜中に冷やしそうめんをつくって、めんつゆを水で割って持っていくんですが、鹿野さんはめんつゆが薄いだの濃いだのと言って、何回もやり直しをさせられます。そして、最後に何を言われたかというと、「うーん、渡辺さんはまだまだ俺の味をわかっとらんな」。そう言われたときは「ふざけんなこのオヤジ」と思うのですが、反面、普段はさも心が広くて優しいフリをしている自分が、これぐらいで腹を立ててしまうんだということを知ることになります。鹿野さんも自分でめんつゆの味を調整できれば私にそんなことを頼みません。もし体が動けば、せっかくつくってくれたから今日は薄くても我慢して、おいしいと食べるフリをすることもできるけれど、鹿野さんはそれが絶対にできない。だから、自分の食べたい味になるまで何回も執拗にお願いするしかないのです。

ですから、「なんだ、このわがままな障害者は！」と思って、すぐやめてしまうボランティアもたくさんいました。でもそんななか、「鹿野さんは本当にわがままなんだろうか」「いや、わがままだと思ってる自分のほうが間違っているのかもしれない」……そうやって自分自身に〝問い〟を向けられるひとは、ボランティアが長続きしますし、人間的にも驚くほど成長していきます。そして、他者との接し方も変わるだろうし、人生そのものが大きく変わっていくのです。

「支え合いと生きる価値」

私が鹿野さんと出会って、取材をはじめたのが二〇〇〇年。鹿野さんは二〇〇二年八月にお亡くなりになったので、生身の鹿野さんと接したのは実質二年四カ月だけですが、その後の私の人生は激変しました。私は大学を中退して二十三歳からフリーライターをやっていて、鹿野さんに出会ったのは三十二歳のころ。取材をするうちに、この世界をちゃんと書くことこそが、自分にとって真のテーマかもしれないという思いが生まれました。

いまの時代、インターネットを開けば、一般社会やマスメディアでは口にしづらいような言葉があふれています。たとえば「どうして税金を重くしてまで、障害者や老人を助けなくてはいけないのですか？」とか、2ちゃんねる▼では「障害者って、生きている価値あるんでしょうか？」というタイトルのスレッドが立ったりする。

二〇一六年七月には、こうした状況を体現したかのような事件▼が起こりました。神奈川県相模原市の「津久井やまゆり園」という知的障害者施設に、元職員だった男が刃物を持って侵入し、寝ている入所者十九人を殺害、入所者・職員二十六人に重軽傷を負わせるという事件です。犯人の動機を簡単に言うと、「重度の障害者を生かしておくには莫大（ばくだい）なお金がかかるから、日本のために彼らを安楽死させるべきだ」というものです。障害者は社会のお荷物で、財政難

▼2ちゃんねる
一九九九年に開設された国内最大級の匿名掲示板サイト。「板」と呼ばれる膨大な掲示板が存在し、ネットスラングやAA（アスキーアート）といった独特のネット文化を形成したが、同時に、匿名性を悪用した誹謗中傷や人権侵害、デマなどの温床ともなった。その後、SNSやブログなど他のコミュニティサイトの選択肢が増えたことにより、若者の〝2ちゃんねる離れ〟が指摘されるなど、その存在感は徐々に希薄になりつつある。

の日本では死んでくれたほうがいい、そのほうが家族は楽だという主張を、植松聖という犯人はそのまま実行してしまったんです。

でも、「障害者は生きる価値があるのか」という問いに対しては、「いや、そう言うあなたこそ、生きている価値はあるんですか？」と聞いてみたいですよね。それに、障害者や老人は本当にただ助けられているだけなんでしょうか。彼らがいてくれることで、私たちの社会が逆に助けられていることもたくさんあるのではないでしょうか。

たとえば、駅にエレベーターがあるのはみんな当たり前だと思っているでしょう？ ところが駅のエレベーターは、鉄道会社や行政の思いやりでできたわけでも、自然の流れでそうなったわけでもありません。一九七〇年代から地域に出た障害者のひとたちが、「駅の段差をなくしてほしい」「駅にエレベーターをつけてほしい」という運動を三十年以上にわたって続けてきたおかげなんです。いまでは「バリアフリー新法▼」という法律ができ、たくさんのひとが利用する駅や施設には必ずエレベーターを設置したり、段差をなくすことが義務づけられるようになりました。

お年寄りにとっても、ベビーカーを押すお父さんやお母さんにとっても、大きなキャリーバッグを引いて旅行をするひとたちにとっても、エレベーターがなくて階段だけだったら大変でしょう？ つまり、障害者が生きやすい社会というのは、いろんな生の条件を背負ったひとたちが生きやすい社会でもあると

▼相模原障害者施設殺傷事件
二〇一六年七月二十六日未明、神奈川県立の知的障害者施設「津久井やまゆり園」（社会福祉法人かながわ共同会が指定管理者として運営）に、元施設職員の男が侵入し、入所者十九人を刺殺、入所者・職員計二十六人に重軽傷を負わせた事件。犯人の植松聖被告は、事件後もなお「意思疎通のとれない重度障害者は安楽死させるべき」と主張し続けている。

いうことです。

最近、発達障害を抱えたひとの話題も目につきますが、「空気読めないからうざいよな」といじめが起こったり、直接的にでなくても傍観者として関わってしまったりすることがあるかもしれません。でも、同質の人間だけが集まっているところには新しい発想も生まれないし、新しい発見も生まれません。異質な人間同士が出会う場所で初めて、新しい発想や発見が生まれます。

私も、そしてボランティアのひとたちも、鹿野さんというとても異質なひとを通して、自分自身を発見していったとも言えます。異質なひとは、自分が普段「当たり前」だと思っていることが、じつはそうではないということを教えてくれます。そうした経験が私たちの成長につながったり、発見につながったりします。今日の話を、障害だけでなく、自分自身のことを考えるきっかけにしていただけたらと思います。

Q&A

——私は、障害者を殺した犯人は心の障害者だと思うのですが、先生はどう思われますか?

相模原市の事件を起こした植松被告は「重度の障害者は安楽死させたほうがいい」と言っているわけですが、おっしゃる通り、そんな彼こそ障害者だという見方も成り立ちますよね。じつは障害者と健常者の間には、はっきりとした

▼バリアフリー新法
駅や施設などのエレベーター設置が進んだ背景には、一九七〇年代から全国各地で巻き起こった障害者運動の存在があったのを忘れてはならない。当初は「障害者のためにそんな高価な設備をつけるのは不可能だ」と行政も社会も考えたが、三十年以上にわたる運動の成果により、一九九四年に「ハートビル法」が、二〇〇〇年に「交通バリアフリー法」が施行され、一定数以上のひとが利用する建築物や公共施設、交通機関などの段差解消が義務づけられるに至った。また、それら二つの法律を統合・拡充した「バリアフリー新法」が二〇〇六年に施行され、いまや障害者だけでなく多くのひとがその利便性を享受できるバリアフリー社会が進展した。

境界線があるわけではないんです。みんなの周りを見渡しても、障害者なのか健常者なのか、よくわからないひとが増えているでしょう。それに、いまの厳しい社会状況や職場環境で、うつ病になるというひとはぜんぜん珍しいことではありません。植松被告も体は元気でも、精神的には何かに追い詰められていたのかもしれません。また、インターネットに障害者への差別的な発言を書き込むようなひとたちも、日常生活では何かに追い詰められていて、自分より立場の弱いひとを見下さないと生きていけないのかもしれません。でも、それをすることで、ますます社会が殺伐としてしまって、追い詰められるひとが増えていくのだとしたら、「やってることが逆だろう」と言いたくなりますよね。そうではなくて、たとえ障害があっても、あるいは社会に適応できないような側面を抱えているひとでも、適切な支援を受けながら、そのひとなりの能力を発揮して活躍できるような社会にしていくほうが誰にとってもいいはずでしょう。いざとなったときに、誰もが手を差し伸べ合って生きていけるような社会、そのために必要な福祉や社会保障の制度だからこそ、厳しい財政状況でもみんなで支えようという方向に、歯車を逆に回していくことが大切だと思うのです。

わたしの思い出の授業、思い出の先生

Q1: 思い出の授業を教えてください

質問を無視するようで申し訳ありませんが、私にとって一番の先生はやはり鹿野靖明さん。学校時代に教わったどんな先生より、私の人生を大きく切り開いてくれた恩師です。相模原殺傷事件を起こした植松被告は、その犯行予告ともいえる衆議院議長への手紙のなかに「障害者は不幸をつくることしかできません」と書きました。しかし、それは大きな間違いです。鹿野さんは自らの障害を教材にしながら、「生きるとはどういうことなのか」を身をもって教えてくれました。「鹿野さんのおかげでいまの自分がある」と感じているひとは、私以外にもたくさんいます。また、鹿野さんと同じように、多くのひとに影響を与えている障害者を私はたくさん知っています。そうした体験をこれからも発信し続けていくことが、植松被告や彼の考え方に同調するひとたちへの何よりの反論になると思っています。

わたしの仕事をもっと知るための3冊

渡辺一史『なぜ人と人は支え合うのか』（ちくまプリマー新書）
海老原宏美『わたしが障害者じゃなくなる日』（旬報社）
河合香織『セックスボランティア』（新潮文庫）

第3章

政治の現在地

いま、何を学ぶべきか

出口治明

今日は「これからの日本を展望して何を学ぶべきか」というテーマをいただきました。まずいまの日本の立ち位置についてお話ししようと思います。

一九九一年の世界の購買力平価GDP▼のなかで日本の占める割合は八・九パーセントでしたが、二〇一八年にはおおよそ四・一パーセントと、一九九一年の半分以下になっています（図1）。

その次は、国際競争力です。**図2**はスイスの国際経営開発研究所（IMD）が、世界五十五の国や地域を「経済状況」「政府の効率性」「ビジネスの効率性」「インフラ」の面で総合評価し、毎年公表しているランキングの推移を示したものです。日本は一位からどんどん落ちて、二〇一九年は三十位です。これを見ると豊かさの世界シェアが半分になったのは競争力が落ちたからだとわかりますね。ちょっと残念です。でもみなさんはこれから大学に行って、社会人になって日本を支えるわけですから、このグラフを見た瞬間に嬉しくなりませんか。いまが一九九一年だったら世界で一番なので後は落ちるしかない。そんなの嫌

でぐち・はるあき＝立命館アジア太平洋大学（APU）学長。一九四八年生まれ。日本生命を経て、ネットライフ企画株式会社を設立し、代表取締役社長に就任。二〇〇八年にライフネット生命に社名を変更。一二年、マザーズ上場。一八年より現職。著書に『全世界史（上・下）』『人類5000年史（Ⅰ・Ⅱ・Ⅲ）』『0から学ぶ「日本史」講義（古代篇・中世篇）』『哲学と宗教全史』など多数。

でしょう。でも三十位ぐらいだったら、勉強して大学に行ってしっかり働いて、私が十番ぐらいに上げてやろうと思ったら元気が出るでしょう。だからみなさんにはこれからとても楽しい人生が待っていると考えてほしい。

問題はなぜGDPの世界シェアや競争力が落ちたかです。これは簡単で、昔の日本は自動車やカラーテレビをたくさん作って、モノづくりで豊かな国になってきました。モノづくりで活躍するひとには五つの要素があります。偏差値が高く、素直で、我慢強く、協調性があり、先生の言うことをよく聞く。一見するとなんだかとてもいいひとだと思いますよね。そういうひとを育ててきたのが日本の教育で、それはモノづくりに適合していました。

でもいま世界を牽引しているのはGAFAのような新しい企業です。Google、Apple、Facebook、Amazonの頭文字を取ってGAFAと読みます。Appleでスマートフォンをつくったスティーブ・ジョブズの話をしましょう。スマホの試作品には、画面の下のほうに三つのボタンがあったそうです。たとえば電源を入れたり、メールを送ったり、ライトをつけたりできるボタンです。便利ですよね。ところがスティーブ・ジョブズは、それは美しくないからダメだ、ボタンは一つだと言い続けた。だからこんなに面白い商品ができたんです。変人でしょう。オタクです。でも一つでなくてはいけないと言い続けたことが、じつはイノベーションを生んだのです。

さっき話した五要素――高い偏差値、素直、我慢強い、協調性、先生の言

▼購買力平価GDP
GDPは国内総生産のこと。一定期間内に国内で産み出された付加価値の総額を指す。購買力平価とは、自国通貨と外国通貨で同じものを購入する際にかかる価格の比率を指す。たとえば、日本のハンバーガーが一個七十円に対して、米国では一ドルであれば、購買力平価は一ドル＝七十円となる。為替レートに対して購買力平価は各国の物価水準の違いを考慮しているとされる。購買力平価GDPとは、購買力平価の比率を使って各国GDPの額を換算したもの。

うことをよく聞く――をもつ子どもたちばかりを育てたら、ジョブズのようなひとは育たない。もちろん五要素も素晴らしいものです。でもそういうひとが普通で、そういうひとしかダメだというような教育を日本は続けてきました。日本の競争力がこの三十年の間に落ち込んだのは、そういう画一的な教育しかできず、各人のもつ豊かな個性を伸ばすことができず、その結果として新しい産業が生まれなかったからです。

数字で見てみましょう。GAFAの予備軍をユニコーン企業▼と呼んでいます。ユニコーン企業は世界にいくつあるか。日本経済新聞によれば、二〇一九年の七月末に世界で三百八十社ありますが、そのうち日本の企業はわずか三社です。アメリカのシリコンバレーに二百社弱、中国の北京や深圳（しんせん）に百社弱あります。そのなかで三社ってかなり寂しいですよね。

そんなに他の国と比べなくても、日本はいまのままでいいというひとがいるかもしれません。しかし世界のなかで高齢化が一番進んでいるのが日本です。年をとったら病院にも何回も行くし、タクシーに乗る回数も増えるかもしれない。するとお金がかかりますよね。ということは、日本はどんどん出費が増えていきますから、その分新しい産業を生み出して稼がなければ貧しくなっていきます。「貧すれば鈍す」という言葉がありますが、貧しくなっていったらやはり人間は気持ちが荒んできます。世界のどこよりもイノベーションを起こして高齢化で増大する出費分を取り戻さないと、日本はいまのままどころか、ど

図1　購買力平価GDPの世界シェアの推移

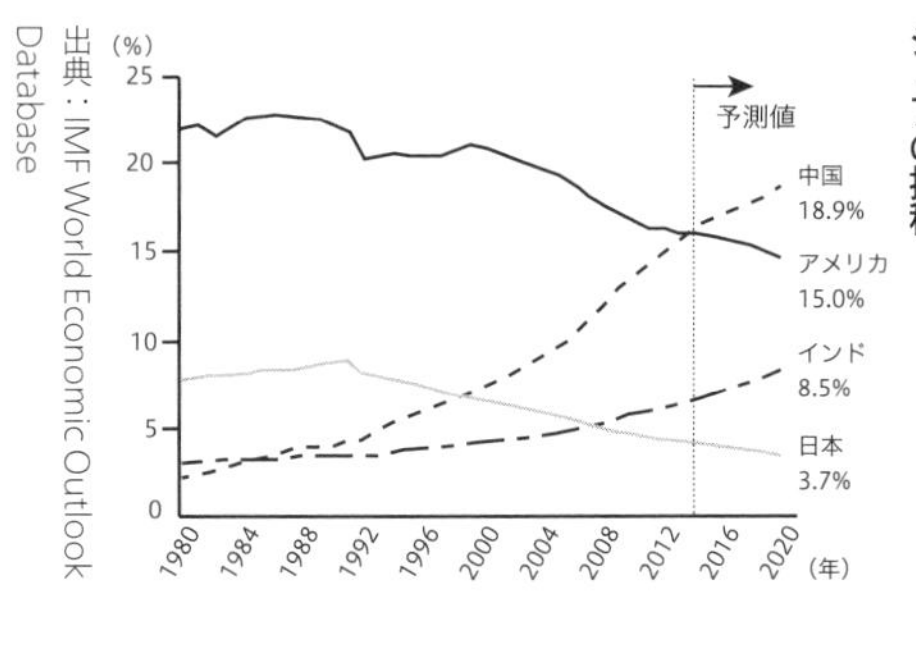

出典：IMF World Economic Outlook Database

んどん貧しくなってしまうのではないでしょうか。

「日本に必要な三つのもの」

ではどうしたら日本でもイノベーションを起こせるでしょうか。じつはその方法はもうわかっています。学者は、女性、ダイバーシティ、高学歴がその答えだと述べています。

まずいまの世界はサービス産業が中心になっています。たとえばマニキュアをきれいに塗ることを考えてください。男性も塗っていますが、圧倒的に女性のほうが多いでしょう。世界中でモノを買い、サービスを使っているのは女性が多いのです。ということは女性が女性の欲しいものを考えれば、いままでにない新しい産業が生まれるかもしれない。だから世界では、会社の役員や国会議員の男女比の差をなくすよう、「クオータ制▼」を取り入れているところがあるのです。一方の日本はどうでしょうか。世界経済フォーラムの調査(二〇一九年)によると、日本のジェンダーギャップ指数は百五十三カ国のなかで百二十一番とすごく低い。日本の競争力が落ちて、GDPの世界シェアが下がっているのは女性の地位が低いことがその一因だと思います。

その次がダイバーシティです。ダイバーシティは、さまざまなひとを積極的に活用しようという考え方のことですが、「混ぜたら強くなる」と思ってくだ

図2 日本の国際競争力の推移

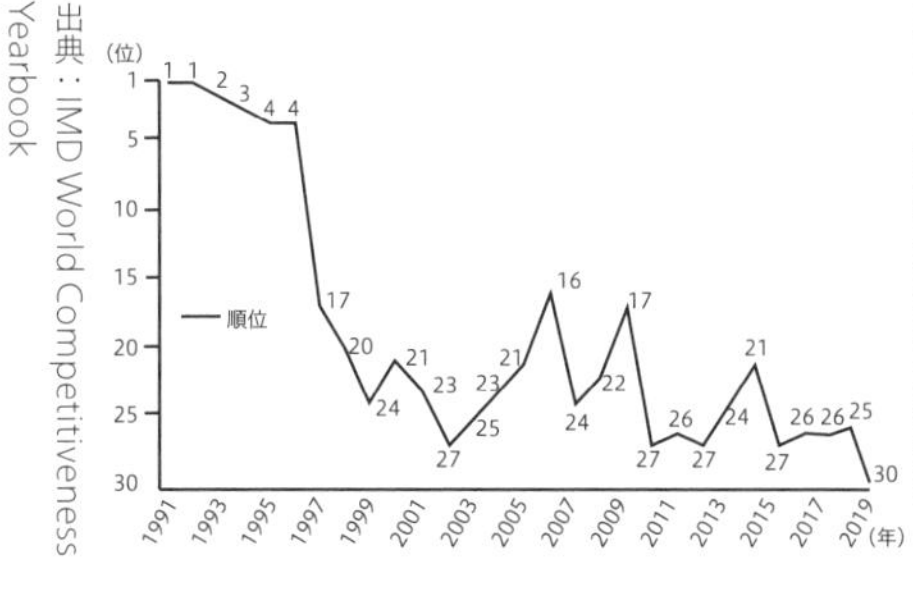

出典：IMD World Competitiveness Yearbook

▼ユニコーン企業
企業価値が一〇億ドル以上と評価される未上場のベンチャー企業。伝説の生き物、一角獣にちなんでつけられた。

▼クオータ制
役員や議員の人員構成に、性別、人種などの偏りが生じないよう、一定の比率を定めて選出を行う制度。

さい。二〇一九年、ラグビーワールドカップで日本チームがベスト8になりました▼。もし日本で生まれたひとだけでラグビーチームをつくっていたらもっと強くなっていたでしょうか。そうではないですよね。混ぜたから強くなったのです。

これは生物の生態にも当てはまります。みなさんは単性生殖・有性生殖は知っていますね。植物でも動物でもオスとメスがいて、受精して子どもをつくることを有性生殖といいます。単性生殖はオスかメスどちらかのみで子どもをつくります。一見すると楽に見えますね。でも歴史をみると、オスとメスで子どもをつくる生物に進化してきた。なぜか。混ぜないと強くならないからです。親と同じ遺伝子をもっていたら、ある病気が流行った途端にみんな死んでしまうかもしれない。でもオスとメスの違う遺伝子が混ざっていたら、ある病気が流行しても生き残る者もいるでしょう。だから自然界は、生き残るために単性生殖から有性生殖に進化してきたのです。これがダイバーシティの根源です。混ぜたら強くなります。

日本はスポーツの世界では混ぜるようになりましたが、企業ではまだあまり混ぜていません。日本にユニコーン企業が三社しかないのは、ダイバーシティが進んでいないからではないでしょうか。

三番目は高学歴です。いろんなことを知っていれば、アイディアも出やすくなります。何より現在の世界は日々変化しており、そのスピードが速いので一

▼ラグビー日本代表
二〇一九年ラグビーワールドカップ日本代表三十一人のうち、七人は外国籍で話題になった。ラグビーでは一定の条件のもと、自身の国籍とは異なる国の代表選手としてもプレーできる。

生勉強し続けないと追いつけない。ＧＡＦＡやユニコーン企業で働く人びとは高学歴で、自分の国に加えて海外の学位などをもっているひとが多い。でも日本は大学院に行くひとが少ない。大学院に行くひとを企業が大事にしてこなかったからです。産業界と大学のひとが集まって日本の将来をどうしようかと話し合う会議がありました。そこでも大学院生を増やさなくてはいけない、大学院にもっと多くのひとが行ける社会をつくらなければ新しい知恵が出ない、という結論になりました。

ここまで話してきて、日本経済がうまくいかなくなった理由はもうわかりますよね。女性の社会進出、ダイバーシティ、高学歴。全部足りなかったからです。

何を、どう学ぶか

いま、日本ではグローバルという言葉があふれています。なぜグローバルが必要なのか。これも答えが出ています。いまの快適な生活は産業革命の三要素と言われていますが、石油、金属、それからゴムの三つの貴重な資源の上に成り立っています。文明の象徴である自動車や飛行機も、この三つの組み合わせです。たとえばアメリカは石油産出量が世界一です。でも日本やヨーロッパのほとんどの国はこの三つの資源を持っていません。ということは、現在の豊かな生活を維持するためには世界のひとと仲良くするしかないでしょう。だからこそ日本はダイバーシティやグローバルを意識して頑張らなくてはいけない国なんです。そのためには英語は不可欠ですから、英語はぜひ一生懸命勉強してください。

それから、中学・高校はとても大事な時期です。知らないことを知ることは楽しいとか、本を読むとか、勉強する習慣をつけるには、人間の脳の構造から考えて十八、十九歳のころがピークと言われているのです。大学では遅いのです。中学・高校のときに身につけた学習習慣は一生なくなりません。こんな品のないことを言ったらみなさんをがっかりさせるかもしれませんが、十八、十九歳までに勉強や、本を読む習慣、辞書を引く習慣をつけたひとは、生涯給与が五割以上高いという結果が出ています。たくさん稼いだほうがいろんなことにチャレンジできるでしょうから、ぜひ新しいことを知ることは楽しいことだ、と思う習慣を身につけてください。

でもガリ勉してもだめだということも最近の脳科学ではわかっています。脳は疲れやすいので、一日に頭を使う仕事は二時間×三コマから四コマが限界だと言われています。およそ八時間ですね。麹町中学校は宿題を全部やめました。学校の授業と塾の時間で八時間使い切っていると考えたのかもしれません。だらだらと長時間机に向かうのではなく、集中して勉強する癖をつけてください。

常識を疑う「探求力」

もう一つ最後に大事なことを話そうと思います。これからはＩＴ化・ＡＩ化の大波がやって来ます。だから中学や高校でもプログラミング言語を教えなくてはいけないという話を聞いたことがあるでしょう。それは悪くない考え方です。でもいまのエンジニアに聞いたら、高校でプログラミングを学んだとしても、大学を卒業するころには習ったプログラミング言語を誰も使っていないと言います。それほど世の中の進歩は速いのです。iPhoneで言えばもう四代前の言語になっている。

ということは何が大事かと言えば、コアになるのは探求力です。文科省が学習指導要領を変えたのですが、そこでも物事をゼロから考える力、すなわち探求力が大切とされています。ＯＥＣＤと呼ばれている世界の先進国三十七ヵ国の集まりでも同様です。探求力とは問いを立てる力で、常識を疑う力です。世の中のスピードがとても速くなると、すぐに役に立つ知識はすぐに陳腐化します。だからこそ物事を本質的に考える力が大事となるのです。

あるＡＰＵ（立命館アジア太平洋大学）の女子学生が長い髪の毛を頭の上でまとめていました。とても似合っていたので「素敵な髪型だね」と話しかけたら、彼女は次のように話してくれました。私は長い髪を頭の上でまとめるのが好きだ。でも高校の先生に怒られた。アホか、後ろでくくれと。なんで上が悪くて後ろがいいんですか、説明してくださいと言ったら余計に怒って、そんな社会常識もないのか、アホ、と言われたと。

これは彼女のほうが圧倒的に正しいですよね。彼女がもっているものこそが探求力です。もし髪は後ろで結べと指導するのなら、なぜ後ろがいいのかを説明できなくてはいけない。みなさん、男性は全員ズボンを穿いていますね。女性はスカートです。何で男性がスカートを穿いてはいけないんですか。女性がズボンを穿いてはいけないんですか。スコットランドの男性はスカートを穿いています。極端なことを言えば、スカートかズボンかは生徒が自由に選んでいいんです。それがダイバーシティであり、物事を根源から考えるということです。

そういうことを疑うのが探求力です。みなさんは常識を疑う探求力を育ててください。これは簡単で、「なんで、なんで、なんで」と三回繰り返したらいいと思います。なんで男はズボンなんだ。なんで髪の毛は後ろでまとめるんだ。そんなに難しくないでしょう。

親にできること

保護者のみなさんにはいつも三つのお願いをしています。一つ目は比べないことです。人間はみんな顔が違うように、考え方も成長の速度も違います。違って当たり前ということを認めてあげてほしい。それが個性を大事にするということです。多分、保護者のみなさんも、子ども時代に比べられて楽しかった記憶はないと思います。これが第一です。

二つ目は、勉強に関係がなくても好きなことがあったら徹底的にやらせてあげてください。これはノーベル化学賞を受賞した吉野彰▼先生も言っています。ポイントは二つだと。好奇心と執着力。アインシュタインはもっとすごいことを言っています。業績をあげたひとは全員偏執狂だと。つまり勉強よりも好きなことを最後までやり切る非認知能力のほうがはるかに人生にも役に立つということがわかっているんです。

三つ目も簡単です。お子さんがどんなことでもいいので行動したら、成功したか失敗したかはどうでもいいので褒めてあげてください。人間が生きていくうえで一番大事なのは自己肯定力です。ひとと違っていても自分はこれでいいんだという気持ちが人生で一番大切です。この三つをいつも保護者の方にはお願いしています。

▼**吉野彰**
一九四八年生まれ。リチウムイオン電池を開発した三人のひとり。二〇一九年にノーベル化学賞を受賞。旭化成名誉フェロー、名城大学教授。

Q&A

――勉強とは何でしょうか。

勉強とはひと・本・旅です。ひとに教えてもらう。自分で本を読む。それから街で流行っているパン屋さんがあったら行くでしょう。行ってみて食べて、なんで流行っているんだろうと考える。これが旅です。自分の足で歩いて行って世界を見るということです。だから勉強するということはたくさんのひとに会い、たくさん本を読み、いろんな所に行ってみるということに尽きると思います。

——日本人らしさのなかにも、良い部分と悪い部分があると思うのですが、どうやったら良い部分を使ってグローバルに活躍できますか。

質問自体に二つ難しい問題が含まれています。まず「良いところと悪いところは同じ」ということです。たとえばあるひとはクラス討議でいつも手を挙げてガンガン意見を言います。そのひとは「どんな問題でも自分の意見をいう素晴らしい能力をもっている」という見方もあれば、「あのひとが最初に立派な意見を言ってしまったら他のひとが発言できない、協調性に欠ける」という見方もありますよね。つまり長所は短所であり、短所は長所であり、同じものだということです。だからいいところを伸ばせば悪いところも伸びる。それが「個性」です。「長所・短所」という考え方自体が、ある価値観というか物事の尺度を当てはめているのです。

二つ目は少し難しいのですが、「日本人というものはない」と考えたほうがいいと思います。みなさんに明日、赤ちゃんができたと考えてください。明後日、飛行機に乗せてワシントンに養子に出します。二十年後に再会したとき、あなたの子はどこの国のひとですか。

――アメリカのひとかなと思います。

そうですね。あなたの赤ちゃんはアメリカで育ち、日本語も話せないし、アメリカの文化に染まっているので「アメリカ人」ですね。

何が言いたいかというと、いまの「日本人」はいまの日本の社会のあり方、つまりいまの日本社会の常識を反映した存在にすぎないということです。たとえば室町時代の日本人はほぼ全員がロックンローラーです。みんなピカピカの着物を着て、派手さを競っていました。出しゃばりで、日本人の一般的なイメージとしてあげられる「一歩引く」ようなところはまったくありません。結局、人間とはその時代、その社会の産物で、「日本人」でも時代によってまったくイメージが違うのです。

だからこそ探求力が大事だということがわかります。日本人ってなんだろう。まず日本という言葉はいつ生まれたんだろう。「なんで」を三回繰り返すのです。そうすると「日本」という言葉が最初に出てくるのは七〇一年の遣唐使のころだとわかります。いまのみなさんはいまの社会の常識を無意識に反映している存在です。それがどこから来ているかを考えてみてください。

アインシュタインの有名なエピソードがあります。アインシュタインは卒業のときに校長先生に呼ばれて、「君のような社会常識のない子どもは見たことがない、いままで十八年何をしてきたんだ」と言われたそうです。これに対し

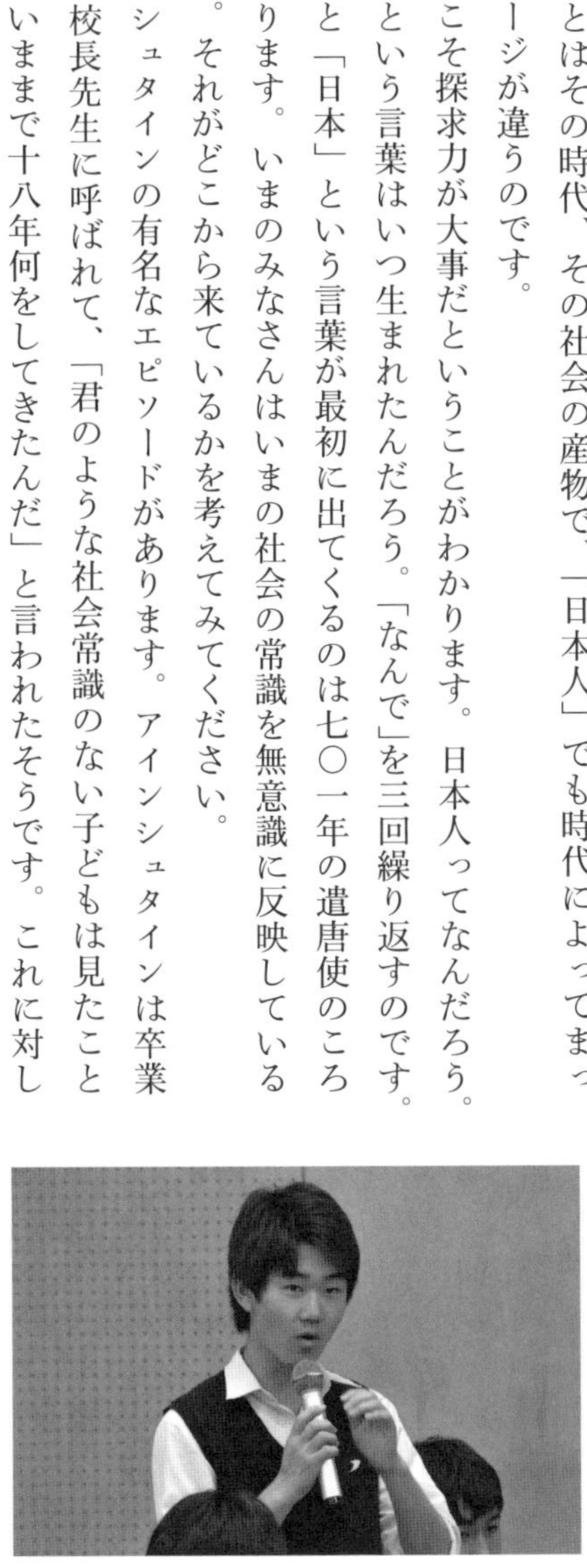

てアインシュタインは、「常識って何ですか、僕が育ったプロイセン（現ドイツ）の、この十八年間の偏見の集合体が社会常識でしょう。そんなものを身につけて、将来僕のプラスになるんですか」と答えた。校長先生は激怒して落第させたそうですが、アインシュタインが天才であったことは歴史が証明していますよね。

――いろんな文化や人種が混ざって一緒に生活することは確かにいいことだと思うんですが、それによって、たとえば落ちているゴミは必ず捨てるとか、いままで日本が古来から培ってきた良い文化が、どんどん淘汰されてしまうと思ってしまいます。

まずファクトを考えてみましょう。「日本人」が一番大事にしているきれいな山は富士山ですよね。その富士山が世界文化遺産として登録されるときに、あることが話題になりましたね。トイレの数も足りず、し尿が垂れ流しだ、と。要するに富士山に登る多くのひとは物陰に隠れて用を足している。トイレに合わせて入山制限をしないので汚くなったとも言われています。富士山は「世界で最も汚い」と評されたこともあります。だから自然遺産にはなれなかったのです。

一方、世界遺産は中国にもありますが、ゴミひとつありません。大学生になったら行ってみてください。それはなぜかと言えば、一つはゴミを捨てたらそれだけでたとえば百万円の罰金、あるいは一年の懲役とか、厳罰に処せられるからです。でもそれだけではなくて、ゴミ収集車が頻繁に回収をして、ゴミが捨てられるようなシステムを作っているからです。だから一般論で言えば中国人はゴミを捨てる、日本人はゴミを捨てないとよく言われますが、じつは日本の国立公園にも汚いところがあり、一方中国の国立公園はゴミゼロだったりするわけです。こういうことを知ると見え方が変わってきませんか。だからこそ勉強が大切なんです。

君が言った「日本の文化を守る」のは、ひとです。文化は言葉ですからもっと正確に述べれば、日本語を母語とする人間が増えれば日本文化は守れるのです。たとえば大相撲は日本の文化でしょう。大相撲がなぜ栄えているのかといえば、お相撲さんがいるからです。そこには日本国籍をもつひとだけではなく、外国籍のひともいます。日本国籍のひとだけで日本相撲協会をやっていたらもう無くなっていたかもしれないですよね。相撲をとるひとがいるから残るんです。つまり外国人であっても、担い手を増やせば文化は残る。外国人を排斥して日本人だけにして、それで担い手がいなくなったら文化は滅ぶのです。これはすごく難しい問題で、ぜひ興味があったら大学に行って勉強してください。

わたしの思い出の授業、思い出の先生

大学で受けた高坂正堯先生の講義。先生は大略次のように教えてくださった。
「古典を読んでわからなければ、大学に残ろうなんて考えずにさっさと就職しなさい。古典は時代背景が理解できていなければわからないので難しいのだ。一方現代の本を読んでわからなければ、それは著者がおそまつなので読む必要はない。読んでわからない本は、著者が本当にわかっていないか、わかっていてもカッコをつけてわざと難しい言葉を使っているかのどちらかだ。どちらにしてもロクなもんじゃない」

この教えはずっと残っていて、いまでもひとに話したり、何かを書いたりするときは少しでも「わかりやすい」表現を心がけています。

わたしの仕事をもっと知るための3冊

出口治明『全世界史（上・下）』（新潮文庫）
出口治明『0から学ぶ「日本史」講義（古代篇・中世篇）』（文藝春秋）
呉座勇一『陰謀の日本中世史』（角川新書）

現代という時代

入江昭

僕は一九三四年、昭和九年生まれの人間です。みなさんのおじいさんおばあさんの世代よりももう少し年上かもしれません。僕の生まれた一九三〇年代というのは凄まじい時代、ひどい時代でした。この世代に生まれた人びとは、成長してゆくにつれて国は戦争に向かってゆき、やがて終戦を迎える。その後は米ソが対峙する冷戦が続く時代を生きることになります。グローバル化が進む「現代」とはまったく違う時代だったと考えるべきでしょう。

みなさんはどういう時代を生きているのか、グローバル化とはどういうものでこれからどうなるのか、この二十一世紀とはどのような時代か。そのことをお話ししたいと思いますが、グローバル化を理解するためには、この一九三〇年代まで遡る必要があります。

いりえ・あきら＝国際政治学者。ハーバード大学名誉教授。一九三四年生まれ。成蹊高校卒業後、一九五三年グルー基金奨学生として渡米。ハーバード大学大学院歴史学部博士課程修了、Ph.D.取得。アメリカ歴史学会会長を務めた。専門はアメリカ外交史。主な著書に *Across the Pacific: An Inner History of American-East Asian Relations*（1967）、*Global Community: The Role of International Organizations in the Making of the Contemporary World*（2002、邦訳『グローバル・コミュニティ』）ほか多数。

グローバル化以前の世界

一九三〇年代はもちろん、一九五〇年代になってもグローバル化という言葉はまだありませんでした。言葉がなかったのみならず、そういう概念自体がなかったと言ってもいいでしょう。「グローバル」とよく似た概念に「世界」があります。英語で言えば「ワールド」。「世界」と言うとき、そこにはいくつかの国が存在しているという見方が前提になっています。一方、少し先に言ってしまいますが、グローバルとは国の存在よりも、人びとの繋がりを重視する考え方です。

さて、一九三〇年代の世界はどのようなものだったでしょうか。二十世紀が始まった当時一九〇〇年には世界におよそ四十の国がありました。二十一世紀になるとおよそ二百になりますから、かなり状況が異なります。一九三〇年代には、世界に五つか六つの強大国があり、互いに軍備を拡張し、戦争をして勝ったり負けたりしていました。この状況は長い間にわたって続きます。日本もその強大国の一つでした。一九二九年の世界大恐慌▼以降、国々の間の経済的な繋がりは途絶えてゆきます。戦争ばかりしているわけですから、社会的、人的な交流はほとんど考えられません。その当時海外に出かけていった日本人も大勢いましたが、行き先の多くは朝鮮半島、満州などの植民地で、帝国主義的な軍事力を背景とした繋がりのあるところへ行ったに過ぎない。平和的な意味での

▼**世界恐慌**
「暗黒の木曜日」と呼ばれたウォール街での株価の大暴落をきっかけに経済の混乱が世界的に連鎖した。ドイツでは深刻な不況になり大量の失業者が出た。

経済的な繋がり、社会的な繋がりをつくっていたとは言えません。移民としてアメリカに渡ったひとたちもいましたが、日本とアメリカが強く社会的な繋がりを形成していたわけではありませんでした。

このような国同士のいざこざが絶えない状況だと、国家のお金は軍備拡張に使われ、いつ戦争が起きるかわかりません。いざ戦争になると、自分たちは兵隊に取られてしまうかもしれません。このころに育った若者はそういう緊張感を経験しました。

もっとも僕の世代、一九三〇年代生まれは運が良かった。というのは、兵隊に召集される直前に戦争が終わったからです。ほんの数年のタイミングでした▼。一九四五年、アメリカが二発の原爆を投下し、日本が降伏することで戦争は終結します。もし原爆が投下されなかったら、戦争はまだ続き、僕は兵隊に取られていたでしょう。当時ソ連は八月十五日に満州に侵入してくる計画を立てていましたから、日本との間で戦争になっていたかもしれません。最終的に日本の一部をソ連が占領することになった可能性もありました。

日本の降伏に際して、北海道あるいは東北などを占領するとソ連は主張しましたが、アメリカはそれを断り、自分たちが占領すると主張した。日本が戦後どこかの国に占領されなければならなかったのだとして、それが専らアメリカ一国であったことは、日本にとって非常に幸運な出来事だったと思います。

▼学徒動員と学徒出陣
戦況の悪化により学生や生徒の強制的動員は次第に強化され、一九四四年には中等学校以上では事実上学業が停止された。一方、徴兵猶予の範囲もしだいに狭められ、四三年、文科系の学生に対する徴兵猶予は撤廃された。

「グローバルにひとが繋がるということ」

さて、日本が占領されたからといって、そのことをもって日本がグローバル化されたことにはなりません。続く米ソ冷戦の時代、日本はいわばアメリカの基地となってゆく。今日もなお沖縄に多くの基地が残り、いろいろな問題があることはみなさんもご存知でしょう。大切なことは、この日本がアメリカの基地となってゆく過程で軍事的な繋がりばかりではなく、経済的な繋がり、社会的な繋がり、さらには文化的な繋がりができたことです。そのような繋がりができてゆくことこそ、グローバル化と呼ばれるものなのです。

具体的にはどういうことでしょうか。

「ワールド＝世界」に対して、「グローブ」とは「地球全体」のことです。ここには、世界に存在しているのは主権国家だけではない、という視点がありす。これこそ第二次世界大戦後に出てきた新しい世界の見方です。

世界に存在する国以外のもののことを、英語でノン・ステーツ・アクターと言います。たとえば、男女ということ。女性はどこの国にも存在しています。しかし日本人の女性、アメリカ人の女性、中国人の女性と分けて捉えるのではなく、同じ女性としての国境を超えた繋がりを考える。この意識は戦後に出てきたものでした。先日亡くなった緒方貞子▼さんは一九二〇年代に生まれた方ですが、戦後の日本人のなかでもとくに国際的に立派な貢献をした国際人、グロー

▼**緒方貞子**
一九二七年生まれ。国際政治学者。アメリカで政治学を学び、七六年日本人女性として初の国連公使を務め、以後数々の要職を歴任。九一年からは国連難民高等弁務官として「人間の尊厳」を掲げてクルド難民、ボスニア紛争、ルワンダ大虐殺など数々の問題に取り組んだ。二〇一九年没。

バルなひとでした。彼女はよく、男のひとたちが自分の国を作って、制度を作って、軍隊を作って、互いに戦争をしている。しかし世界の半分は女性なんだと指摘しました。世界のどこへ行っても女性は女性であるし、女性としての繋がりを作ることができる。緒方さんはそのようなグローバルな意識を私たちにもたせてくれました。

あるいは年齢です。世界には僕と同じように八十歳を超えたひともいるし、みなさんのような若いひともいます。国境を隔ててはしていても、同じ年齢ということで繋がりあえ、交流できる。実際、中国に行ってもアメリカに行っても、同じ八十五歳の老人に会うとなんとなく親近感を覚えます。国は違えど、同じ年月を生きた人間として多くのことをシェアしている。

アメリカにいるととくに若いひとたち同士の繋がりを目にすることになります。世界中から若い人びとがやってきて、お互いに交流している。国と国の関係ではなく、人間同士の交流です。必ずしも良い繋がりばかりではなく、いざこざや喧嘩もありますが。歴史とは国同士の関係だけでなく、人間同士の繋がりの歴史なんだということを実感します。

「現代は一九七〇年代から始まっている」

グローバル化という言葉が大事になってきたのは、いまから五十年ほど前、一九七〇年ごろだったのではないかと思います。このころからグローバル化を考えずには世界が理解できないようになりました。つまり「現代」という時代が始まった。歴史的にとても重要な変化が起きたのです。以来、世界は国境で隔てられたいくつかの国に分けられ、互いに潜在的に敵対視しているという状態ではなくなりました。むしろ国境を超えて、さまざまなノン・ステーツ・アクターが繋がりあっていると捉えるべきなのです。

トランプ大統領▼が、アメリカを再びグレートな国にしよう、と言っています。強国に、という意味ですが、現代とはそんな馬鹿げたことを言うべき時代ではありません。みんなから尊敬される国に、と言うならまだしも。僕の知っているひとたちの大半は呆れています。

なぜ一九七〇年代にグローバル化が始まったと言えるのか。それは冷戦の時代の終わりが見えてきたからだと思います。一九四五年以降、世界は冷戦の時代に入り、アメリカとソ連が各地に基地を作り、軍事的衝突もずいぶんありました。しかし一九七〇年代も後半に入ると、新しい機運が出てきます。米ソが互いに訪問し合い、留学生を招き入れることが始まります。

中国を例に挙げるとわかりやすいでしょう。中国とアメリカは朝鮮戦争をはじめとして、冷戦時代には大いに対立し、互いを認めていませんでした。しかし一九七〇年代以降、その雰囲気は一変し、留学生も観光客も圧倒的に多くなります。ハーバード大学にいるととりわけ強く感じますが、中国の若いひとは

▼**ドナルド・トランプ大統領**
第四十五代アメリカ大統領。一九四六年生まれ。不動産王の異名をとる実業家。「アメリカ第一」を唱え、自由貿易より保護主義を主張、外交においても強硬的な政策を掲げる。

外国で勉強したいという気持ちをとても強くもっています。八〇年代になるとアメリカで勉強したい中国からの学生がどんどん増え、試験の成績順に入学を認めるとアメリカの多くの大学が中国人だらけになってしまう、それでは困るというくらいになりました。州の教育予算を使っている州立大学でなぜ外国人に教育しなければならないのか、はたまた優秀な成績を修めたにもかかわらずなぜ入学を認めないんだ、という問題になり、裁判も起きています。

「教育の大切さ」

このように国と国との関係を超えて、個人が国境を越えて移動し、繋がりをつくっていく時代になりました。言い換えれば、国というものの相対的な重要性が減っている。

アメリカに限った話ではありません。中国でも日本でも同じです。みなさんも、個人としての生き方を考え、他の国のひとたちと人間同士の交流を図ることが大事です。総理大臣がこう言った、アメリカ大統領があぁ言った、と一喜一憂する必要はありません。むしろ大事になってくるのは教育です。

教育は人びとが国境を超えて繋がるための重要な要素です。意欲をもって勉強するひとたちは、中国人だろうと日本人だろうとアメリカ人だろうと同じ学ぶもの同士、繋がることができます。さらに言えば、教育は世界共通でなければなりません。日本なら日本、アメリカならアメリカにしかない教育は本当の教育ではない。教育の場に政府や国家は手を出すべきではありません。世界のどこにいようとも、同じ知識や理解をシェアしてゆくことでこそ、人びとは繋がってゆくことができます。みなさんのように学ぶひと、そしてここにいらっしゃる教育者、先生たちこそが人びとの繋がりの基盤を作ってゆく大切な役割を担っているのです。

先ほど紹介した緒方貞子さんが熱心に取り組んだのが人権のことでした。世界にあるおよそ二百の国にはそれぞれの権利がありますが、それよりも大切にし守るべきなのは世界に何億人いる個人の権利、人権です。二〇一八年の一年間で七千万人の難民が生まれたという報道がありました。ヨーロッパや中近東に多いですが、生きていくためにある国を離れ、どこか他の国に行かなければならない人びとです。彼らが移っていった先の国で締め出されたり、入ってゆけない。これは現在起きている新たな問題です。ドイツならドイツで、ここはわれわれドイツ人の国であって移民たちを入れたくないと主張する。この主張が力をもつと、世界で再び国境の壁を高くし、国家を中心に物事が進んでいく時代になってしまう。僕はそうなるとは思っていませんが、世界の安定を脅かすとても困った傾向です。

歴史は繰り返さない

グローバル化を目指す動きはじつは過去にもありました。しかしそれは今日のグローバル化とは少し違うものでした。十八世紀以来二十世紀の半ばまで世界の大国と呼ばれる国、アメリカやイギリス、あるいはロシアが政治力、軍事力、経済力を使って国と国を結びつけ、世界に一つの地図を描こうとした。これも地球規模という意味ではグローバル化を目指していましたが、今日のようにひととひとの繋がりができあがってゆくものではなかったのです。

また、第二次世界大戦以前、経済や実業界では国境を超えた貿易や投資を重要視する動きがありました。また少しずつ文化交流もあった。日本からアメリカに留学生を送ったり、アメリカからひとを招いたりしています。ところがそれがなかなか発展しないうちに戦争になってしまった。

現代は過去の時代とは決定的に違います。おじいさんおばあさんの世代から戦争の話を聞かされたり、再び戦争が起きるかもしれない、と言われることもあるでしょう。歴史は繰り返す、と言いますが、歴史は絶対に繰り返しません。繰り返せないのです。

これだけ国境を超えた人びとの繋がりが築かれたのちに、国家同士が戦い合う時代に戻ることは考えられません。かつて国際主義、インターナショナルということが言われました。国家同士の関係でやっていこうという考えです。現代では国際関係よりも、人間関係が大事です。インターナショナルの時代は終わり、いまはいわばトランスナショナルの時代なのです。

実際、アメリカで暮らしていると人間関係の大切さをひしひしと感じます。僕がかつてアメリカに渡った一九五〇年代には、あなたはどこから来たのか、アジア人なのか、とよく聞かれました。いまはもうそんなことは聞かれません。日本から来たということは、大した興味をもたれない。むしろ個人としてどのような考えをもっているのか、環境問題、人権問題についてどう考えているかのほうが大切です。あるいは自分たちがどういう病気をしているか、どういう問題を抱えているか。それらをシェアし、ひととひとが繋がってゆく。

みなさんには、五十年ばかり続いたこのトランスナショナルの時代を引き継いで、発展させていただきたいと思います。そのとき、国家という枠組みに囚われてはなりません。国境を越えた繋がりをどんどん作っていって欲しい。

ヒューマンソサエティの一員として

僕は政府や国家というものをあまり頼りにしていません。世界は根本的には個人が作るものです。たとえば、中国には言論の自由がなく、人権の考え方もよく知られていないように見えるかもしれません。しかし実際に中国を訪れ、人びとと話してみればそんなことはありません。大っぴらに言わないだけのこと。

これまでは歴史研究といえば国家の研究でした。いまはそうではありません。さまざまな団体、人間のグループが歴史を作ってゆく。治安維持などの点ではもちろん国家や政府は必要でしょう。しかし大切なのは個人であり、人間としての出会いと繋がりです。

僕は根本的には、人間とは変わりうる概念なのだと思っています。人間なんていつまでも同じ、全然変わらないと言うひともいますが、僕はそうは思いません。現代、すなわちグローバル化の時代を生きる人間は、いままでと比べて国家に人生を左右される比重が減り、個人がとても重要になりました。男性なり女性なりとして、ある問題を抱えた人間として、ある考え方をもった人間としてみなさんは生きている。

人間のことを英語でヒューマニティと言います。いままでは国によって分断されたヒューマニティでしたが、いまやグローバル化の時代を迎え、私たちは互いに結びついてヒューマンソサエティを構成しています。みなさんはかつてない、とても面白い素晴らしい時代に生きています。同じヒューマンソサエティに生きるもの同士、世界中の人びとと対等に付き合い、繋がりを作っていってください。僕自身の体験でもありますが、アメリカへの留学によって数十年前に始まった小さな繋がりが、だんだんと、想像もできなかったくらい大きなものになりました。その過程はとても素晴らしいものでした。

僕の考えを楽観的だと言うひともいるでしょう。けれどもグローバル化が進んだ一九七〇年代以降の時代は歴史上、世界的にもとても恵まれ、将来性のある時代です。ぜひこの機会を十分に活かしてほしいと思います。

Q&A

――膨大な数の移民や難民の移動が引き起こす問題を、国家ではなく、ひととひとの繋がりで解決することは本当にできるのでしょうか。

現代の非常に重要な問題ですね。自分の国に住めない、あるいは自分の国がない、という人びとの問題を誰が解決するのか。これを国家に委ねてはならないと僕は考えています。

国家にはそれぞれ国家利益がありますから、いずれこれ以上の避難民は受け入れない、という垣根を立てるでしょう。そしてかつてのように国境を高くし、国同士が厳しく対峙する時代に戻ってしまう。しかしいま実際に起きているのは、国境が低くなり難民をも含むさまざまな人的交流が起きやすくなるという出来事です。スムーズなことばかりではありませんが、一九七〇年以前の世界と比較するなら、このことは明らかです。僕が経験してきた一九三〇年代から六〇年代までの世界では、国と国の境目はもっと明確に存在し、対立関係がはっきりと見えていた。いまはそうではありません。

国家中心だったかつての時代と違い、これからの問題解決はみなさん個人の努力に委ねられています。国にはもう頼れず、頼るべきでもありません。みなさん一人ひとりが互いに出会い、国家に左右されることのない人生を築いてゆく。難しい時代でもありますが、努力する甲斐のある面白い時代だと思います。

わたしの思い出の授業、思い出の先生

私は1953年、東京の成蹊高校を卒業してすぐ米国に渡り、フィラデルフィア近くにあるハヴァフォード大学で歴史を学んだ。この大学は19世紀前半に、いわゆるリベラルアーツ、すなわち教養課程を教える目的でクエーカー教徒が設立したもので、学生の数も400人程度しかいなかった。

私が専攻した歴史学部にも、ヨーロッパ史とアメリカ史を教える教授がそれぞれ1人ずついるだけだった。しかし私は日本にいるときから歴史に興味をもっていたので、この2人の先生について勉強することにした。

そのうちの1人、マキャフリー先生は、当時この大学に着任したばかりだったが、私は最初から感銘、圧倒された。この先生について史実のみならず、歴史を学ぶとはどういうことなのか、などについても薫陶を受け、歴史家としての私の出発点を築いていただいた、と思っている。

わたしの仕事をもっと知るための3冊

先生と違って、私は主として近現代史を専攻してきたが、歴史を学ぶ、ということに時代区分はない。現代の歴史も、人類の長い歴史の一過程として捉えられるべきである。そのような観点から現代史を考えるうえで、下記の拙著を参照していただきたい。

入江昭『二十世紀の戦争と平和』（東京大学出版会）
入江昭『歴史を学ぶということ』（講談社現代新書）
入江昭『歴史家が見る現代世界』（講談社現代新書）

大統領のソフトパワー

巽孝之

たつみ・たかゆき＝アメリカ文学、アメリカ文学思想史研究。文芸評論家。一九五五年生まれ。慶應義塾大学教授。主な著書に『サイバーパンク・アメリカ』『リンカーンの世紀』『ニュー・アメリカニズム』『パラノイドの帝国』。ほかに編著・訳書多数。

みなさんはアメリカにどういうイメージをもっていますか？　トランプというヒール（悪役）が隣国メキシコをはじめ、あちこちにとんでもない言いがかりをつけている、世界中で戦争をふっかけている、そんな印象があるかもしれません。

たとえば、二〇〇一年の九・一一同時多発テロを発端に、ブッシュ大統領のアメリカはイラク戦争▼になだれこみました。開戦に至る理由としてイラクに大量破壊兵器があると言われました。しかし、後になってそれは虚偽だったとわかります。テロの首謀者オサマ・ビンラディンとイラクとは何の関係もありませんでしたし、大量破壊兵器はなかった。そのころには「嫌米」という言い方も流行りました。

こういうとき、アメリカのなかには陰謀論が渦巻いています。疑心暗鬼になって、あいつは絶対に悪いことを考えている、私たちの知らない裏側で悪事を働いていると思い込む。それは言わばアメリカ精神の伝統とも言ってよいもので、私はこれをアメリカ政治史の権威リチャード・ホフスタッター▼に倣って、「パラノイド・スタイル」と名づけています。

私がアメリカ文学研究をしてきたこの三十年ほどの間、必ずしもアメリカの評判はよくありませんでした。確かにひどいことをすることも多いのですが、他方でバラク・オバマを黒人初の大統領に選び、核兵器廃絶を世界に訴える。それもまたアメリカの姿です。この国は一面だけを見たのではつかみきれない。

アメリカという国は、起源でさえ、いくつか考えることができます。スカンジナビア半島のヴァイキングたちが十世紀後半に到達していたころ、その土地はヴィンランドと呼ばれていました。一四九二年にはスペインから出発したコロンブスが西回り航路を経て到達しますが、彼はアジアに着いたと思っていた。西インド諸島、インディアンといった名前にそれが残っています。続いて到達したアメリゴ・ヴェスプッチは科学的な計測をして南北アメリカが島ではなく大陸であると発見します。だからこそコロンブスではなくアメリゴの名を取って、アメリカと呼ばれるようになった。その名が最初に記された世界地図は一五〇七年のものです。イギリスからピューリタンたちが新天地を求めてやってくるのが一六二〇年。アングロアメリカというイギリス起源のアメリカを指す言葉があるゆえんです。

このように起源さえ複数もつアメリカという国を考えるとき、私たちは二つの側面を考えなければなりません。一つは、世界最強の軍事力を背景に、とき

▼イラク戦争
二〇〇三年三月、アメリカを中心とした有志連合は大量破壊兵器保持などの疑いを根拠にイラクに侵攻、その後二〇一一年まで占領統治した。テロ支援国家たる「悪の枢軸」との戦争とされ、フセイン政権は倒されたが、生物兵器・化学兵器などの大量破壊兵器は発見されなかった。

▼リチャード・ホフスタッター
一九一六年生まれ。アメリカ社会における知識人のあり方と知的伝統を問い直す『アメリカの反知性主義』などで知られるアメリカ政治史家。一九七〇年に急逝した。

に横暴とも思えることをするアメリカ。もう一つはハリウッドやディズニー、コミックなど、世界中の人びとの心を掴む文化をもっているアメリカ。つまりハードパワーとソフトパワーです。

大統領とは何者か

大統領はアメリカ独自の発明です。アメリカは民主主義の実験場という表現がありますが、民主主義や共和制だけであれば、その起源を古代ギリシアまで遡ることができます。しかし大統領を置いたのはアメリカが最初でした。

初代ジョージ・ワシントンの時代には、独立成功を受けて、エンペラーもしくはキングを置こうという動きもあった。しかしそれではヨーロッパ諸国と同じになってしまう、という反対意見を受けて、新たにひねり出したのが「プレジデント」(President)という呼称です。「プレジデント」とは社長や学会などの会長という意味。だからアメリカ大統領とは、アメリカという組織の代表者、というニュアンスです。

じつはこのニュアンスは大統領が存在する以前、植民地だったアメリカにもすでにありました。植民地時代のアメリカには「ガバナー」(Governor)という選挙で選ばれる植民地総督がいました。いまの州知事にあたります。植民地総督が治めている土地を、たとえばマサチューセッツ・ベイ・カンパニーというわけですから、ガバナーが統べるのは一種の会社であり、ガバナー自身は社長であるという見方があった。これは大統領のイメージを考えるうえで重要な点です。

歴代大統領の一覧を見てください。

代	大統領	政党	任期
1	ジョージ・ワシントン	連邦党	1789.4.30- 1793.3.4. / - 1797.3.4
2	ジョン・アダムズ	連邦党	1797.3.4- 1801.3.4
3	トマス・ジェファソン	民主共和党	1801.3.4- 1805.3.4 / - 1809.3.4
4	ジェームズ・マディソン	民主共和党	1809.3.4- 1813.3.4 / - 1817.3.4
5	ジェームズ・モンロー	民主共和党	1817.3.4- 1821.3.4 / - 1825.3.4
6	ジョン・クィンシー・アダムズ	民主共和党	1825.3.4- 1829.3.4
7	アンドリュー・ジャクソン	民主党	1829.3.4- 1833.3.4 / - 1837.3.4
8	マーティン・ヴァン・ビューレン	民主党	1837.3.4- 1841.3.4
9	ウィリアム・ヘンリー・ハリソン（病死）	ホイッグ党	1841.3.4- 1841.4.4
10	ジョン・タイラー	ホイッグ党／無所属	1841.4.4- 1841.9.13 / - 1845.3.4
11	ジェームズ・ポーク	民主党	1845.3.4- 1849.3.4
12	ザカリー・テイラー（病死）	ホイッグ党	1849.3.4- 1850.7.9
13	ミラード・フィルモア	ホイッグ党	1850.7.9- 1853.3.4
14	フランクリン・ピアース	民主党	1853.3.4- 1857.3.4
15	ジェームズ・ブキャナン	民主党	1857.3.4- 1861.3.4
16	エイブラハム・リンカーン（暗殺）	共和党	1861.3.4- 1865.3.4 / - 1865.4.15
17	アンドリュー・ジョンソン	民主党	1865.4.15- 1869.3.4
18	ユリシーズ・グラント	共和党	1869.3.4- 1873.3.4 / - 1877.3.4
19	ラザフォード・ヘイズ	共和党	1877.3.4- 1881.3.4
20	ジェームズ・ガーフィールド（暗殺）	共和党	1881.3.4- 1881.9.19
21	チェスター・A・アーサー	共和党	1881.9.19- 1885.3.4
22	グロバー・クリーブランド	民主党	1885.3.4- 1889.3.4
23	ベンジャミン・ハリソン	共和党	1889.3.4- 1893.3.4
24	グロバー・クリーブランド	民主党	1893.3.4- 1897.3.4
25	ウィリアム・マッキンリー（暗殺）	共和党	1897.3.4- 1901.3.4 / - 1901.9.14
26	セオドア・ローズベルト	共和党	1901.9.14- 1905.3.4 / - 1909.3.4
27	ウィリアム・タフト	共和党	1909.3.4- 1913.3.4
28	ウッドロウ・ウィルソン	民主党	1913.3.4- 1917.3.4 / - 1921.3.4
29	ウォレン・G・ハーディング（病死）	共和党	1921.3.4- 1923.8.2
30	カルビン・クーリッジ	共和党	1923.8.2- 1925.3.4 / - 1929.3.4
31	ハーバート・フーヴァー	共和党	1929.3.4- 1933.3.4
32	フランクリン・デラノ・ローズベルト（病死）	民主党	1933.3.4- 1937.1.20 / - 1941.1.20 / - 1945.1.20 / - 1945.4.12
33	ハリー・S・トルーマン	民主党	1945.4.12- 1949.1.20 / - 1953.1.20
34	ドワイト・D・アイゼンハワー	共和党	1953.1.20- 1957.1.20 / - 1961.1.20
35	ジョン・F・ケネディ（暗殺）	民主党	1961.1.20- 1963.11.22
36	リンドン・ジョンソン	民主党	1963.11.22- 1965.1.20 / - 1969.1.20
37	リチャード・ニクソン（辞任）	共和党	1969.1.20- 1973.1.20 / - 1974.8.9
38	ジェラルド・R・フォード	共和党	1974.8.9- 1977.1.20
39	ジミー・カーター	民主党	1977.1.20- 1981.1.20
40	ロナルド・レーガン（暗殺未遂）	共和党	1981.1.20- 1985.1.20 / - 1989.1.20
41	ジョージ・H・W・ブッシュ	共和党	1989.1.20- 1993.1.20
42	ビル・クリントン	民主党	1993.1.20- 1997.1.20 / - 2001.1.20
43	ジョージ・W・ブッシュ	共和党	2001.1.20- 2005.1.20 / - 2009.1.20
44	バラク・オバマ	民主党	2009.1.20- 2013.1.20 / - 2017.1.20
45	ドナルド・トランプ	共和党	2017.1.20- 現職

初代はご存知のジョージ・ワシントンですが、その後しばらくは聞いたことのない名前が続くかもしれません。けれどもこのリストには、世界史に名を刻む存在が大勢出てきます。

日本へペリー提督の黒船を派遣した第十三代フィルモア大統領。奴隷解放で名高い第十六代エイブラハム・リンカーン。二十世紀の始まりとともに就任した第二十六代セオドア・ローズベルトは、先代が米西戦争によってスペインの植民地をぶんどることに成功し、アメリカが帝国となったときの大統領です。彼の親戚第三十二代フランクリン・デラノ・ローズベルトは第二次世界大戦のシナリオを書き、自らその通りに世界史を動かしたと言っていいでしょう。そのあとを継いだ第三十三代ハリー・トルーマンは広島と長崎に原爆を落としました。世界が核戦争に直面したキューバ危機を乗り越えた第三十五代ジョン・F・ケネディ大統領もまた、世界の歴史に名を刻んだ存在です。

大統領たちのソフトパワー

私たちはよく、レーガンのアメリカ、オバマのアメリカという具合に、トランプまで四十五代におよぶ大統領によってアメリカ史の時代区分を代表させます。大統領はアメリカの軍事力を掌握し、いわばハードパワーの頂点にいる存在ですが、それだけではありません。アメリカのソフトパワーをも代表する存在です。そのことをこれから見てゆきましょう。

大統領のベスト5は誰か、アメリカ研究者の間でそんな話題がときどき出ます。

よく挙げられるのは歴代大統領で最も頭脳派と言われる第三代トマス・ジェファソン。彼は独立宣言に刻まれる「すべての人は平等につくられている」という有名な言葉を残しました。福沢諭吉の「天は人の上に人をつくらず」の元になっている言葉でもあります。彼はその後のリンカーンと並んで圧倒的な読書家だったからこそ、この名文句をひねりだせたんですね。大統領なんかになるより書斎の人になりたかったという言葉も伝えられるくらいの本の虫で、教養人だった。米英戦争でアメリカの議会図書館が焼け落ちたとき、ジェファソンの寄贈した蔵書によって、蔵書数が二倍になったという逸話があるほどです。

一八六三年のゲティスバーグの演説で知られるリンカーンもまた本の虫でした。シェイクスピアをよく読み、演劇が好きで劇場通いをしていたのです。先ほどのジェファソンの言葉を引いている演説の原文を少し見てみましょう。

> Four score and seven years ago our fathers brought forth on this continent, a new nation, conceived in Liberty, and dedicated to the proposition that all men are created equal. …
>
> Abraham Lincoln, The Gettysburg Address, November 19, 1863

独立宣言のなされた一七七六年を指して「いまから八十七年前」としている冒頭部分が「Eighty seven years ago」になっていませんね。二十年を表すスコア（score）という聖書の表現を借りて、文章に格式を与えています。建国の父たちも直接的な言い方ではなく、「our fathers」と呼んでいる。このように人びとの記憶に残り、心を打つためのレトリックを十分に使いこなすことができる人でした。

アメリカ文学の古典アンソロジーをひもとくと、ジェファソンの独立宣言もリンカーンのゲティスバーグ演説も当然のように収められています。このことには、植民地時代以来、牧師の説教も文学とみなされたというアメリカの独特の文学観も背景にありますが、アメリカ大統領とは古典となるような言葉を紡ぎ出せる教養を備え、人を動かすレトリックを展開し、ソフトパワーをも担いうる存在だったのです。

ちなみに、文字通り小説を書いてしまった大統領もいます。第四十二代ウィリアム・ジェファソン・クリントンその人です。彼はアメリカを代表するミステリ作家ジェイムズ・パタースンとの共作という形ではありますが、『大統領失踪』なる小説をものしてしまいました。スピーチの達人と呼ばれた第四十四代オバマ大統領もウィリアム・フォークナーから中国ＳＦまであらゆるジャンルの本を渉猟する読書家であることはご存知の方もいるでしょう。

リンカーンとシェイクスピア

アメリカ大統領がハードパワーの世界だけでなく、ソフトパワーにも深く関わる存在であることを最も象徴的に示しているのはリンカーンでしょう。

演劇好きだったリンカーンが暗殺されたのはフォード劇場で観劇中のことでした。しかもリンカーンを背後から撃った暗殺犯は当代随一のシェイクスピア俳優、ジョン・ウィルクス・ブース。この大スターが、南部の大義を掲げ、暗殺団まで組んで劇場で実行したのがこの暗殺事件にほかなりません。

ちなみにリンカーンがシェイクスピアでも大好きだったのは「マクベス▼」でした。彼が特に気に入り、しょっちゅう口ずさんでいたと言われる一節を引いておきましょう。

Methought I heard a voice cry "Sleep no more!
Macbeth does murder sleep," the innocent sleep,
Sleep that knits up the raveled sleave of care,
The death of each day's life, sore labor's bath,
Balm of hurt minds, great nature's second course,
Chief nourisher in life's feast (...)

リンカーンの暗殺

▼**「マクベス」**
一六〇六年頃の成立と言われるシェイクスピアの四大悲劇の一つ。引用は宴会の夜、王を殺したマクベスが茫然自失となり、幻聴を聞く場面（第二幕第二場）。

暗殺された大統領リンカーンは、王ダンカンを暗殺するマクベスに感情移入していました。奴隷解放のためとはいえ、建国の父たちがつくり上げたアメリカに引き起こした南北戦争で流された多くの血のことを考えていたのかもしれません。ところが、ここに興味深いねじれが生じます。そしてフォード劇場では、いわばリンカーンがダンカンを、ブースがマクベスを演じたことになります。

ブースはアクロバットが得意で身体能力に自信がありました。暗殺後、ボックス席から舞台に飛び降りて、「暴君死すべし！」と叫んだ。それから十日あまり逃走して、最後はギャレット農場というところで殺されてしまいます。

リンカーン暗殺が劇場で実行され、舞台の上では劇が演じられていた。つまり文字通りの衆人環視、観客の目の前でこの暗殺はおきたのです。この日の観客は、舞台劇に加えて大統領暗殺劇まで目撃することになったのです。

衆人環視の暗殺といえば、嫌でももう一つの暗殺が思い起こされます。一九六三年十一月二十二日にテキサス州ダラスをパレードしていた最中に暗殺された第三十五代ケネディ大統領です。このパレードはテレビカメラが終始追っていましたし、日本とアメリカの部分的な衛星放送が実現して送られてきた最初の映像でもありました。

そのことは小学生だった私もおぼろげに覚えています。衛星放送なるものが実現する、というので家族でテレビを見ていたのです。いまでこそ当たり前の衛星放送ですが、当時は画期的な出来事で、テクノロジーの恩恵を象徴する歴史的事件でしたが、それによって最初に届けられたのが大統領の暗殺だったのです。私たち昭和中期生まれの世代には忘れられない印象を残しています。

大統領というイマジネーション

最後に、ソフトパワーをも担ってしまうアメリカ大統領はさまざまなイマジネーションを喚起する存在でもあるということをお話ししましょう。

リンカーンという存在を考えるとき、みなさんはどういうイメージをもちますか。ひげをたくわえ、背も高い堂々たる大統領と思われていますが、最初からそうだったわけではありません。

大統領選のときに彼を揶揄する目的で描かれた風刺漫画があります。選挙で争ったスティーブン・ダグラスがいかにもイギリス紳士然と描かれているのに対して、リンカーンは開拓者風。加えて真ん中に描かれた黒人にも意味があります。

当時P・T・バーナムという「グレーテスト・ショウマン」の異名を取るほど有名な見世物師がいました。この黒人の少年も彼にとってはとびきりの見世物でした。というのもそのころ、ダーウィンが『種の起源』で唱えた進化論に反発して、ならば人間と猿の中間の存在がいるはずじゃないかという意見がありました。バーナムはそのミッシング・リンクをご覧に入れましょうと言って、この黒人少年を類人猿に仕立て上げ、見せて回っていたのです。風刺の意味は

リンカーンを揶揄する風刺画

明白です。リンカーンは、ミッシング・リンクどころか猿そのものだ、というわけです。エイブラハムという名前も略称「エイブ」（Abe）ですから、まさに「エイプ」（Ape）すなわち猿ではないかと揶揄されたりしました。

そういう彼でしたが、その後実際よりも年長に見せたいというつもりもあり、ある少女のアドバイスを受けてひげをのばすことにしたと言われています。

今日私たちが目にしたり思い描く大統領たちの姿は、いま現在の私たちのイマジネーションを受けとめるべくつくり出されている。それはリンカーンのイメージに見られるとおりです。そしてもちろん、アメリカ大統領を描いた文学作品、映画のリストはいつまでも終わることがありません。▼

Q&A

――トランプ大統領のソフトパワーはどのあたりにあるのでしょうか。

人種差別的な発言やメキシコとの間の壁など、過激な発言ばかりしているトランプとはどんな存在なのか。トランプを支持しているひとたちに、ホワイト・トラッシュと呼ばれる貧しい白人たちがいます。彼ら白人貧民層にとってはオバマの民主党政権のリベラルな政策で軽視された自分たちを救ってくれる、ヒューマニズムを体現する存在です。

今日紹介したジェファソン、リンカーン、ケネディ、オバマらはしっかりと文学を読み、自分でも名文を書くことができた。トランプも自伝を書いていま

▼現代文学に描かれた大統領

現代アメリカ文学から挙げるなら、スティーヴ・エリクソン『Xのアーチ』（集英社文庫、二〇一六年／トマス・ジェファソン）ドン・デリーロ『リブラ　時の秤』（文藝春秋、一九九一年／ジェイムズ・エルロイ）『アメリカン・タブロイド』（文春文庫、二〇〇一年／ジョン・F・ケネディ）トマス・ピンチョン『重力の虹』（新潮社、二〇一四年／リチャード・ニクソン）などがある。

すが、彼の言説が取り上げられるとしたら、あのTwitterでしょう。彼のツイートで政治が動き、多くの人びとの心が動いた。私の恩師に当たるアメリカの教授も、アメリカに住んでいる限り毎日あのツイートに怒ってばかりだ、とこぼしていました。トランプのツイートには人を怒らせる力がある。彫琢された文章ではありませんが、みんな気になって見てしまい、心の微妙なところを刺激される。そんな力をもった武器としてトランプはTwitterを使いこなしているわけで、そこから新たな文学作品が触発されないとは限りません。

わたしの思い出の授業、思い出の先生

中学時代に最も刺激を受けた藤原義久先生の音楽の授業は、生涯で最も印象的かつ決定的でした。現代音楽に造詣が深く作曲家としても知られる先生は、いわゆるクラシックばかりでなくストラヴィンスキーやバルトークなども授業で聞かせ、さらにクラークやブラッドベリなどSF小説の魅力についても語ってくださいました。

それは、中学生といえども決して手加減せず、最も感受性の豊かなときに最も刺激的な知識を刷り込むという画期的な教育だったのです。先生唯一の著書『アードリアーンの音楽』（初版1979年、増補新版2018年『ヨーロッパ芸術音楽の終焉――アードリアーンの音楽』）はドイツの文豪トーマス・マンの小説『ファウストゥス博士』に登場する架空の天才音楽家を主役に据えて語る凝りに凝った西欧音楽史であり、そこで示された音楽史の循環史観が私の英米文学史観に与えた影響には絶大なものがあることも申し添えておきます。

わたしの仕事をもっと知るための3冊

巽孝之『ニュー・アメリカニズム――米文学思想史の物語学』（青土社）
巽孝之『リンカーンの世紀――アメリカ大統領たちの文学思想史』（青土社）
巽孝之『パラノイドの帝国――アメリカ文学精神史講義』（大修館書店）

SNS時代の政治

西田亮介

にしだ・りょうすけ＝社会学者。一九八三年生まれ。東京工業大学リベラルアーツ研究教育院准教授。慶應義塾大学大学院政策・メディア研究科後期博士課程単位取得退学。博士（政策・メディア）。立命館大学大学院特別招聘准教授などを経て現職。著書に『メディアと自民党』（社会情報学会二〇一六年優秀文献賞受賞）『なぜ政治はわかりにくいのか』『情報武装する政治』『ネット選挙』など。

今日のお題でもある「SNSと政治」の話をする前に、みなさんに考えてほしいことがあります。政治にしかできないことって何があるでしょうか?

——公共事業。

たとえば道路工事やダムを作ることですね。駅の開発など大規模開発を民間企業がやることはありますが、公益性は高いが収益性の低い事業、つまり儲からない事業は、広義の意味で政治にしかできないことかもしれません。ほかにはありますか?

——税金をかける。

そうですね。課税してお金を集める。

――法律を作る。

いいですね、その通りですね。法律を作るのは国家にしかできない、もう少し厳密に言えば立法府にしかできないことです。

「政治にしかできないこと」

今日は四つのことをお話しします。一つはいま考えてもらったように、政治にしかできないことは何かということです。次に社会は政治にどのような関心をもっているのか。そして昭和から平成への時代の変化、さらにメディアと政治の関係の変化についてご紹介します。最後に政治にしかできないことは何かを、もう一度考えてみてもらいたいと思います。

改めて、政治にしかできないことはなんでしょうか。たとえばみなさんは毎日満員電車は嫌じゃないですか。この問題を解決するにはどんな方法があると思いますか。

――時間をずらす。

なるほど。混んでない時間に早く行く。そうですね。

――電車の本数を増やす。

いろいろ出てきました。では、どうしたら電車の本数を増やせるでしょうか？システムを作ってひとが多い時間帯を判別し、その時間帯の電車の本数や料金を、需要に応じて柔軟に管理できるかもしれない。ですがこれは技術的には可能でも、法律的には現状、ちょっと難しそうです。鉄道事業法という法律があり、運賃と運行計画を変更するときには事前に国交省に届け出なければなりません。このように、技術があってもそれを簡単に使うことができないのが現状です。それがおかしいと思うのであれば、法律を変えることもできます。ではどうすれば法律を変えられるでしょうか。

ちょっと乱暴に説明すると、法律を変える必要性を国会議員に説明し、国会のなかで多数派を形成していく。彼らが法案を提出し、国会で承認され、法律が改正されることで、場合によっては技術のポテンシャルを引き出しながら、問題を解決できるようになります。つまり、満員電車がすぐに解決されないことと法律や政治は関係しているんですね。

ほかの例を挙げましょう。エアビーアンドビーは知っていますか。自宅などを宿泊施設として提供できるオンラインサービスで、世界的に普及しています。ですが海外に比べて日本では普及が遅れています。規制の影響です。

住宅宿泊事業法▼ではある事業者が一つの物件を稼働できる営業日数は、年間

▼住宅宿泊事業法
一定のルールを定め、民泊サービスの健全な普及を図るものとして、二〇一七年六月に成立。年間上限百八十日の営業日数制限を設けているが、国家戦略特区で経営される民泊（いわゆる特区民泊）には営業日数上限はない。

百八十日までと規制されています。民泊をビジネスにしたいひとがいる一方で、ホテルや旅館の経営者は、民泊が増えると自分たちのお客さんを取られるかもしれません。この両者の調整をするなかで、営業の上限規制がつくことになったんです。これでは一年のうち半分以下しか稼働させられず効率が悪いので、合法民泊ビジネスは日本ではうまく機能していません。ここにも法律が関わっていますね。

このように現実には政治でしか解決できない問題があるのですが、多くのひとはそれを認識していません。さきほどの例で言えば、満員電車の問題は技術で解決すればいいと言っても、じつは法律によって制限されていることは認識していないし、それを変えるための仕組みを理解していないので、適切な変更のための提案ができない状況があるのではないでしょうか。

若者の投票率は低くても問題ない?

次に日本社会が政治とどう関わってきたのかを投票率を中心に見てみましょう。**図1**は衆議院選挙の投票率の推移です。総じて投票率が低いことがわかります。たとえば二〇一七年に行われた衆院選の投票率は五三パーセントですから、二人に一人ぐらいしか投票に行っていません。全体的には横ばいか微減で、なかでも深刻なのは若い世代です。若年世代の投票率は三割前後で、二十代の

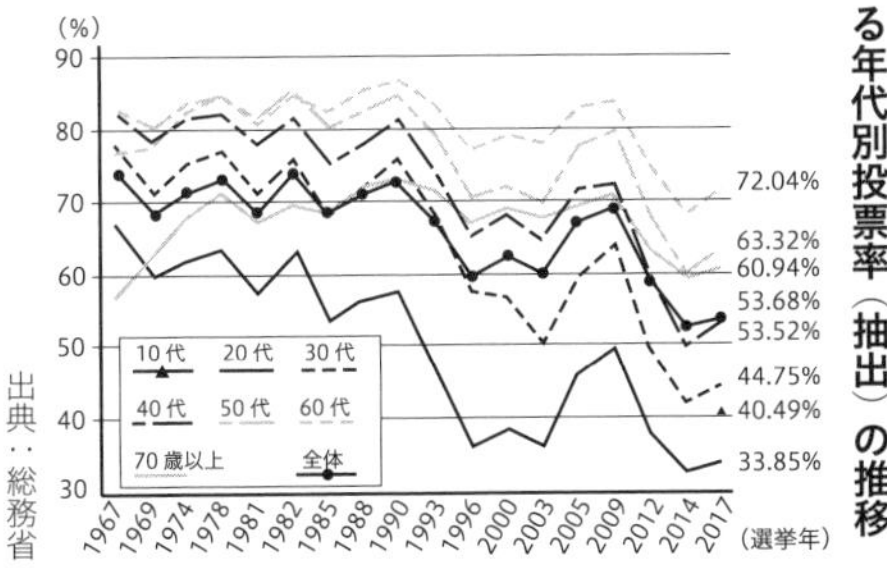

図1 衆議院議員総選挙における年代別投票率(抽出)の推移

出典:総務省

投票率は総じて低い。

二〇一五年の公職選挙法の改正によって、一六年度の参議院選挙から十八歳以上に投票権が拡大しました。初回は十代の投票率が二十代を上回りましたが、残念ながら今年の七月の参議院選挙では、十八歳の投票率も二十代並みになってしまいました。

この状況を政治学は二つの相反する学説で説明しています。一つは三割の若者しか選挙に行かなくても問題ないとする立場です。若い世代が若いときに政治に関心をもっていなかったとしても、二十代になって働きはじめると業界のことを考えるかもしれない、結婚して子どもが生まれると家族や子育ての補助金、保育園、幼稚園のことも考えなければいけない。このように歳を取るごとに人間の想像力はおのずと広がっていき、世の中のことも考えるようになる。だから若者の投票率が低くても問題はないとする。

それと正反対の学説は、若いひとも含めて政治への関心がなくなると、政治がスポイルされたり、実証的にみると投票経験の有無が将来の投票の有無に影響するので問題だとする立場です。この二つの学説が対峙しています。どちらが正解なのかは悩ましいですね。学説は状況や条件によっても変わりますから。

僕が問題だと思うのは二十代の投票率が一九六七年は六六パーセント、二〇一七年には三三パーセントと、およそ半分になっていることです。一九七〇年代の若者は「しらけ世代」と呼ばれました。一九六〇年代の学生運動▼のときには政治に関心をもっていた若者たちですが、一九七〇年代からは高度経済成長の高まりもあり、急速に政治に関心を失って、消費や娯楽に向かいました。ですが、しらけ世代でも、投票率はいまの若者の倍くらいでした。僕は若い世代の政治的行動の表れである投票率がここ五十年で半分くらいに落ち込んでいることには、強い問題意識があります。

なぜかというと、そのことが日本の将来像と関係すると考えているからです。みなさんのなかで、日本の将来は明るいというひとはどれくらいいますか？

（生徒　手を挙げる）

一割くらい。日本の将来は暗い、難しいと思うひとはどのくらいいますか。

（八割くらいの生徒が手を挙げる）

そうですか。僕もこのマジョリティのみなさんと同じ認識ですが、若いみなさんが明るい展望をもてていないのだとすると、これは不安ですね。なぜ日本の将来は暗いのですか。

――僕たちが大人になった未来のことを考えるべきなのに、若い世代が関心を

▼一九六〇年代の学生運動
一九六〇年ごろには、日米安全保障条約の改定に反対した安保闘争に多くの学生が参加し、一九六〇年代後半には、学生自治会などの組織や党派に属さない一般学生が参加した「全学共闘会議（全共闘）」を中心に反戦や大学解体などを掲げた全国規模の学生運動が行われた。

もっていないから、大人に有利な方向になっている。

そうですね。さっき見た図とも関連しそうです。

——他国が著しく成長しているのに対して、いま活躍している日本企業はトヨタぐらいしかない。

いい指摘ですね。中国の経済成長率はここ数年非常に高い値で推移していますし、成長が鈍化したと言われながらも、IMF▼が発表した二〇一九年の経済成長率（GDP成長率）推計は六・一パーセントです。対して、日本の経済成長率は一パーセントと推計されています。韓国は景気が悪いと言われますが、近年は年間で二〜三パーセント経済成長している。すると相対的に日本の経済的地位が下がってしまいますよね。

▼IMF
International Monetary Fundの略。国際通貨基金。一九四五年に設立された国際機関で主に以下のような業務を行う。加盟国への外貨貸付による支援、各国の経済と金融の情勢の調査、経済政策への助言、各国への専門家の派遣など政策決定の技術支援など。

「いまだ昭和の時代認識」

僕はみなさんに明るい展望をもってほしいと思いますが、今日は暗い未来の話も交えつつ、昭和から平成、そして現代日本がどう変わってきたか、お話をしたいと思います。

昭和の日本では、経済的に成長・発展し多くのひとが豊かな暮らしをすることを目指して、会社や社会保障をはじめ、さまざまなシステムが設計されました。僕はそうした昭和のシステムが完成すると同時に崩壊したのが、平成だったと認識しています。そして平成が終わり令和になったいまも、僕たちの社会認識は昭和のままなのではないか。つまり世の中の実態と人びとの認識の間のずれが大きくなっているんじゃないかと考えています。

昭和にもいいところはありました。たとえば予測可能な社会だったことです。いい高校・大学を卒業すればいい就職先が用意されている、というように経済成長も人びとのライフステージも予測することができました。でもいまの日本では、いい大学を卒業しても就職できないこともある。予測は必ずしも当たらないわけです。未来を踏まえながら線形に予測しにくくなりました。

各種調査の数字もそのことを示しています。**図2**は一世帯当たりの平均所得額の推移を示しています。平成の前半にピークがあって、以降ほぼ横ばいか微減しています。子育て世代も同様で、所得の伸びは見られません。

それに対して税収はどうでしょうか。国の税収も大きく伸びています。二〇一九年度の一般会計▼の税収はおよそ六十二兆円と予測されていますが、これはバブル期と同じぐらいの水準です。とくに一般会計の柱は所得税と消費税と法人税ですから、前半二つについて言えば個人も大きく関係するんですね。**図3**によると消費税は伸びています。高齢化に際して社会保障費なども増えているので、

図2　一世帯当たり平均所得金額

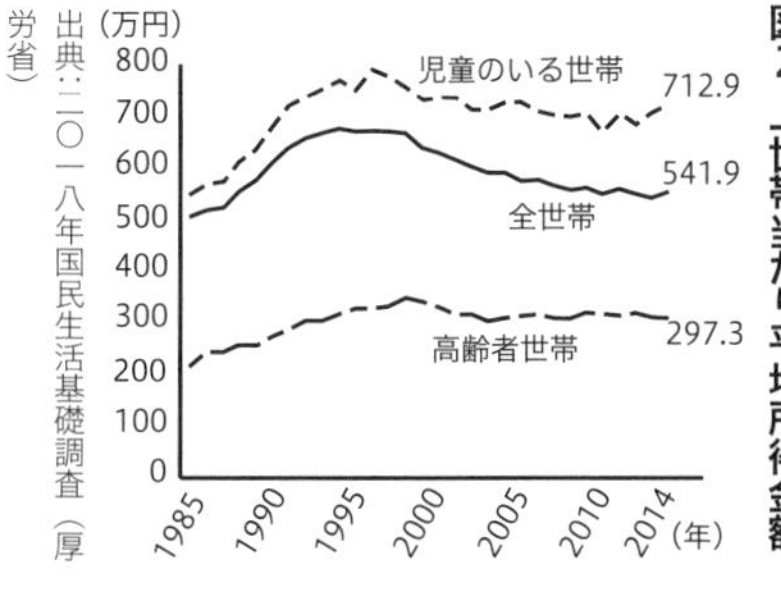

出典：二〇一八年国民生活基礎調査（厚労省）

▼一般会計
国政や外交の複雑化に伴い、目的別に予算を「一般会計」と「特別会計」に分割する方法がとられている。「一般会計」は原則としては租税を財源に、補助金、社会保障などの基本的な行政支出を扱う。一方の特別会計は、道路や港湾整備など特定事業を進めるための主要な経費を扱う。

税収が必要ではありますが、少なくとも生活者の負担感は高まっていると思います。でも税収の使い途や収益の変遷はあまり知られていないですよね。

それから**図4**は世帯構成の変化です。いまは片働きよりも共働き世帯のほうが多くなっています。一九九八年くらいを境に拮抗して、以降どんどん差が開いていっている。しかし年長世代のひとたち、会社の経営者のひとと話をすると、いまでも「そんなことないよ」といいます。このように世の中の実態が変わっていますが、人びとの認識はそれについていっていません。

「イメージ」で駆動する政治

世の中の多くのひとは政治に関心がなく、社会の変化をきちんと認識していないようです。この状況に現実の政治がどう対応しているのでしょうか。自民党は二〇一三年に、SNSなどネット上の情報から有権者の反応を分析し、参議院選挙運動をサポートする「Truth Team」をつくりました。二〇一三年は原発再稼働の是非が社会問題になっていた時期です。このとき「Truth Team」は、さまざまな分析の結果、演説では原発再稼働の是非について明確に態度表明しないほうがいいと、自民党の候補者全員にアドバイスしていたんです。

演説にはマニュアル集もあります。たとえば猛暑についての例文が載っていて、「今日は暑いですね。みなさん、脱水症状に気をつけてくださいね」と演

図3　一般会計税収の推移

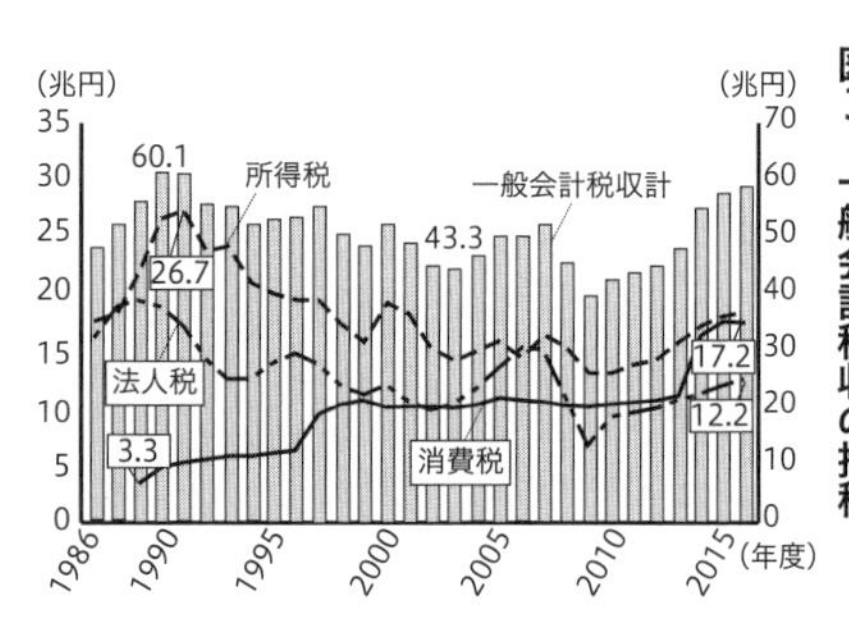

出典：財務省

説すればいいと書いてある。そんなマニュアルが大量にあって、政治の知識がなくても演説をすることができる。何も自民党だけではありません。現代政治の一部はこうなっています。

どうしてこんな状態が続くのかというと、有権者の側が政治に対して強い関心をもたず、また学校教育の現場でも現実政治について教えられていないからです。学校で政治について教えられないのにはいくつか理由があって、必ずしも学校の先生のせいではありません。教育基本法のなかに政治教育の項目があり「公民として必要な政治的教養は教育を通じて教えられなければならない」という意味のことが書かれています。大人になって必要になる政治的知識は学校教育が提供するということです。しかし、その後に「政治的中立性に配慮すること」という意味の文言も加えられている。この状況が学校における政治教育にある種の難しさをもたらしています。

たとえばみなさんのなかで、自民党や立憲民主党などの政党の歴史を学校で教わったひとはいますか。ほとんどいないと思うんですよ。先ほどの「中立性」が問題になるんですね。海外では、教員が自分の立場を表明しても、配慮をし、学生に対して意見を押し付けなければ「中立性」は保たれると考えられています。ちなみに日本でも制度的にはそうなっているのですが、学校現場では現実政治を扱うことに大きな抵抗感がある。

そのことは、日本における現実政治の知識の乏しさと無関係ではないと思い

図4　共働きなど世帯数の推移

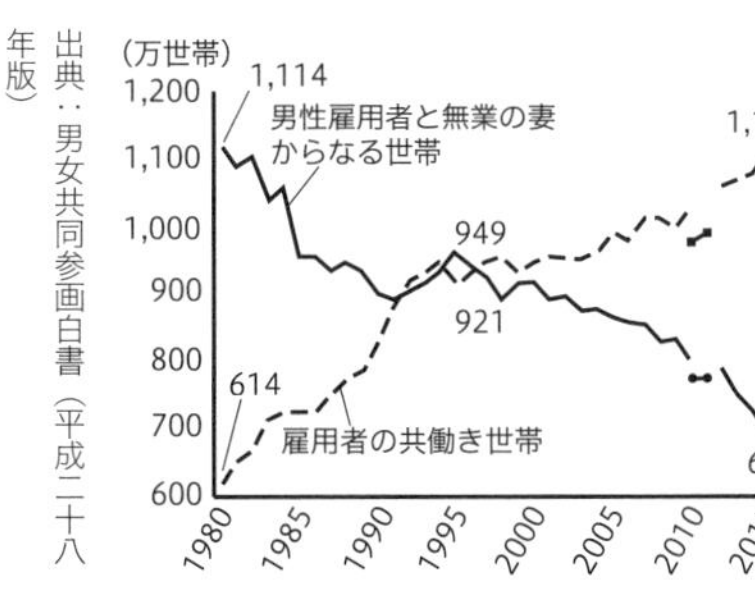

出典：男女共同参画白書（平成二十八年版）

ます。というのも、みなさんはこの状態のまま大人になって、投票年齢に達しますよね。そのときに自民党について調べるかというと、多くのひとはおそらく調べない。ということはみなさんがもっている政治的知識と大人の政治的知識はそんなに差がないのです。いつまでたっても僕たちは自民党についても、共産党についてもろくに知らないまま、適当に投票するわけです。

先ほど申し上げたとおり、政治の側はそれをよく見ている。彼らは政治で生計を立てているので、どうすれば人びとに訴えかけられるかに関心をもっています。そうしたひとたちが強く働きかけ、加えて有権者が知識や論理に基づいて政治を把握せず、ぼんやりとした「イメージ」で政治が動いていくことを「イメージ政治」と呼んでいます。

「メディアと政治の関係の変化」

いま日本の四十代以下のメディアは、マスメディアからネット中心になりつつある。たとえば、四十代以下のひとはほとんど新聞を読んでいません。良くも悪くもネットで二十四時間三百六十五日政治を含めた情報に接触するようになっていて、人びとはバラバラになっていっている。つまり、マスメディアで同じものを見ていたときはみんな大体同じ情報に接触していたけれど、いまは隣のひとが何を通じて情報を得ているのかわからないわけですね。

本来であれば政治家は人びとの政治的認識や理解を促して、自分たちも緊張感をもつことを繰り返し、社会をより豊かにするべき存在です。しかしいまの政治家たちは、僕たちの脊髄反射的反応をいかに効率よく生み出せるのかに注力している。Twitterでは自民党だけではなくどの政党も、広告を出して選挙運動をしています。首相官邸も、首相はこんなに偉いひとと会った、こんな有名人とごはんを食べたという写真をInstagramにばんばん出している。それから、二〇一九年に話題になりましたが、自民党は『ViVi』という女性ファッション誌とコラボキャンペーン▼を行いました。どうなんでしょうね。これを見たところで僕たちは賢くなったりするんでしょうか。政治に対する理解は深まりますかね。自民党だけではなく、どこの政党もこういうイメージ政治を続けていて、それを可能にしているのが日本社会の姿です。これは決していいことではありません。

そこで改めて、政治にしかできないことは何か、政治の重要性とは何かを考えてもらいたいと思います。答えはありません。多くのひとは政治に関心がなく、政治の知識も提供されていない。日本では政治と金と宗教の話はタブーだとされてきたので、政治についておおっぴらに議論するひともほとんどいないでしょう。

でもみなさんは日本の将来はあまり明るくないと思っている。僕もそう思っています。そのときに、予算の分配や、外交や安全保障をはじめ、国や政治にしかできないことがあるわけですね。でもその仕組みを誰も理解していない。

▼**『ViVi』コラボキャンペーン**
講談社が発行する女性ファッション誌『ViVi』のウェブ版が二〇一九年六月十日、自民党との広告企画記事を掲載した。「どんな世の中にしたいか」を記し、「#自民党2019」などハッシュタグをつけてSNSに投稿すると十三人にTシャツが当たるというもので、参議院選が控えていたこともあり、大きな批判が寄せられた。

そこに問題があると思っています。

僕は政治学者のみなさんとは立場が違うので、全員が投票に行けばいいとは思いません。脊髄反射的反応が誘発されている社会において、多くのひとが投票に行くとどうなるか。いいかげんな投票が促されます。なので「とりあえず投票」には賛成できないのですが、それでも、イギリスの元首相トニー・ブレア▼の言葉を、講演の最後によく紹介しています。

「不思議なことだが、私の結論は人びとを解放するために政治の力が必要とされているということではない。人びとの力が政治を解放するために必要なのである」

今日のお話が、改めてみなさんが政治を考えるきっかけに、なかでも政治にしかできないことを考える契機となれば嬉しいです。

Q&A

——イメージ政治から脱却するためには何が必要だと思いますか。

個人でできるのはメディアリテラシーを身につけることです。メディアの言うことを必ずしも信用しない、鵜呑みにしないこと。ただし僕はメディアリテラシーの重要性は認めつつも、実践性には懐疑的です。政治やメディア企業は潤沢なお金とさまざまな技術を使って僕たちに働きかけています。そのメディアに、一生懸命勉強したり調べたりするだけで対抗できるのか。もちろん理念

▼**トニー・ブレア**
イギリス労働党の政治家、第七十三代首相。中道左派として大きな支持を得て政権を運営したが、二〇〇一年九月十一日のアメリカ同時多発テロ以降、アメリカに追従し、アフガニスタン紛争やイラク戦争に参戦した。テロ対策の強化、伝統的な福祉国家に変わる政府のあり方の模索などの課題に取り組んだ。

としては重要だと思いますが、もう一方で「メディアリテラシーで対抗はできない」ことを認識することが大切で、まずは十分じゃないかと思います。いつも騙されている、そこから出発しようということです。

そのうえで、やや他人任せですが、ジャーナリズムがきちんと機能することが必要です。政治と生活者の立場や利益は必ずしも合致しません。政治家のなかには日本がどうなろうが、自分たちが次の選挙で当選できればそれでいいと思っているひともいます。僕が直接会ったことがある政治家のなかにも、「本音で言えば、選挙に通れば何でもいいですよ」というひとが結構います。

生活者の利益から政治が離れてしまわないように監視することがジャーナリズムの役割の一つですが、日本における政治ジャーナリズムは端的に機能不全になっています。それは新聞とともに発達してきた政治ジャーナリズムが他のメディアに引き継がれず、新聞の影響力の低下とともに弱まっているからです。どうすればいいのかはわからないのですが、政治ジャーナリズムがきちんと機能して、僕たちに情報を届けるところまできちんと行われることが重要だと思います。

——ネット投票が活発になることについてどう思いますか。

僕は否定的な立場です。必ずしも投票率を上げるほうがいいとは思っていないからです。まず、さきほども申し上げたように脊髄反射的な投票が増えてい

いのか、ということが一点。

それから、投票に対して一定の敷居を設けておくことの重要性もあります。投票所に足を運ぶ瞬間に、公のことに対して一瞬でも想像力を向けることが重要だということです。僕もそう思います。

また投票の秘密を守ることが難しくなります。いまの選挙では投票所に行って投票し、立会人が投票の不正がないか監視しています。ところがスマートフォンで投票できるようになると、そういう厳格性を保てませんよね。たとえば老人ホームで寝たきりのひとに対してスマートフォンを向けて、さあ投票してくださいと言えてしまう。また、日本では宗教団体が政治活動をすることは問題ないと解釈されていますから、ネット投票では、宗教団体がどこかの会場にひとを集めて、せーので投票させることもできるわけです。

あとはハッキングされる可能性もあるし、データが改竄されるかもしれない。問題があったとしてデータが削除されたら復元することができません。現在では投票数が同数や接戦になったら票の数え直しをしますがそれもできなくなる。

そういった問題を解消できないことと、コストの問題もありますし、ネット投票はやめたほうがいいと思っています。先進国で電子投票を行っている国はエストニア以外にありません。エストニアは特別で、国が小さくてソ連から独立するときに旧ソビエトがインフラを破壊したので、そうするしかなかったんです。でもエストニアでさえ、期日前投票にしか電子投票は使っていません。

だから日本のような大きな国でネット投票をやっていいのかには疑念が残ります。

わたしの思い出の授業、思い出の先生

Q1：思い出の授業を教えてください

残念ながら、ほとんどありません。中堅の進学校に進んだこともあって、中学校に入ってまったく勉強ができなくなってしまい、授業にも、教師にもロクな思い出がありません。強いて言えば、関西出身ですが、「さっさと卒業して、関西からも離れたい」と強く思わせてくれたことには感謝しています。

Q2：その授業が記憶に残っている理由はなんですか?

思い出の授業といえば、何人かの予備校の先生でしょうか。いまは大学教員になられている横山雅彦先生は「勉強や学問、大学が面白そうだ」と思わせてくれた先生ですね。大学教員は変なひとが多いですから、たくさんの面白い教員や恩師に出会うことになりました。

わたしの仕事をもっと知るための3冊

西田亮介『なぜ政治はわかりにくいのか――社会と民主主義をとらえなおす』（春秋社）

西田亮介『情報武装する政治』（KADOKAWA）

西田亮介『メディアと自民党』（角川新書）

第4章

世界の歴史から学ぶ

いま、芸術とは何か？

会田誠

僕は十六歳で芸術家になろうと決心し、それ以来毎日のように「芸術とは何か」と自問自答をくり返しています。この問いに対して、僕はズバッと正解を指し示すことはできないし、そういうことができないものが芸術だとも思っています。ただ、何度も考えていくうちに、僕のなかの芸術観も変化していきました。たとえば現在、芸術とされている現代アート作品も十六歳の僕だったら理解できなかったでしょう。

わかりやすい例として、島袋道浩（しまぶくみちひろ）▼くんの「起こす」という作品を紹介します。これは東日本大震災で津波の被害にあった宮城県石巻市で行われたアートフェスティバルに展示されていました。普段はひとが立ち入らない小さな砂浜に、流木が何本も立てられていて、そのそばには「この流木を砂浜に刺すように」といった指示が書かれたプレートが設置されている。つまりこの流木は島袋くんが刺したものではなく、プレートを読んだお客さんが刺したものです。そうすることで、この作品にはアーティスト以外のいろいろな人びとの痕跡が残っ

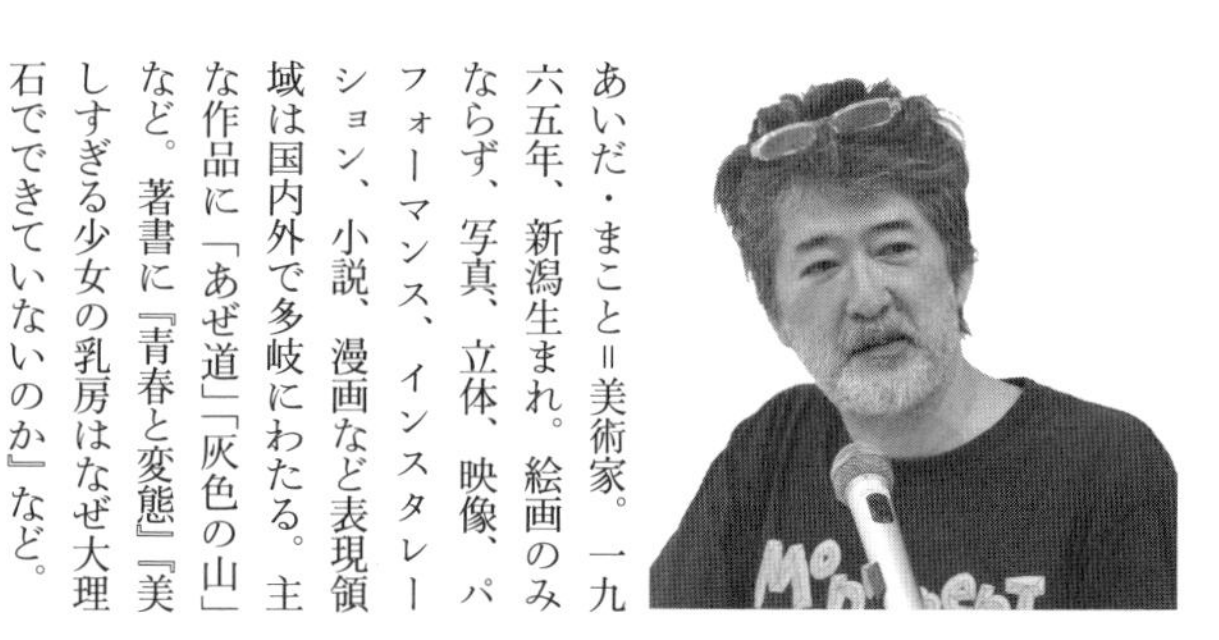

あいだ・まこと＝美術家。一九六五年、新潟生まれ。絵画のみならず、写真、立体、映像、パフォーマンス、インスタレーション、小説、漫画など表現領域は国内外で多岐にわたる。主な作品に「あぜ道」「灰色の山」など。著書に『青春と変態』『美しすぎる少女の乳房はなぜ大理石でできていないのか』など。

ていきます。満ち潮や波が近づいて一回立てたものが倒れたり、それをまた別の誰かが拾って立てたり、痕跡が加わると同時に作品も変化していく。作者である島袋くん自身はこの流木を作ったわけでも立てたわけでもなく指示をしただけですが、非常に評価が高い作品で、現代ではこういったものこそ芸術と考えられています。

昔の僕だったら作品の意義を読み取ることはできなかったけれど、いまは島袋くんの意図もわかるつもりですし、いい作品だなと思います。では、何故こういう作品が芸術だと納得するにいたったのか。美術史をもとに、現代アートにいたるまでの芸術の変化をたどっていきます。

「作者よりも神様が大事」

芸術はいつ誕生したのでしょうか。たとえば、古代エジプトで作られたピラミッドは芸術でしょうか？　人間が作ったものですが、見てわかる通りひとりでは作れない。これを芸術というひともいますが、一般的には芸術と呼ばれません。中東のイスラム教礼拝堂の天井に装飾されたアラベスク模様はどうでしょう。細かい模様が数学的な法則に基づいて反復されていて美しく、手もかかっていますが、これもまた芸術ではない。

▼**島袋道浩**
美術家。一九六九年、兵庫生まれ。新しいコミュニケーションのあり方に関するパフォーマンスやインスタレーション作品などを制作。ヴェニス・ビエンナーレなどの国際展に多数参加。

「起こす」（二〇一七年）
撮影：相原舜／CINRA.NETより

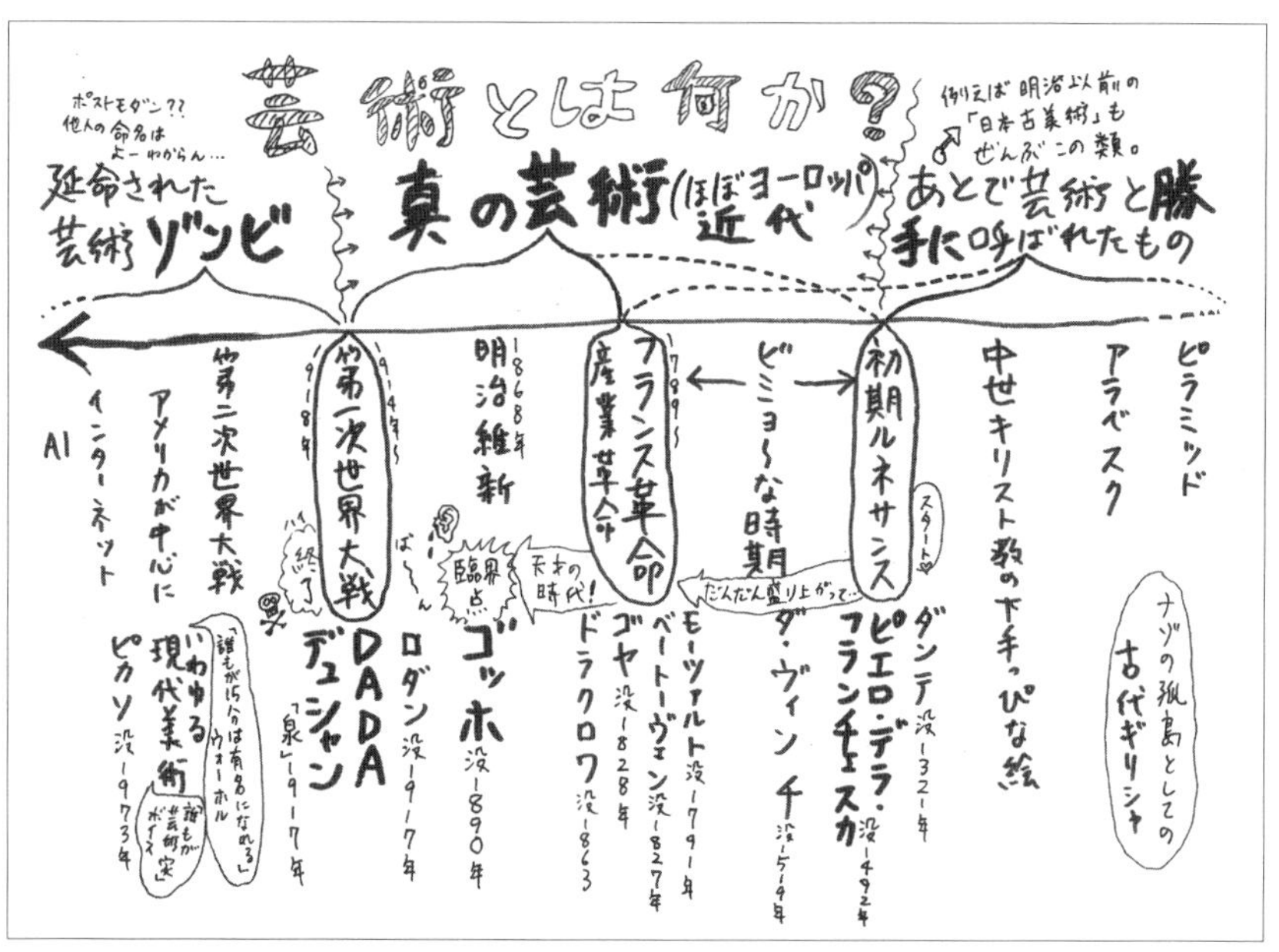

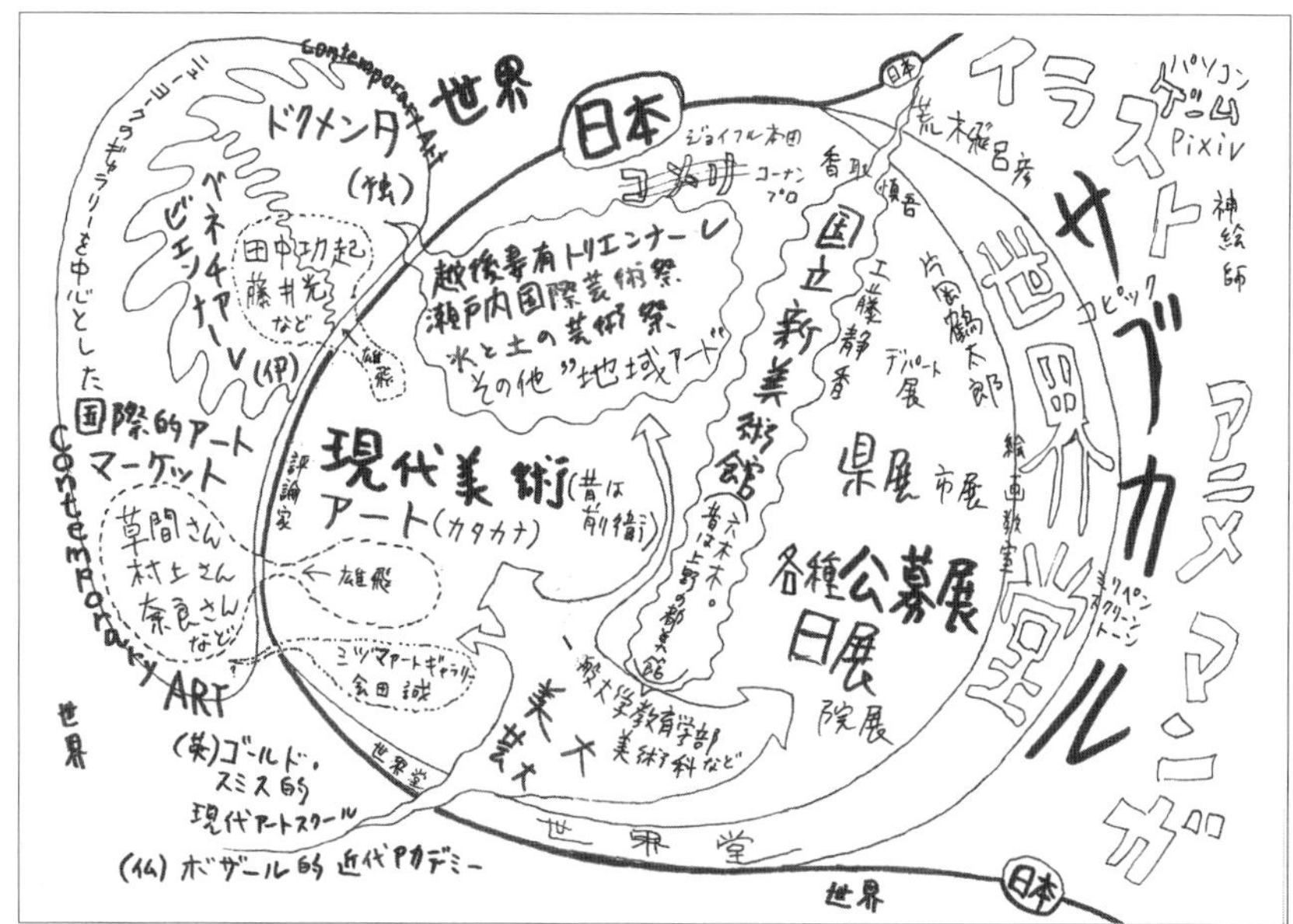

講義用資料より　上：美術史　下：現代芸術の世界図

ポイントは、この設計や図案を考えたひとの個性が感じられないこと。実際、作者の名前も残っていません。ピラミッドは一般的には王様の墓として作られたもので、またイスラムの美しいアラベスク模様▼も神様に捧げられたもの。この模様の幾何学的法則は、作者の意図ではなく、おそらくイスラム教の神様が指し示す宇宙の法則に則っているものでしょう。イスラム教では偶像崇拝▼が禁止されていて、神様の姿を描くことが禁じられています。そこで神様を描かない代わりに、神様のもつ無限の力を象徴する、無限に広がっていく模様を礼拝堂に装飾したわけです。したがって、これらの作品において重要なのは作者ではない。だから名前が残っていないのです。

もうひとつ重要なことは、こういった作品は似たようなものが多数作られているということ。ピラミッドもアラベスク模様も多数存在しています。日本でいえば、縄文土器や東北の民芸品こけしがそうです。長い時間を経て多少の変化はあっても、似たようなものが生まれていく。これは芸術ではなく、職人技です。職人と芸術家には対立概念があり、職人性が減ると、芸術家性が上がる、シーソーのような関係にあります。職人は伝統的な技術を尊重しますが、芸術家の場合はまず個性が前に出る。

▼アラベスク模様

▼偶像崇拝
神の姿をかたどった像を崇めること。イスラム教では神の唯一性を重視しているため偶像崇拝は徹底的に禁止されている。

「職人の時代」

次は中世ヨーロッパで作られたキリストのモザイク画を紹介します。パッと見て、ちょっと下手くそでしょ？　このころのヨーロッパではキリスト教も非常に厳格で、偶像崇拝は禁止されていた。ところが、こういった作品が残っている。もしかしたらキリストが半分ひとの子で、半分神の子だからという理屈なのかもしれませんが、でもうまく描きすぎるのは禁止されていたんじゃないでしょうか？　似たような絵がたくさんあるだけに、そんな気がします。これも作者の名前は残っていない。従って芸術とはいえません。

では芸術はいつ登場するのか？　美術史で時代の変わり目を語るときに重要な人物が、ピエロ・デラ・フランチェスカです。先程の絵に比べるとキリストが写実的に描かれていますが、ダ・ヴィンチやミケランジェロに比べるとまだ写実性は弱い。この時代を初期ルネッサンスといいます。やさしく言うと、みんなが絵をうまく描こうとしはじめた時代です。ただ、絵がうまければ芸術かといえばそう簡単ではないけれど、ここから、いまの芸術の枠組みが芽生えはじめた。まず大切なことは作者の名前が残っていること、作者であるピエロの個性が感じられることです。

芸術が少しずつ芽生えはじめたこのころ、ヤン・ファン・エイクという画家が登場します。彼は油絵の具を発明したひとでもあります。油絵という技法が

▼キリストのモザイク画

▼ピエロ・デラ・フランチェスカ
初期ルネッサンスを代表する画家。一四一六年頃、イタリア生まれ。遠近法や幾何学を研究し、数学者としても活躍した。代表作に「キリストの洗礼」など。一四九二年没。

ピエロ・デラ・フランチェスカ「ブレラの祭壇画」

発達したことで芸術にも変化が起こります。

先程の中世ヨーロッパのキリスト画は砕いた石を埋めこむモザイク画、ピエロの絵は壁に直接描くフレスコ画、どちらも教会から取り外せない（もっともいまは壁ごと剥がして美術館に収めたりもしているけど）。一方、ファン・エイクの代表作「アルノルフィーニ夫妻像」は板に描かれていて、必要であれば壁から外して他のところに持っていくことができる。油絵の技法が発達したことで、絵画は建物から独立し、ひとつの芸術作品としての独立性をもちはじめたのです。

ファン・エイクも宗教画をたくさん描いていますが、この時期は写実的なキリスト教美術が膨大にあり、キリストをそっくりに描くためにモデルまで雇っています。たぶん、そのへんにいた細マッチョで長髪のイケてる男を「こいつ顔がいいしセクシーだからキリストのモデルにしよう」と見つけてきたのでしょう。でもそのモデルはキリストではないわけですから、下手くそに描いた中世のひとのほうがよっぽど信仰心が厚かったような気がしてしまいます。

魂が叫びだす

この初期ルネッサンスからフランス革命まで、真の芸術が誕生する直前にいた画家がゴヤです。音楽家だったらモーツァルトでしょうか。モーツァルトとゴヤは境遇も似ていて、二人とももともとは宮廷に雇われた芸術家だった。お

▼レオナルド・ダ・ヴィンチ
十六世紀のルネッサンス期に活躍した画家。一四五二年、イタリア生まれ。幾何学、解剖学など科学的な分野でも業績を残した。代表作に「モナ・リザ」「最後の晩餐」など。一五一九年没。

▼ミケランジェロ・ブオナローティ
イタリア盛期ルネッサンスの彫刻家、画家、建築家、詩人。一四七五年、イタリア生まれ。その多才さからダ・ヴィンチに並ぶ「万能（の）人」と呼ばれる。代表作に「ダビデ像」「アダムの創造」など。一五六四年没。

▼ヤン・ファン・エイク
初期フランドル派の代表的画家。一三九〇年頃生まれ。自作にサインと日付を入れた最初のネーデルランドの画家ともいわれている。主な作品に「アルノルフィーニ夫妻像」「ヘントの祭壇画」など。一四四一年没。

城に住んで、チヤホヤされながら創作をしていたひとたちです。

しかし、モーツァルトは自身の品行が悪かったこともあり、宮廷を追い出されてしまいます。その後もオペラ「魔笛」を作曲するなど音楽家として活動し続けますが、経済的にもひどい状態に陥って最後は野垂れ死んでしまう。

ゴヤはスペイン最高の画家と言われるまで上り詰めますが、ナポレオン軍がスペイン王国を占領して国の力がどんどん弱まっていき、自身の病気も悪化し、結果的にはモーツァルトと同じく煌びやかな宮殿から去ります。

ゴヤの代表作のひとつ「マドリード、1808年5月3日▼」はナポレオン軍がスペイン人を銃殺している場面を描いています。いまでいう報道写真のようなものです。実際に起きた事件を描き、タイトルにも日付を記す。これまで見てきたキリスト教の復活などといった実際の出来事かもわからない絵空事を描いていた時代から比べると、非常に新しいことです。このジャーナリスティックな画題にはゴヤ自身の怒りが込められている。自分と同じスペイン人が殺されていることに憤り、一気に描いたのでしょう。スペインのプラド美術館に実物がありますが、筆のタッチの速さや迫力に、ゴヤの魂の叫びのようなものを感じました。

このころから絵画は画家の魂を表すものになった。これまでのように神に捧げるための絵画とは違い、絵画自体が目的となった。芸術が芽生えはじめたこの時期に最も凄い作品を生み出したのがゴヤ、美術史のターニングポイントです。

▼「アルノルフィーニ夫妻」

▼フランシスコ・デ・ゴヤ
画家。一七四六年、スペイン生まれ。近代絵画の創始者のひとりといわれている。主な作品に「裸のマハ」「我が子を食らうサトゥルヌス」など。一八二八年没。

みなさんのご両親世代で、美術館に行くのが大好きな日本の方々が「芸術って素晴らしいな」とウットリするのは、大体このゴヤやドラクロワからゴッホまでの時代。大規模な展覧会が開催されることも多いです。とくに人気が高いのはゴッホの少し前に登場した、クロード・モネなどの印象派画家でしょうか。もちろんモネも大切だけれども「芸術とは何か」という歴史の流れにおいては、モネはひとつの通過点で、ポイントになるのはゴッホだと僕は思います。

ゴヤが生み出した魂の叫びを表現する絵画のピークがゴッホだった。岡本太郎の有名な言葉「芸術は爆発だ」の影響もあって、芸術は感情の爆発といったイメージをもたれている方も多いかと思いますが、これはゴヤやドラクロワからゴッホに至るこの時代に形成されたものです。

「厭味ったらしさこそ芸術？」

美術史において、フランス革命は非常に重要な転換点となりました。革命が起きる前、ディドロという学者が現れます。彼は百科事典を世界で初めて作ったひとたちのひとりです。この百科事典を読めば、この世のあらゆることを知ることができる。知識を吸収した市民は、王様や貴族にこき使われて生きていくことに違和感を感じ、この状況を変えるべく革命を起こしたとも言われています。

▼「マドリード、1808年5月3日」

▼ウジェーヌ・ドラクロワ
フランス・ロマン主義を代表する画家。一七九八年生まれ。主な作品に「サルダナパールの死」「キオス島の虐殺」など。一八六三年没。

▼フィンセント・ファン・ゴッホ
画家。一八五三年、オランダ生まれ。主な作品に「夜のカフェテラス」「ひまわり」など。一八九〇年没。

またディドロは美術作品の意義や価値を言葉によって説明した、最初の美術評論家のひとりです。美術評論家はアーティストほどには名前が知られることはなく、影の存在ですが、美術の歴史を決め、更新しているのは彼らです。評論家が作品に言葉や意義を与えて世間に広め、そうしてはじめて歴史が動く。つまり芸術と「芸術でないもの」をわけるのは評論家の言葉です。たとえばピクシブで神絵師と呼ばれる非常に上手な絵を描く方々がいますが、彼らの作品は芸術とは呼ばれていない。それは評論家たちから芸術としての理由づけをまだ与えられていないからです。美術評論家の存在は、ときに煩わしいものですし芸術特有の厭味ったらしさを作っているのも彼らですが、芸術は彼らなしではありえません。みなさんのなかにも、芸術は偉そうで嫌だ、と思う方もいるでしょう。でももし、この厭味ったらしさが受け付けられない方は、芸術の世界に来ないことを勧めます。

みなさんが芸術と「芸術でないもの」の判断が難しいと感じるのは、ピカソ以降ではないでしょうか。ピカソの代表作を見て下手くそじゃないか、と思ったことはありませんか。しかしピカソが十四歳のときに描いた絵を見ると、写実的で素晴らしくうまい。ピカソはスペイン出身ですが、当時のスペインはヨーロッパのなかでも落ちぶれた国で、最先端の美術はまだ知られていませんでした。そのため、それよりも前の時代に流行っていた写実的な絵が残っていて、ピカソはその絵に習って技術を習得しました。ところが、いざパリに出てみる

▼クロード・モネ
印象派を代表する画家。一八四〇年、フランス生まれ。主な作品に「印象・日の出」「散歩、日傘をさす女」「睡蓮」など。一九二六年没。

▼フランス革命
一七八九年から九九年にかけて起こったフランスの市民革命。封建的特権の廃止、人権宣言へと発展した。一七九九年、ナポレオンのクーデターによって総裁政府が倒れ、革命は終結。

▼ドゥニ・ディドロ
哲学者、美術批評家、作家。一七一三年、フランス生まれ。ダランベールとともに百科全書を編纂、友人が主宰する『文藝通信』にサロンについての美術批評を書いた。日常を表した写実的で道徳的な美術を擁護し、アカデミスムやブーシェら王室付画家の根強い慣習を非難した。一七八四年没。

と、ただうまく描けるだけでは田舎者として馬鹿にされるだけだとわかりました。それで描いた作品が「アヴィニョンの娘たち」。娘たちの顔やポーズが本来の姿とは異なる、歪められた形で描かれています。見たままを描くのではなく、いろんな視点から見た姿をひとつの絵で表現しているんですね。この絵はアフリカの仮面に影響を受けています。フランスはアフリカに植民地を持っていたので、アフリカの仮面もパリにはよくあったのでしょう。

このころ日本では明治維新が起きます。海外と貿易をするようになって、日本の品が輸出されるようになりました。当時は、日本からお茶碗を輸出するとき、割れないように包み紙として浮世絵が使われていました。ヨーロッパの人びとははじめて浮世絵を見て、その平面的で大胆な構図に衝撃を受けます。そして斬新な技法としてヨーロッパに受け入れられました。ゴッホも人物の背景を緑一色で塗るなどして浮世絵の技法を取り入れています。こういったこれまでにはない技法を取り入れて芸術はどんどん変わっていきます。

ピカソの「アヴィニョンの娘たち」は、絵の上手下手の判断は難しいとしても、一応裸の娘たちが立っているのはわかりますね。写実的ではないけれども、自分たちもアフリカ人や日本人が描くように描いてもいいではないか。何故自分たちは見たままそっくりに描いて喜んでいたのだろう、そういった疑問からピカソたちのキュビズムがはじまっていきました。

キュビズムに続いて、美術史において非常に重要なカンディンスキーが現

▼ピクシブ（Pixiv）ピクシブ株式会社が運営する、イラストや漫画などの投稿・閲覧に特化したSNS。

▼パブロ・ピカソ 画家、彫刻家。一八八一年、スペイン生まれ。ジョルジュ・ブラックとともに、多視点を取り入れた絵画法、キュビズムを創始した。主な作品に「ゲルニカ」「泣く女」など。一九七三年没。

▼ピカソが十四歳のときに描いた絵「初聖体拝領」

れ、純粋抽象と呼ばれる絵画を生み出します。ピカソが描いてきた絵画は、一応物理的に存在しているリンゴや、バイオリン、裸の女をモデルにしていますが、カンディンスキーはこの世に存在しないものを描いていきます。もうひとり、抽象画の代表としてアメリカ出身の画家ロスコ▼がいます。いまも非常にファンが多く、日本でもＤＩＣ川村記念美術館にロスコの作品が展示されていますが、作品を観て泣くひとが多いと聞きます。厳かな雰囲気のなか、絵に囲まれて魂が震えたという。抽象画の究極的な作品です。

「社会を動かす、経済を回す」

抽象画とは違うベクトルで、僕が属している現代美術のご先祖様と呼ばれているマルセル・デュシャン▼がいます。デュシャンの代表作は「泉」。小便器にサインをして、横倒しにして台の上に載せただけの作品です。僕の古い知識でいいますと、便器にしてあるサインはじつはデュシャン本人のサインではなく便器を作っている会社の社長のサインだそうです。便器を作ったのは従業員、もしかしたらロボットが作ったものかもしれないし、少なくとも社長本人ではない。デュシャンはこの作品を美術展に出しますが、主催者に怒られて撤去されてしまう。でもこれはただの悪ふざけではなく、美術史上の大事なターニングポイントになりました。美術館に展示されていれば芸術作品と呼べるのか、

▼「アヴィニョンの娘たち」

▼ワシリー・カンディンスキー
画家、美術理論家。一八六六年、ロシア生まれ。純粋抽象絵画の創始者として知られている。主な作品に「コンポジション」シリーズなど。一九四四年没。

▼マーク・ロスコ
抽象表現主義の代表的なアメリカの画家。一九〇三年、ラトビア生まれ。ＤＩＣ川村記念美術館には「シーグラム壁画」シリーズのうち七点が展示されている。一九七〇年没。

「芸術とは何か」という問いを投げかけた作品です。

デュシャンはただのスキャンダル野郎ではなく、もの凄く頭のいいひとでした。デュシャンの代表作「彼女の独身者たちによって裸にされた花嫁、さえも」(大ガラス)は制作から百年近く経った現在でも、美術評論家たちを「この作品にどういった意味や意義があるのか」と悩ませています。

デュシャンが引退した後、第二次世界大戦後に活躍した代表的な二人がドイツのヨーゼフ・ボイスとアメリカのアンディ・ウォーホル。この二人の生き方の違いが、現在に至るまでの美術の分裂とも繋がっています。

ボイスの出身国ドイツは日本と同じく第二次世界大戦で負けた。それ以前は、芸術の中心といえばヨーロッパだったけれど、戦後のあらゆる文化はアメリカにもっていかれた。ヨーロッパのなかでも、いろんな意味において負け組だったドイツにおいて、それでもドイツの意地を見せてやると奮起したひとがボイスです。彼は芸術を社会と結びつけ、芸術は社会に対して訴える、社会を変化させる力があると考えました。社会をより良いものにしていく社会運動こそが芸術であり、社会変革の意志をもったひとであれば絵画や彫刻、作曲をしていなかったとしても、誰もが芸術家だと言っている。芸術と社会を結びつけたボイスの思想は現代に至るまで影響を与えています。

一方、ウォーホルは戦後アメリカの大量生産・大量消費を象徴するような作品を作り、アートの一大ブームを巻き起こします。彼はファクトリーと呼ばれ

▼マルセル・デュシャン
→二十三頁参照

▼ヨーゼフ・ボイス
美術家、彫刻家、社会活動家。一九二一年、ドイツ生まれ。社会と関わるすべてを「社会彫刻」と呼び、芸術は社会を変化させる役割があると訴えた。代表作に「I Like America and America Likes Me」など。一九八六年没。

▼アンディ・ウォーホル
画家、版画家、芸術家。一九二八年、アメリカ生まれ。アート作品の制作ほか、ロックバンドのプロデュースや映画制作も手がけた。代表作に「キャンベルのスープ缶」「トリプル・エルビス」など。一九八七年没。

るスタジオを構え、ひとを雇い、シルクスクリーンという版画の技法を用いて大量生産を行います。作品は高額な値段で取引され、巨大ビジネスに発展しました。ウォーホルのこのスタイルに近いことを村上隆▼さんもやっています。村上さんも百人くらいの従業員を雇っていますが、それを維持するためには高額な維持費が必要です。作品の一点一点に高額な値段をつけて海外のアートマーケットに流通させ億レベルのお金を動かしている。

アメリカ中心の文化が続きましたが、一九九〇年代あたりから、マルチカルチャリズム、日本語では多文化主義という考え方が生まれました。文化や政治がアメリカ、白人中心になっているのはおかしい、地球には多様な民族、宗教、文化があるのだから、それぞれの文化を尊重しようといった考え方で、芸術にも反映されていきます。

たとえば、中国出身の蔡國強（ツァイグオチャン）▼は中国文化に深く根ざした火薬を使った制作を行っています。「万里の長城を一万メートル延長するプロジェクト」という作品は、万里の長城の最西端の関所から、火薬を仕掛けたロープを砂漠へ延長し、一万メートルの炎の長城を出現させました。他にも漢方や風水など、中国人としてのアイデンティティを前面に押し出した作品をたくさん作っていて、国際的にも評価の高いアーティストです。

村上隆さんも国際的な評価が高いアーティストですが、漫画のような絵が芸術作品として評価されていることに批判も上がっています。村上さんもマルチ

▼村上隆
現代美術家、有限会社カイカイキキ代表取締役。一九六二年、東京生まれ。日本美術の平面性とアニメーションなどの現代文化を接続させた「スーパーフラット」の発案者にして代表作家。主な作品に「Flower Ball」など。

▼蔡國強
現代美術家。一九五七年、中国生まれ。火薬など中国文化に根ざしたものを使ったインスタレーションを制作。主な作品に「Borrowing Your Enemy's Arrows」など。

カルチャリズムを意識して、西洋のひとたちがやらないようなことを戦略的にやっている。村上さんは「スーパーフラット」という思想に基づいて作品を作っていると言っています。日本の絵画作品は、浮世絵から漫画まで、時代を問わず平面的に描かれた作品が多く、そして戦争に負けた日本がアメリカに支配されている社会構図など、日本を構築しているのは平面で、それを表現するための「スーパーフラット」だと、言葉で作品をパッケージ化していく。ただ好きでアニメのような絵を描いているだけではなく、そのパッケージがあって芸術として評価されていく。

アートは集団で作る時代

こういった美術の流れを経て、現代の芸術は「個」ではなく「集団」で制作、活動を行うアート・コレクティブや、人間関係に重きを置くリレーショナル・アートが主流となっています。ゴッホを頂点とした、魂を描く個人主義の時代はほぼ終わりを迎えました。

いまから三十年前、ニューヨークに住んでいたタイ出身のアーティスト、リクリット・ティーラワニットはタイカレーを振る舞うというパフォーマンスを行いました。お父さんが外交官だったので、子どものころから外国で過ごすことが多く、お客さんを家に招くときは、よくタイの郷土料理であるカレーを、みんなで一緒に食べながらコミュニケーションを深めていったそうです。彼は美大出身だけど、どんな芸術作品より、みんなでタイカレーを食べる行為こそが芸術の本質ではないかと考えるようになった。カレーを通して人びとが出会い、関係を深めていくことのほうが尊いのではないかと。こういったタイプのアーティストが何人か現れ、フランスの美術評論家ブリオーが「関係性の美学」という論文を書き、この新しい展開の芸術的意義を言葉にしました。あるいは、いまや日本を代表するアーティスト集団Chim↑Pom（チン ポム）▼は、六人のメンバーの個を強調するアート・コレクティブです。

十六歳から今日までずっと「芸術とは何か」を考えながら制作してきました。芸術は個人の才能や努力だけではなく、歴史に選ばれるかが鍵になります。とくにゴッホ。彼はもともと牧師になりたかったひとで、絵もそんなに上手じゃなかったけど、時代が彼を押した。

僕は美大生のとき「この時代に写実的な絵を描いても、どうにもならないんじゃないか」と葛藤していました。けれど、僕が本格的に活動をはじめたバブル崩壊後の一九九〇年代の時代精神が乗り移ったような作品は作れたと思っています。「切腹女子高生」はあの時代が描かせた作品です。

もはや若いひとの時代ですし、僕はそろそろ第一線からは退くつもりです。でも、これからも二十年くらいは作り続けるつもりです。魅力的なクソジジイとして、みなさんをびっくりさせる作品を作るのかもしれません。

▼Chim↑Pom
卯城竜太、エリイ、林靖高、岡田将孝、水野俊紀、稲岡求の六名により結成されたアーティスト集団。二〇〇八年に広島市の上空に飛行機雲で「ピカッ」という文字を描いたパフォーマンス「ヒロシマの空をピカッとさせる」をはじめ、強い社会的メッセージをもつ作品を次々と発表している。

会田誠「切腹女子高生」
（1999～　©AIDA Makoto　Courtesy of Mizuma Art Gallery）

Q&A

――未来の美術はどうなると思いますか？

わからないね。未来の予想は大体当たらないもので、たとえば映画『2001年宇宙の旅』で描かれた世界といまの社会はまったく違う。

芸術の作り手になろうとしているひとは、ゼロから「芸術とは何か」を考えはじめたらいいと思います。僕自身もそうでした。先人たちの教えを手掛かりに、自分の考えを決めていくことが重要です。

わたしの思い出の授業、思い出の先生

僕は東京藝大の「油画技法材料研究室」という大学院に進みました。劣等生の（というか、先生たちから嫌われていた）僕は、当時学生から一番人気がないそこにしか入れなかったのです。そこは大昔の油絵の技法を研究する、時代から取り残されたセクションでした。毎週土曜日の夕方になると、教授や助手、それに外部の研究者などが来て、研究室の大きなテーブルで酒盛りが始まりました。ロクにツマミも用意しないシケた宴席です。そこで僕は酒をご相伴にあずかりながら、白髪まじりのおじさんたちがネチネチいう愚痴を聞くのが好きでした。だいたいが「美術史から鑑みて、現在の美術界は嘆かわしい」という論調で、要するに「負け犬の遠吠え」なのです。しかしそこで発せられた言葉には、僕がその後プロとしていろいろ使わせてもらうことになる、美術史上のヒントがたくさんありました。たとえば太平洋戦争時代の「戦争画」などですが。のちのち役に立つ年上の言葉というのは、「勝ち組」の調子いい言葉とは限らないという教訓でした。

わたしの仕事をもっと知るための3冊

会田誠『天才でごめんなさい』（青幻舎）
会田誠『カリコリせんとや生まれけむ』（幻冬舎文庫）
会田誠『げいさい』（近刊）

政治学者が変態を研究するわけ

境界横断型学問のススメ

菅野聡美

今日は私の研究テーマを軸に、みなさんに境界横断的な学問のあり方を紹介したいと思います。私は日本の政治思想史を研究しているのですが、初めから研究者になろうと思っていたわけでも、政治を研究しようと思っていたわけでもありません。それでは、なぜいまに至ったのでしょう。

もともと、私は数学がとても得意で、高校ぐらいのころは自分は理系だと思っていました。一方で、国語や英語は答えが曖昧で、どちらかというと苦手でした。歴史にもまったく興味がなくて、実際日本史すら履修していません。遡れば高校一年生のときのことですが、私は数学のセミナーに無料招待されることになりました。数学の成績が優良な高校生や大学生を全国から選抜して行う合宿のようなものです。ここに集まっていたのは、単に高度な数学の問題を解くことができるというレベルではなく、数学の世界にロマンや美を感じているひとたちです。

かんの・さとみ＝立教大学文学部教授。専門は政治思想史、政治文化論、メディア論など。近代の恋愛論、性愛学などを研究対象にしている。著書に『〈変態〉の時代』『消費される恋愛論』がある。現在は「消費される沖縄」という観点からの研究を進めている。

私はこの合宿で本当に数学が好きとはどういうことか思い知らされることになり、理系に進むのをやめました。それでは何を学ぼうかと考え、最終的に社会学系の分野に進もうと思い至ったというわけです。本を読むことは昔から好きだったのですが、それは自分にとって単純な楽しみであり、文学についてわざわざ大学で学ぶ必要性を当時は感じなかったことも理由のひとつでした。このころはまだ、自分が文章を書くようになるとは思ってもみませんでした。

「二冊の本との出会い」

しかしいまになって考えてみると、高校時代にはすでに、いまの私に繋がる真の出会いがあったのです。そのひとつが、Z会通信添削の国語の問題文でした。もうだいぶ前に亡くなった文芸評論家の磯田光一▼が書いた文章だったのですが、何か強く惹きつけられるものがありました。

それからしばらくは磯田光一の本を取り寄せては読むという日々を送るほどにハマりました。私は、このとき「評論」というジャンルに目覚めたのです。もちろん、評論は国語の教科書やテスト問題にも載っていたと思いますが、それまで特別意識せずにいました。磯田光一のシャープな名文を読んだときに、「こういうものが書きたいかも」と思ったと同時に、僭越ながら「これなら書けるかも」とも思ったんですね。つまり、自分には小説のように無から何かを

▼**磯田光一**
一九三一年生まれ。文芸評論家、イギリス文学者。三島由紀夫論を皮切りに、批評活動を開始する。『永井荷風』で第一回サントリー学芸賞を受賞。Z会通信添削に掲載されていたのは『殉教の美学』。一九八七年没。

生み出す才能はおそらくないが、ひとの書いた作品を引用しながら自分の解釈を述べることはできるのではないかと。それを機に、ノートを取りながら小説を読むようになりました。気に入ったフレーズを写して、その側に筆者へのツッコミや自分なりの見解・感想を書きました。それが自分の仕事になるとはこのときはまったく思っていなかったのですが、ひとの著作物を読み、比較し、自分なりの枠組みで料理をしていくことに面白みを感じるようになりました。

もうひとつ私にとって重要だったのが、建築科を卒業した松山巖▼が書いた『乱歩と東京』という評論との出会いでした。私が大学で研究を進めていくにあたって、多大な影響を受けました。この本の面白さは、乱歩の作品を扱っているにもかかわらず、文芸評論ではなく一九二〇年代の都市論になっているところです。小説自体を評論するのではなく、学術論文の素材として小説を使うという手法を、この本が教えてくれました。

著者は、探偵小説の成立が日本の都市の発展と密接に関わっていると言っています。乱歩以前、推理小説というジャンルは日本ではなかなか成立しませんでした。都市化以前の日本の村落共同体は、互いが家族構成から財産まで全部知り尽くしている緊密なコミュニティでした。もちろん村落共同体でも殺人や盗みは起こりますが、すべてが筒抜けのこうした環境下では謎解きは生まれません。また、かつての日本の家屋は鍵がかからなかったので密室トリックも成立しません。そのなかで、江戸川乱歩は隙間だらけの日本家屋という設定のも

▼**松山巖**
作家、評論家。一九四五年生まれ。建築家として活動後、執筆業に専念する。建築論や都市論のほか、小説も執筆。著書に『うわさの遠近法』『闇のなかの石』など。

とで探偵小説を構築してしまう。それは乱歩の業績のひとつなのですが、乱歩の能力だけでなく、「都市」が成立したからだと松山は分析しています。「都市」にはひとがたくさん集うけれども、それに伴って人間関係が希薄になっていきます。隣人がどういうひとなのかわからない。見かけはするが、出自も財産もわからない。そうした赤の他人が大勢集まっている都市空間が構築されたことで、謎解きを必要とする犯罪が成立したということです。これは単純に文学史の問題ではありません。文学作品に対するこういった読み方が非常に面白かったのです。私の発想の根底にはこの二冊が常にあります。この出会いがなかったらいまのような研究はしていなかったと思うほど、大切な出会いです。

こういった偶然の出会いはとても大事だと思います。最近は、欲しい本も好きな作家もインターネットで検索できるので便利ですが、偶然の出会いがなくなりがちです。そうなると自分の知識の範囲外にあるものには出会えなくなります。ですから、みなさんも大きな本屋や図書館など、偶然の出会いがある場所に行く機会をつくってみてください。偶然出会ったもの、予期しないものによって自分のなかの既成の枠組みが変化することがありますから。新聞なども、興味がなくても全部読んでみる。大学生にもよく言うのですが、引き出しは多いほどいいですよ。特定の専門分野の引き出しを大きくすることも重要ですが、別の分野の引き出しが多くあるほうが教養の幅が広がります。そうした教養が、自分を助けてくれます。

「見えない政治性」

私はいままでに本を二冊出しています。最初のテーマは「恋愛」、次は「変態」。政治学者の私が、なぜこのようなテーマの本を出したと思いますか？

「政治」というものを狭く考えると、選挙や総理大臣といった話に限られますよね。しかし、政治はそんなにわかりやすいものでも、狭い領域に収まるものでもありません。私は、一見すると政治と関係ないものがじつは政治的であることを主張したいのです。政治に「関心がない」ひとはいても、政治に「関係のない」ひとはいません。無人島で一人で暮らしているのでない限り、政治に無関係なんてことはありえません。日本ではない別の場所に行ったとしても、人間が複数いる場所ではすでに政治が行われているはずです。

みなさんは日本で、日本国民として生きていますから、日本国という政治の枠組みのなかで生活をしていることになります。ですから日本の政治の動向はみなさんの人生や生活と深く関わっています。従来、女性の家事や育児はプライベートなものであり政治とは無関係と思われてきましたが、本当にそうでしょうか。たとえば恋愛や結婚、出産は、現在の日本においては個人の自由とされています。少子化が騒がれていますが、国から結婚や出産を強制されるわけでもないし、してないからといって罰せられることもありません。

では本当に自由なのかというと疑問が起こります。というのは、本当にひとは完全な自由意志で結婚・出産をしているのでしょうか。現在、統計データ的には「結婚したいけれどもできない」「子どもはほしいが、ほしい数を産めない」というひとが多いのです。その一番の理由は経済力です。こうした問題が生じるひとつの要因は、昔よりも非正規雇用が増えたことです。以前は四年制大学を出たら、しかるべき会社に正規社員として入社して、定年までそこで働くことができました。しかも高度経済成長期からバブルのころまでは、働いていれば給料もボーナスも毎年着実に増えました。こうした社会では、男性は専業主婦の妻と子どもを養えるだけの財力をもっていました。

一方で、いまや終身雇用は崩壊していますし、正規雇用の枠は非常に減っています。なぜなら、一九九〇年代に労働者派遣法▼が改正され、四年制大学を卒業したひとがしていたような事務仕事も派遣社員が行えるようになったからです。このように、法律がひとつ変わっただけでもわれわれの雇用形態や生涯賃金が変わります。職業選択の自由はありますが、経済や社会状況、卒業する年度によって就職条件は左右されますし、仕事が見つからないこともあります。教育においても、国がどれだけ税金を投入するかによって進学率も変わります。日本は教育費に最もお金がかかる国です。確かに、ほとんどのひとが高校に進学しますし、大学の進学率も上がっていますが、膨大なお金がかかることに変わりありません。ヨーロッパには大学を卒業するまで学費が一切かからない国もあります。こういう国では、家庭の経済状況に関係なく、学ぶ意欲さえあれ

▼労働者派遣法
一九八五年制定。当初は派遣労働者が行える業務は十三項目だったが、一九九六年の改正では二十六項目となった。さらに一九九九年には一部業務を除いて行える領域が大幅に拡大された。二〇一五年にも改正があった。

ば大学に進学することができます。

これと比較すると、日本は教育に対する家庭の経済的負担が大きい国です。昔は、公務員や学校の先生になれば返済しなくていい奨学金もありましたが、いまは返さなければいけないうえに利子までつくものが増えています。したがって、学校で学ぶ、結婚する、子どもを産むといったことは、社会の状況、国家や政治の仕組みによって左右されるということなのです。最近、「自己責任」という言葉がよく使われますが、自己責任じゃない部分がじつは非常に多いと私は思っています。そこには政治が関わっています。そういった側面がはっきり見えにくいために、選挙や国会議員の動向ばかりが政治だと思われてしまうのです。政治は私たちの人生のいろいろな局面において、目には見えにくいけれども影響を及ぼしているといえるでしょう。

だからこそ私は、非政治的として片付けられていることを捉え直したいと思っています。私の関心は一貫して、セクシャリティやセックスについてです。なぜなら、性は非常にプライベートなことでありながら、実際は国家から規制を受けるものでもあります。昨今の文芸作品が発売禁止になることは稀ですが、戦前は出版物に対していろいろな規制がありました。そのひとつが性的描写です。国家はこういった出版物を発売禁止にしたり、その一部を削除したりしていたわけです。戦後になってからも、こうした例はあります。一九九〇年代までは、カンヌでグランプリを獲るような名作映画だとしても、生殖器が映っていれば日本では修正なくして上映はできませんでした。昨今は、コミックも「有害コミック規制」という形で規制を受けています。また、性の問題は従来、女性の問題、ジェンダーの問題に限定されてきましたが、事はそう簡単ではないと思います。

「私の研究遍歴」

大学時代からこうした問題に関心をもっていました。しかし、文献がなかなか集まらないという問題もありました。たとえば、従軍慰安婦に興味をもった時期もありましたが、当時は教科書にも載ったことがなかったし、言葉としてもほとんど流通していませんでした。大学図書館でもルポライターのドキュメントがあるぐらいで、まともな研究書は皆無だったのです。発禁本について研究しようと思ったら、好事家の書いたエロ本の紹介しかないということもありました。「このあたりが面白いかな」と思って調べてみるのですが、資料がない。

世の中にはたくさんの研究があるのに、どうしてこんなに面白そうな分野が無視されているのだろうと思い、結局自分でやることにしました。初めにも申し上げたように、私は初めから研究者を目指していたわけではありません。私は雇用機会均等法▼の第一期世代ですが、均等法以前の四大卒女性の就職先は、公務員か教員、女性向けの一部の民間企業でした。大学に入学したころは法律が改正されることになるなんて当然わからなかったので進路も決めていなかっ

▼**雇用機会均等法**　労働者が性別によって差別されることなく、その能力を十分に発揮できる雇用環境を整備するためにつくられた法律。第一期は一九八五年制定、翌八六年施行。

たのですが、なんとなく出版社や新聞社に就職するか、もしくはジャーナリストになろうかと漠然と考えていた気がします。

とはいえ大して勉強するわけでもなく、バブルの時代を浮かれて遊んでいるうちに、あっという間に大学四年生になってしまいました。さっきお話したような知的関心が芽生えたのも三年生の後半。博士課程まではわからないけれど、とりあえず修士までは行ってみようかと、進学を決めたのは大学四年の春。なんとなく進路を決めました。大学一、二年次から大学院を目指していた男子学生にはバカにされました。でも、最初から目標がないといけないでしょうか？

もちろん、目標があるのは素晴らしいですが、やる気があるならいつからはじめてもいいと思います。ですから、中学生や高校生のうちから将来設計がないことに焦ることはありません。自分の知識や体験が熟してきたときに、自ずと出会いがあるはずですから。

こうして私は大学院に進学し、「モダンガール」と「エロ・グロ・ナンセンス」▼をテーマに修士論文を書くことになりました。昭和初期、「モダンガール」という、ド派手な化粧と格好で銀座を闊歩し、男性との性交渉もいとわないようなぶっ飛んだ女性たちがいた時代がありました。その当時の流行語が「エロ・グロ・ナンセンス」です。雑誌などに「エログロ」という言葉が頻出していた時代の「エロ・グロ・ナンセンス」と政治権力の拮抗を描こうとしたのです。指導教員もこのテーマに呆れ果てていましたが、結局そのまま博士課程に進学しました。

▼エロ・グロ・ナンセンス
扇情的で猟奇的、かつばかばかしいこと。昭和時代初期の文化的風潮をさす。

その後も自分の興味の赴くままに研究し、『消費される恋愛論』を書きました。大正時代に「恋愛」という言葉が入っている論文や単行本が突出して多かった時期があります。しかも、その書き手が大学教授のようなインテリ男性なのです。たとえば、京大教授厨川白村（くりやがわはくそん）が書いた『近代の恋愛観』▼がベストセラーになっています。ところがその一時期ブームだった学者たちはあっという間に忘れ去られ、評伝を書かれることもなければ、研究対象にされることもほとんどありませんでした。なので、一人の学者について追究するのは難しい。でも、「恋愛論に絡んだ知識人群像」であれば、テーマとして成り立つのではないかと考えてはじめたのがこの研究です。

こうした私の研究テーマは、いわゆる王道を行くものではありません。たとえば政治思想史でいえば、福沢諭吉の研究などは王道です。大勢に理解されるスタンダードな研究を続けていくことは価値のあることだと思います。確実に成果も出やすいです。ものすごく膨大な量の研究があるのですが、いくらやってもまだ発掘することがあるそうです。ですから、「なぜ福沢諭吉を研究しているんですか？」と聞かれることは、学者の世界においてはまずありません。ところが「恋愛論を研究しています」と言うと、不思議な顔をされます。

しかし翻っていえば、王道を行く研究は雑誌の執筆チャンスには恵まれるかもしれませんが、個性はあまりありません。幸い、私は自費出版ではない形で本を出せていますが、その理由は流行りに乗っていないから、他のひとがやっ

▼**『近代の恋愛観』**
精神と肉体の双方の結合をもたらす恋愛に最大の価値を見出すもので、「恋愛至上主義」と評された。あわせて女性蔑視や愛のない結婚など、当時の日本の男女関係を徹底的に批判した。朝日新聞に連載された後、改造社から一九二二年に刊行。

ていないからだと思っています。恋愛や変態といったテーマはアカデミックな世界では突飛なことかもしれないけれど、大学教授以外のひとも買って読もうと思えるような題材だったのでしょう。

「変態の意味」

私のもうひとつの研究テーマは「変態」です。この言葉がはじめて流行ったのは大正から昭和にかけてのことです。当時の変態は、戦後における意味とは異なっていました。私が小学生くらいのときの変態は、「エッチ」「スケベ」という意味でした。スカートめくりをする子や、女の子の裸の絵を見せびらかす男の子も「変態」と呼ばれました。「エッチ」はいまでは「セックスをする」という意味もありますが、これも変態をローマ字にしたときの頭文字「H」からとられたものだと、井上章一▼が述べています。

もともと、変態は「正態」の対語として使われていました。正態はノーマル、変態はアブノーマルということです。ここで言う変態は、普通を逸脱したすべてのものを指していました。ですから飛び抜けて頭がいいひと、優れた能力があるひと、あるいは異常にケチなひとも変態です。性的な意味での変態はそのなかに含まれていました。また、今日では異常とされないことも、戦前においては異常とされることが多くありました。たとえば、性欲が異常に強い・弱いこと、マス

▼**井上章一**
建築史家。一九五五年生まれ。著書に『つくられた桂離宮神話』『京都ぎらい』など。美人論など、独自の視点で日本文化についても研究している。「H」の由来については、井上章一・関西性欲研究会『性の用語集』を参照。

ターベーション、同性愛、サディズム・マゾヒズムといったものです。当時、その変態という言葉に注目して「変態心理」という雑誌を出した中村古峡というひとがいました。この雑誌は、従来異常とされてきたことを科学的に読み解くものとして画期的でした。正常と異常の境界ははっきりしたものではなく、誰もが何かの拍子に異常な状態になることがある。それは善悪という価値観では測れないと説いています。ところが変態という言葉が流行っていく過程で性欲がらみの出版物が増えていき、変態＝変態性欲という理解が戦前に成立することになったのです。この認識は戦後さらに変化していまに至ります。われわれが当たり前と思っている言葉も、時代や状況のなかで用法や意味を変えていきます。

「いま忘れ去られてしまったものの価値」

こうした研究を通して私が思うのは、「流行していたけどいまは忘れ去られてしまったもの」にじつは価値があるのではないかということです。もちろん、福沢諭吉や夏目漱石、森鷗外等の名著には普遍的な価値があります。反対に特定の時代だけに流行したものは、いまの世の中からみると無価値なのかもしれません。しかし、ある時代に一世を風靡したということは、その時代に何らかの機能を果たしたものであったといえます。そうした一過性のものは、特定の時代の空気や状況を明らかにしようとするとき、普遍的なものより有効である場合があります。そして、それを昔話として語るだけでなく、「なぜ消えてしまったか」に思いを巡らせることで、普遍的価値について考える手がかりにもなるのではないかと思います

学問は時として、自分で考えてもみなかった収穫をもたらします。学問は根っこでつながっていて、どの分野を入り口にしても別の世界へつながっていきます。ＡＩや医療技術は理系の仕事と思われているかもしれませんが、それをどう使うかは倫理的・哲学的な判断を含みます。ですから、理系だから文系の学問の知識は不要ということは絶対にありませんし、その逆も然りです。文系・理系は便宜的な区分で、すべての領域は重なり合っています。専攻にかかわらず、答えのないものへのアプローチ方法を考えるのが大学の勉強です。そういう意識をもっているひとといないひとの差は卒業するころには歴然です。もし、行きたい大学に行けなかったとしても人生は終わりではないし、どこにいても成長できます。大学に入って自分がなにをしたいか、どんな大人になりたいか、そういうことを考えながら、知識を貪欲に吸収してください。

Q&A

――いま、みんなが同じ方向を向くということを正解とし、そこから外れたものを変態とみなし排除する風潮があるように思います。そのような世の中を変えていくべきだと思いますが、それは可能でしょうか。

同調圧力の強い社会なので難しいとは思います。それでも、今日ここにいるみなさんのなかに、文系・理系とか、男・女とか、そういった圧力から自由になろうとするひとが一割でも出れば変わります。私も世の中が自由であることを願って研究をしています。オタクという言葉も、ある時期までは完全に否定語でしたが、最近はそんなに悪い意味ではなくなっていますよね。先ほども言ったように、言葉も時代によって変わります。社会も政治も変わります。少しずつでも変えたいと思うひとが増えれば、世の中は変わるのではないでしょうか。

わたしの思い出の授業、思い出の先生

大学には行っても教室には入らずじまいだったりで思い出の授業というのはないですね。最も印象に残る教師としては大学3・4年のゼミの指導教員だった故内山秀夫氏をあげたいです。べらんめえ口調の大酒飲みで授業もさぼりがちでしたが（院生にまかせきり）、学生たちは慕っていましたし、すごく面白いひとでした。その後進学して大学院でもお世話になるのですが、まともな論文指導などまったく受けてません。まあ私自身、手取り足取りの指導なんてうんざりなので、放任はありがたかったです。いまの大学・大学院はよくいえば懇切丁寧ですが、学生への指導・管理が行き届きすぎて学生の自立をさまたげているような気がします。得難い経験といえば、内山氏の行きつけの芸者屋に何度か連れていかれたことです。あるときお座敷で太鼓をたたかされ、女将さんに花代をもらったのは何よりの思い出です。いまは、あの手の無頼派教員がいなくなってつまらないですね。

わたしの仕事をもっと知るための3冊

菅野聡美「性（セクシュアリティ）」、米原謙編著『「天皇」から「民主主義」まで　政治概念の歴史的展開　第九巻』（晃洋書房）

菅野聡美「戦後沖縄イメージの探究」、慶應義塾大学法学部編『慶應の政治学――政治思想　慶應義塾創立一五〇年記念法学部論文集』（慶應義塾大学出版会）

菅野聡美「琉球レビューと額縁ショー」、市川太一ほか編著『現場としての政治学』（日本経済評論社）

ロシアの食文化　世界の食文化

沼野恭子

私の専門はロシア文学ですが、料理や食べることも大好きで、そうした趣味が高じてロシアの食文化についても研究するようになりました。私が勤める東京外国語大学では、毎年文化祭（「外語祭」）で、一年生がそれぞれの専攻言語の料理を提供しています。キャンパス内にアラビア、ベトナム、ポーランド、イタリア、アフリカなど、三十近い世界料理店が並ぶ様は壮観です。

この光景を見ているうちに、ここに集められた食文化に関する知を一冊の本にまとめて世界の多様性を示せたらいいのではないかと思いつきました。そこで私が監修者になり、東京外大の先生方に、食にまつわるエッセイ・レシピ・写真を提供してもらって、『世界を食べよう！』という本を作りました。

まずはこの本をもとに世界の食文化についてご紹介し、次にロシアの食文化について、文学や美術を用いながら少し歴史をたどり、現代ロシアの食生活の特徴をご紹介します。そしてふたたび世界の食に目を向け、その課題を提示したいと思います。

ぬまの・きょうこ＝翻訳家。東京外国語大学教授、ロシア文学、比較文学。一九五七年生まれ。著書に『夢のありか』『ロシア文学の食卓』『アヴァンギャルドな女たち』、訳書にアクーニン『リヴァイアサン号殺人事件』、ウリツカヤ『女が嘘をつくとき』、ペトルシェフスカヤ『私のいた場所』など。

「世界の食文化——同化と異化」

この『世界を食べよう！』という本では、現地の料理をなるべく現地で食べられているまま紹介することを目指しました。

たとえば、日本のレシピは四人分で表記されることが多いですが、ここに載せたミャンマー料理「モヒンガー」というスープのレシピは百人分になっています。ミャンマーでは国民の八割が仏教を信じていて、大事な行事のときには僧侶や知人たちに食事をふるまうことになっているそうです。そうした「寄進用料理」は大人数の料理になります。ここではそのミャンマーの文化を伝えるため、ミャンマーでは一般的な作り方である百人分で記載しています。材料はヒレナマズ三・二キロ、小タマネギ四キロ、麺三二キロ……途方もない量ですね。

他にも、アフリカの鶏肉シチューのレシピはまず「一、鶏をつぶし、羽をむしって、食べやすい大きさに切る」からはじまります。鶏をつぶすこともレシピの大切なプロセス。便利になりすぎている私たちの社会では、スーパーに行けば、料理しやすくカットされた肉や魚が手に入ります。でも「食」について考えるなら、食材がどのように得られるのか、どのように育てられるのか、元の元についても知らなければいけませんよね。私が担当したロシア料理「塩漬けキノコ」も、森へキノコを狩りに行くところからはじまります。レシピひとつとっても各国それぞれの文化で違うわけです。

▼**『世界を食べよう！　東京外国語大学の世界料理』**
沼野恭子編著、東京外国語大学出版会刊。東京外国語大学の世界各地・各ジャンルの研究者たちによる世界の「食」文化エッセイ。

一方で、外国の料理を自国の好みに合わせて変えていく場合もあります。最近は、和食が「日本人の伝統的な食文化」として二〇一三年にユネスコ無形文化遺産に登録され、アメリカやロシアなどでも日本食への関心が高まっています。この本にも紹介されていますが、ウクライナの寿司は、巻き寿司がほとんどで、チーズやマヨネーズ、チリソースなど現地の方が親しみやすい味や形になっているようです。

このように、外国の料理を自国に受け入れようとする場合、現地のものを現地のひとが食べているとおり取り込もうとするケースと、自国の好みに合った味に変えて取り入れるケースが考えられます。これは異文化を摂取するときの二通りの姿勢に匹敵します。翻訳で考えるとわかりやすいです。たとえばロシア文学を日本語に翻訳するとき、なるべく原文に忠実に訳す「異化翻訳」いわゆる「直訳」と、それとは反対に日本語で理解しやすいように訳す「同化翻訳」いわゆる「意訳」があります。外国の料理を日本というまったく異なる土壌、異なる食材の地にもってきて再現することは、そもそも可能なのでしょうか？これは翻訳と同じように、異文化の食を異化翻訳するか、あるいは同化翻訳するか、ということなのではないかと思います。

「二百羽のハクチョウ」と「シチーとカーシャ」

さて、ここからは、ロシアの食事情に焦点を当ててお話ししていきましょう。ロシアの「食文化」全体を見ると、そこにはユニークな二項対立の現象が見られます。一つは豊かな、ときに豊かすぎる「飽食」、もう一つは貧しく非常にシンプルな「粗食」。この両極が対立しています。どういうことなのか、歴史をたどってみましょう。

一九一七年のロシア革命以前、帝政ロシア時代では、貴族の飽食・過食と農民の粗食の格差は、極めて大きなものでした。

十九世紀の作家アレクセイ・K・トルストイ▼の歴史小説『セレーブリャヌィ公』(一八六三)に当時の貴族の飽食の様子が描かれています(このトルストイは、日本でも有名な文豪レフ・トルストイ▼とは別人です)。この小説は、十六世紀の宮廷劇を描いたもので、イワン雷帝の催す宴会の場面が史実に忠実に描かれています。

主人公はタイトルにもなっているセレーブリャヌィという貴族です(「セレブロー」というのがロシア語で「銀」を意味するので、日本語の翻訳は『白銀公爵』というタイトルになっています)。セレーブリャヌィ公爵は正義感あふれるヒーロー。一方、当時の権力者はイワン雷帝という、泣く子も黙る恐ろしい独裁的な皇帝「ツァーリ」です。

あるとき公爵はイワン雷帝が催した盛大なパーティに呼ばれます。そのパー

▼アレクセイ・K・トルストイ
ロシアの小説家、詩人、劇作家。一八一七年生まれ。作品に『イヴァン雷帝の死』『皇帝ボリス』などの歴史戯曲や、ドン・ファン伝説を描いた戯曲『ドン・ジュアン』など。一八七五年没。

▼レフ・トルストイ
十九世紀ロシアを代表する作家。一八二八年生まれ。社会事業にも熱心で、貧困層へのさまざまな援助など政治や社会にも多大な影響を与えた。おもな作品に『戦争と平和』『アンナ・カレーニナ』『復活』など。一九一〇年没。

ティは単なる懇親の場ではなく、イワン雷帝の絶対的な権力を世に見せつけるための儀式で、贅のかぎりを尽くした、というより常軌を逸した見世物ともいえるものでした。

> 金の刺繍がほどこされたビロード製の上衣を着た数多くの給仕たちが、君主の前に立ち、深々とお辞儀をして、ふたりずつ一列になって食べ物を取りに行った。まもなく召使いたちは金の皿に載ったハクチョウ二百羽あまりを手に戻ってきた。

何人もの給仕たちが金の皿に載ったハクチョウの丸焼き二百羽も運んできた、すごいですね！

もっとずっと規模は小さいのですがこれと似た場面を、十九世紀ロシアの画家、コンスタンチン・マコフスキー▼が描いています。十七世紀の貴族の結婚式の様子です。給仕たちがハクチョウの丸焼きを掲げていますね。これは客に見せるためです。このままでは食べにくいので、この後に厨房で食べやすく切り分けてから振る舞ったそうです。

さて、先ほどの小説の続きですが、ハクチョウが二百羽出てきただけでは終わりません、この後もクジャクの丸焼き三百皿、さまざまなパイ、ありとあらゆる種類のクレープ、肉各種、さまざまなスープ、ハチミツ酒にワインなどが

▼コンスタンチン・マコフスキー「十七世紀の貴族の結婚披露宴」（一八八三）

次から次へと供されます。

そうこうするうちに、イワン雷帝の怒りを買っていたひとりの老貴族が、雷帝からワインを賜りました。皇帝から賜った酒は飲み干さなければなりません。その貴族がワインを飲み干すと、たちまちその場に倒れて死んでしまいます。ワインに毒が入っていたんですね。でも、雷帝が「その酔っ払いを運び出せ！」と命ずると、宴会は何事もなかったかのように続く。こうして食べものや飲みものは、皇帝から賜る贈り物であると同時に、ときに懲罰としてひとの命を奪う役割も担ったことがわかります。つまり「食」は「生殺与奪の権」そのものなのです。

このような「生と死」に彩られた過剰な食に対して、大多数の農民たちの食卓は非常にシンプルできわめて貧弱でした。料理の種類がごく限られていましたし、肉を手に入れることができないようなひとたちもいました。

ロシアでは「シチーとカーシャが私たちの食べもの」という言いまわしがあります。ロシア語でいうと「Щи да каша пища наша（シチー ダ カーシャ ピーシチャ ナーシャ）」、「シチ」と「シ」の音が韻を踏み音遊びになっています。「シチー」はキャベツ汁、「カーシャ」は穀類を煮たもので、この言いまわしからロシアの人びとの「基本的な」食べものだという意味に捉えることもできますし、ロシアの農民は文字どおりシチーとカーシャしか食べるものがない、と解することもできます。極貧の農民になると肉もめったに買えず、シチーに肉を入れられるのはせいぜい祝日だけ、それもままならないということがありました。量の観点からしても、貧しい農民たちはいつも満腹を感じたことなく暮らしていたといいます。天候のせいで飢饉になると餓死してしまうこともあり、ここでも食は死に隣接していたといえます。

貴族の飽食と農民の粗食という二層構造があったわけですが、十七世紀末になり、ピョートル大帝が帝位につくと、彼はロシアの近代化＝西欧化政策を推し進めます。この西欧化によって、ロシアの食は、質的に大きな変化を被りました。都市に住む裕福な貴族がフランスやドイツのシェフを雇い入れて食卓を西洋化したため、ヨーロッパ、なかでもフランス風の料理を好む都市貴族と、昔ながらのロシア料理を食す地方貴族・農民といった具合に食の構造が改編されたのです。二十世紀初頭に革命が起きるまでロシアの食は、階層によってヨーロッパ風の料理と伝統的なロシア料理に二分されていたわけですが、じつは階層を問わずロシアの人びとに愛された食材がありました。「紅茶」です。それからロシア正教徒には階層に関係なく守らなければいけない食事制限がありました。

ロシア正教

当時、ロシアの国教だったロシア正教会には「斎戒」あるいは「物忌み」という宗教上の規則があります。「斎戒」の期間は穢れを避けるために一定の期間、肉などを食べてはいけないとされています。肉や魚や乳製品を食べてはいけない日が一年に何日くらいあると思いますか？　教会暦によれば、一年に二百日前後もの斎戒日があります。

一年のうちに、何でも好きなものを食べていい「祝祭日」と、肉や卵や乳製品などを食べてはいけない「斎戒（精進）日」が交代でやってくるわけです。長く続く斎戒期としては、復活祭前の四十日にわたる「大斎」、使徒ペテロとパウロの日の前の「ペテロの斎」、聖母就寝祭前の「ウスペンスキーの斎」、クリスマス前の「フィリップの斎」と一年に四回めぐってきます。

ロシアでは正教会の暦にしたがって一月七日がキリストの降誕祭、つまりクリスマスです。クリスマスイブに必ず食べることになっている儀礼食は「クチヤー」と言って、ひき割り麦とハチミツや米、干しブドウでつくります。それから「毛皮のコートをまとったニシン」という面白い名前のついたサラダです。いちばん下にマヨネーズで和えたポテトサラダを敷き、その上にニシンという魚の塩漬けをやはり平らに敷き詰めます。さらにその上に鮮やかなピンク色をしたビーツのサラダを層状にして飾り付けるのでとても綺麗です。食べるときはケーキのように切って一人ひとりの皿に取り分けるので、ミルフィーユのようにきれいな層をなしていて、とても美味しいです。

もう一品、クリスマスやパーティになくてはならないのが「オリヴィエ・サラダ」▼。フランス人シェフのオリヴィエが考案したものですが、彼は誰にもレシピを教えなかったため、実際どんなふうに作っていたのかはわからない「幻のサラダ」です。

「斎戒」の食事制限が厳しければ厳しいほど、祝祭日の食卓は反比例して豊穣なものになっていきました。ロシアでは古来、長い冬に備えて保存食が多く作られてきましたが、祝祭日になると何種類もの保存食が惜しみなくテーブルに出され、ブリヌィやピロークが焼かれ、気前よく酒がふるまわれました。持てる家は贅沢に、貧しい家でもいつもより気張って料理をつくる。こうして生活は「祝祭の飽食」と「斎戒の粗食」との激しい二進法的交替のうちに進むことになったのです。あたかも胃袋が、最大限に大きくなったり極小にまで縮んだり、膨張と収縮を繰り返したような感じと言えるでしょう。

ロシアの食の光景は、二十世紀初頭まで長らく、社会階層による二分化と、時間軸による二進法的振幅が組み合わさっていたわけですが、食のこの二極構造をあたかも攪乱し、壊そうとしたかに見えるのが文豪レフ・トルストイです。

▼オリヴィエ・サラダ

『アンナ・カレーニナ』に見られるロシアの食文化

先ほど名前を出したアレクセイ・トルストイではなく、『戦争と平和』や『アンナ・カレーニナ』を書いた世界文学の巨匠レフ・トルストイのほうです。このレフ・トルストイの長編小説『アンナ・カレーニナ』では、貴族でありながら農民に寄り添う、作者の分身のようなレーヴィンという登場人物がいます（レフとレーヴィン、音が似ているでしょう？）。

このレーヴィンが友人に誘われて、モスクワの高級レストランに行く場面があります。彼はそのレストランで注文をするとき、自分の好みはシチーとカーシャだと言っています。先ほどお話ししたとおり、シチーとカーシャは昔ながらのロシアの農民の主食ですから、高級なヨーロッパ風レストランのメニューには入っていません。その場面を読んでみましょう。

「それじゃまず牡蠣から始めて、その後は食事のプランをすっかり変えることにしようか？　どうだい？」（ステパン・オブロンスキー）
「どっちでもいいよ。ぼくがいちばんいいのは、シチーとカーシャだけれど、ここにはそんなものはないだろうし」（レーヴィン）
「カーシャ・ア・ラ・リュスでございますか？」タタール人の給仕は、まるで乳母が赤ん坊の上に屈みこむようにレーヴィンの上に身を屈めて言った。

ここで面白いのは、レーヴィンが貴族でありながら農民の食事であるシチーとカーシャが好きだと言っていること、それを受けて給仕がカーシャのことをフランス語で、「ロシア風カーシャ」と言っていることです。当時のロシアでは貴族はフランス語を話しましたので、このレストランのメニューもフランス語で書かれていたのでしょう。給仕は貴族ではないのでフランス語はわからないはずですが、仕事をしているうちにメニューだけはフランス語がわかるようになり、カーシャのような典型的なロシアの料理をフランス語で言ってみた、というところが滑稽です。こうして、レーヴィンは、貴族と農民という階層的二分法を解体しています。

トルストイ自身も一八八五年以降は、狩猟も肉食もいっさい断って、いわゆるベジタリアンになったことは注目に値するでしょう。トルストイの一生は、前半と後半でかなり違っています。前半は派手な遊び人だったのに、後半はいっさいの権力を否認して、教会からも破門され、死刑制度に反対し、自分自身の芸術すら否定して、独自の平和主義を貫きました。かなり過激なひとだったのですね。食に対する姿勢も、大転換していたということなのです。たかが食生活と言えども、ベジタリアンとは究極の斎戒主義であり、人生観も思想も関わっています。ふつうの正教徒にとっては、一年を通して日によって交替する「斎戒」と「祝祭」ですが、トルストイは人生を前半の「祝祭的生活」から後半の「絶対的な斎戒」へ大転換させたという言い方もできるかもしれません。

▼晩年のレフ・トルストイ

ソ連時代

飽食と粗食の二極に分かれていたロシアの「食」の状況は、革命後、貴族階層が一掃され宗教が実質的に禁止されるや、強制的に一元化されることになりました。ソ連時代は、深刻な食糧不足、モノ不足が慢性的に続きます。スターリンの時代に『美味しくて健康によい食べものの本』という分厚い料理書が出版されました。発行元はソ連食品産業省、総計八百万部以上もの売りあげがあったといわれています。この本には、絢爛豪華な料理が並んだ食卓の写真や無数のレシピが掲載されていました。でも、肝心の食材が手に入らなかったので、つくりたくてもつくれません。まさしく「絵に描いた餅」、つまり虚像のみが料理書というコピーとして出まわっていたわけです。

一九九一年にソ連が崩壊して以降は、一元的な強制力が急速に減退し、多元的な食環境へと劇的な変化を遂げます。大型スーパーが次々にオープンして商品が豊富に出まわるようになり、食材も多種多様になりました。さまざまな料理書やテレビの料理番組があふれ、虚像ではなく「実際に」いろいろな料理を家庭で作ることができるようになった。

ソ連崩壊の前年に、マクドナルド一号店▼がモスクワにオープンします。この一号店、ものすごい行列でした。ところで、このマクドナルドのロゴマーク、これは世界共通ですよね。ところが、このロゴはどこか変ではありません

▼マクドナルド一号店

か？「M」の下、この四角はソ連の国旗です。ソ連の国旗には労働者をあらわすハンマーと農民をあらわす鎌を交差させた図柄が刻まれていました。その上に、マクドナルドの「M」が乗っている、あるいは踏みつけている。翌年のソ連崩壊を予言したような、つまり資本主義の競争市場がソ連の社会主義社会を押しつぶすことを象徴しているかのようではないでしょうか。

ロシアではそれ以後、さまざまなファストフード店がオープンしました。人びとは、ハンバーガーやコーラといった「西側」の商品に飛びつき、かつて経験したことのない大量消費型資本主義の蜜の味を楽しみました。でも、振り子はゆっくりと反対側に振れ、再び自国のものを志向するようになります。

こうした現象は、食文化に限ったことではなく、文学もしかり（ペレストロイカ直後は外国の推理小説や大衆恋愛小説が競うように読まれたが、やがて国産推理小説の一大ブームに取ってかわられた）、映画もしかりでした（当初ハリウッド映画ばかりが上映されていたが、そのうちロシアの優れた映画監督が輩出されてきた）。

食の分野では、新しいものを生みだすというより伝統的なロシア料理を再評価するという形をとりました。典型的な例としては、コーラに対抗する飲みものとして、ロシアで昔から愛飲されてきたクワス（ライ麦をベースにした微炭酸発酵飲料）です。

ロシアの大手飲料メーカーが二〇〇五年に「ニコーラ」という銘柄のクワスを売りだすにあたり、「クワスはコーラじゃない、ニコーラを飲もう！」という宣伝文句をキャッチコピーにしました。ロシア語では「Квас(クヴァース) не(ニ) кола(コーラ), пей(ペイ) Николу(ニコール)!」、音を聞いておわかりのように、「コーラじゃない」というところはロシア語で「ニ・コーラ」となり、クワスの名前「ニコーラ」と同じ発音になるため、愉快な音遊びを成しています。

しかし、それよりずっと重要なのは、「コーラは化学的な素材が使われていて健康によくないが、クワスはロシアの農村で用いられてきた昔ながらの製法で作られているから健康によい」という対比を販売戦略に据えたこと。要するに、アメリカ的な大量消費ファストフードや合成飲料のコーラを人工的・非健康的とし、ロシアの食を自然的・健康的なスローフードであるとして二項構造をきわだたせ、クワスのほうがヘルシーですよと人びとに訴えかけているということなのです。

世界的な食の課題

同様の傾向は、最近の遺伝子組換え食品（genetically modified organism, GMO）へのロシア政府の対応にも見ることができます。巨大な多国籍グローバル化学メーカー、モンサント社が除草剤ラウンドアップと、その除草剤に対抗する強さをもつ遺伝子組換え作物の種子をセットにして売り、世界市場を席巻してきました。

ロシアではこの動きに対して、二〇一六年、遺伝子組換え作物をロシア国内で育成したり栽培したりすることを禁じる法律を成立させました（ただし検査や学術研究を除く）。食糧安全保障とロシア国民の健康保持が目的だとうたっています。つまり、アメリカ主導のグローバル企業が、ロシア市場を牛耳ってしまうことを警戒したのです。遺伝子組換え作物は人工的で人間に害をもたらす「悪」であるのに対し、ロシアの農法は自然でオーガニックな「善」である。この二項対立的図式を描いてみせた、まさにコーラ対クワスの対立関係とぴたりパラレルなのです。

ロシアは、グローバリゼーションの飽食を経験した現在、健康志向に傾いている（あるいはそう誘導されている）のではないかと思いますが、ロシア人のメンタリティとも深く関わりがあるに違いない二極構造、あるいは一方の極から他方の極へと大きな振幅を見せるダイナミズムこそが、歴史的に見てロシアの食文化の特徴であったことを思えば、今度は、徹底的に化学物質を排除して自然農法や健康食品を偏愛するようになるかもしれません。はたしてロシアは本当に遺伝子組換え作物や有害な化学肥料を取り入れることなく、未来に向けてエコロジーの観点から望ましい食糧需給をしていくことができるのか。これはもはやロシアだけの問題にとどまらず、日本にとっても、世界にとっても大きな問題であるはずです。

Q&A

――広大なロシアでは、スウェーデン側、カザフスタン側、カムチャツカ半島に近いウラジオストクなどでは食文化にも違いがあるように思うのですがいかがでしょう？

まさにそのとおりで、今日お話しした「ロシア料理」はヨーロッパ、シベリア地域の典型的なものですが、カザフスタン、中央アジアやコーカサスでは食文化がまったく違います。私のおすすめはグルジア、現在ジョージアの料理で、ロシア料理とはまた違った奥の深さを味わえます。

わたしの思い出の授業、思い出の先生

個別の授業というわけではないのですが、私が在籍していたころの名古屋大学附属高校は、とてもユニークで面白い授業が多く、大いに刺激を受けました。自由な発想の先生方が多かったと思います。数学の徳井先生は（いまから思えばかなり大胆ですが）ご自分でプリントを作って「相対性理論」のいろはを教えてくださいました。難しくてよくわからないながら必死でついていった覚えがあります。化学の戸苅先生はいつも「これを知ることにどういう意味があるのか」と問いかけて生徒自身に考えさせる授業をしてくださり、心から尊敬していました。そして国語の米山先生は、NHKラジオの「ロシア語講座」でロシア語を独学なさり、当時カリキュラムにあった「クラブ活動」の授業で生徒に教えてくれました。私はこの授業でロシア語のアルファベットを知り、東京外国語大学ロシア語学科をめざすことになったのですから、人生の進路を決定づける出会いだったと言えます。

わたしの仕事をもっと知るための3冊

沼野恭子『夢のありか――「未来の後」のロシア文学』（作品社）
沼野充義・望月哲男・池田嘉郎編集代表『ロシア文化事典』（丸善出版）
沼野恭子『ロシア万華鏡――社会・文学・芸術』（五柳書院／近刊）

天皇と元号

本郷和人

ほんごう・かずと＝歴史学者。一九六〇年生まれ。東京大学史料編纂所教授。中世政治史、古文書学専攻。著書に『世襲の日本史』『日本史　自由自在』など。

日本はいつごろできた国なのでしょうか。かつては日本の初代天皇とされる神武天皇が即位した年を元年と数えて、二千六百年くらい前だと言われていました。しかし、これは神話のなかでの話で、神武天皇が実在したとはとても思えません。神武、綏靖、安寧、懿徳、孝昭、孝安、孝霊、孝元、開化、崇神といった天皇たちは、多くが百歳を超えていたと伝えられていますが、さすがにそれはありえないのではないでしょうか。そう考えると、日本が成立したのは、大化の改新で有名な中大兄皇子、のちの天智天皇の時代といえます。より正確に言えば、天智天皇から、その弟の天武天皇、そして天智天皇の娘の持統天皇までの時代、西暦で言うと七〇〇年ごろのことです。

　日本国内の歴史を見ていると非常に穏やかです。別の言葉で言えば、極端な変化が起こりにくい国だと言えるでしょう。日本は気候も穏やかです。四季があり、シベリアなどの北の国に比べれば寒くなく、赤道直下の国に比べれば暑くもない。育てれば穀物や作物もとれます。江戸時代に実際に鎖国があったかどうかは現在議論の真っ只中ですが、いずれにせよ、大量の食料を輸入することはできなかったので、江戸時代の日本は食料自給率一〇〇パーセントです。当時の人口は二千五百万人から三千万人くらいでしたが、その数の人びとが食べるのに困らないほど肥沃な国土がありました。ですから、積極的に外国と交流し、変化しようとするモチベーションも起こりにくかったのです。

もちろん、無実の罪で殺されたり、戦いが起こったりすることがまったくなかったわけではありません。しかし、たとえばキリスト教を巡る争いと比較すれば、その数は少ないと言えます。異端審問▼、魔女裁判、カトリックとプロテスタントの戦い、同じ一神教どうしであるイスラーム教との激しい抗争などで、ヨーロッパでは何百万というひとたちが神様を信じるという清らかな心のもとに命を落としている。

日本ではそこまでの規模のことは起きていません。確かに、織田信長は一向宗を弾圧し、伊勢長島で二万人、越前で一万二千人を虐殺しています。また、キリスト教が入ってきた際に弾圧が起こり、天草で約三万人という数のひとが亡くなっていることも事実ですが、それもキリスト教の比ではありません。仏教と神道の間でもそうした争いはほとんどありません。この点についていえば、やはり穏やかな歴史だと言っていいでしょう。

▼異端審問
カトリック教会が異端の摘発と処罰のために行った裁判。十三世紀ごろからはじめられた。宗教裁判とも言う。

日本と天皇の成立

では、日本に変化が生じるのはどういったときか。これは、決まって外圧が加えられたときです。外圧があって初めて日本は変わる。一番強烈だったのは、一八五三年のペリーの来航です。浦賀沖に現れた四隻の蒸気船を見た日本人は、こんなすごい国があるのだと腰を抜かした。そのときになって初めて、「もう江戸幕府ではダメなのではないか。新しい国づくりをしなければ、日本はやられてしまう」と気づいて、明治維新が起きたわけです。

鎌倉幕府が潰れたのも、モンゴルが攻めてきたのと密接な関係がある。戦国時代が終わったのも、織田信長が登場したからではなく、当時で言うところの大量破壊兵器、鉄砲が伝来したからです。刀で相手を斬り殺すなんて、おぞましくてそうそうできるものではありません。弓で遠くの対象を狙うのも難しい。しかし鉄砲は、特別な修練なしに容易にひとを殺せる兵器です。この兵器によって大勢のひとが命を落としたからこそ、こんなに凄惨な争いはやめようという意識が生まれます。そうして戦国時代は終わりに向かったのです。太平洋戦争も外圧によって生じた例ですよね。

外圧という側面からみると、日本という国ができたのは、六六三年の白村江(はくそんこう)の戦い▼の後だといえるでしょう。この戦いに負けたことが非常に大きかったのです。僕たちは、日本を「一つの言語を使う、一つの民族が、一つの国家をつ

▼白村江の戦い
天智二年(六六三年)に朝鮮半島の白村江で行われた戦争。日本・百済連合軍と唐・新羅連合軍が戦った。「はくすきのえ」の戦いとも読まれる。

くっている国」、つまり「常に一つの国家として機能していた国」だと考えてしまいがちですが、これには注意が必要です。白村江の戦いがあった六六三年ごろ、都は大和地方にありました。当時の大和地方の天皇、そして貴族、王族は、関東や東北なんて知らないし、興味もありません。彼らは西しか見ていませんでした。そのさらに西側には、海を隔てて朝鮮半島、中国大陸がありました。それらの国々を見据えて、日本はずっと朝鮮半島に出兵して利権を蓄積してきたという歴史があります。それが白村江の戦いで全部失われることになり、日本は朝鮮半島から撤退せざるを得なくなった。そうなると、新羅や唐がいつ攻めてくるかわからない。そういった状況下で、中大兄皇子つまり天智天皇が、これはなんとかしなければと立ち上がった。そうして日本というものが出来上がっていく。「日本」という国の名前や、「天皇」という呼び名もこのときに決まりました。天照大神の子孫が天皇であるという神話も、この時代に整理されたものです。

　さらに日本全国に、いまで言うところの県ができます。当時の地図を見ると、あれだけ広い東北地方に太平洋側に陸奥国、日本海側に出羽国、たった二カ国しか置かれていません。いまで言うところの青森県、岩手県、宮城県、福島県が陸奥国という一カ国のなかに入っています。これは当時の大和王権が東北地方を真面目に統治する気がなかったことの一番の証拠だと思います。とはいえ、日本全国に国を置き、地方行政をやろうと考えたこと自体は重要です。何よりも大切なのは律令というものを日本に整備したことです。要するに、律令とは「法」です。天皇がその日の気分で勝手に政治をしないこと、すなわち、法律によって政治を行うことを決めたのです。

当時の唐の皇帝は、中国の歴史上たった一人の女帝である則天武后(そくてんぶこう)▼、またの名を武則天(ぶそくてん)。この女帝に「私たちの国は倭(わ)ではなく、日本という国になりました。私たちのリーダーを、大王(おおきみ)ではなく天皇と呼ぶことにしました。認めてください」と言いました。これは非常に危ない賭けでした。

当時の東アジアは中国を中心に動いていて、その中国には皇帝がいました。皇帝は英語で言うと「エンペラー」です。王様＝「キング」とは違います。王様は中国の国内にも、中国を慕っている周辺の国々、たとえば朝鮮半島やベトナムにもいました。そうした諸国の王様たちは、いわば中国の皇帝によって認められた「中国学校」の優等生です。ですから、皇帝と王様は主人と家来の関係になります。日本もそれまでは大王という呼び名を使っていました。つまり、根本的には「キング」だったのです。それを天皇＝「エンペラー」と名乗りますと宣言した。当然、実力から言えば日本は中国の何十分の一だったかもしれません。しかし、この宣言がもつ意味は重要です。なぜならば、これは「日本は中国の家来にはならない。我が日本は独立国である。日本は、中国の皇帝と肩を並べる存在になる」という宣言だったからです。

そして、そのことを最もよく反映しているのが元号です。一番古い元号は、

▼則天武后
中国史上、唯一の女帝。六二四年ごろ生まれる。唐の三代目の皇帝・高宗の妃となるが、その後政権を掌握、自ら国号を周とした。日本では則天武后とよばれることが多いが、中国では一般的に武則天と言う。七〇五年没。

大化の改新の「大化」だといわれています。正確に言えば、大化の後に元号が定められたり、定められなかったりという時期を挟んで、七〇一年の「大宝」以後は、現在に至るまで途切れることなく元号が定められています。

日本という国名に変わったころに、元号が定められるようになっていく。さらに重要なのは、その元号を定めるのが日本であるという点です。中国の周りの国々では、中国の元号をそのまま使っていましたし、王様を選ぶ際にも中国の皇帝の許しが必要でした。そのようななかで、なぜ日本だけが天皇という呼び方や元号を自分たちで決められたのかといえば、ひとつには島国だったということが大きいのではないかと思っています。

「地位よりひと」

二〇一九年、これまでの「天皇陛下」が、「上皇陛下」になりましたね。かつては退位した天皇を「太上天皇」と呼んでいたことから、「上皇」という称号にし、さらに「陛下」と敬称を付けるのがいいのではないか、ということになりました。僕は「陛下」ではない敬称が中国にあったように記憶していますが、結局見つけられませんでした。

このように、天皇は位を譲ると上皇になるわけですが、ここでいろいろな問題が起きます。まず、どちらが偉いのかという問題。現在、日本国憲法によって、天皇は日本国の象徴と規定されています。では上皇とは何でしょうか。上皇は英語でいえば、「リタイアード・エンペラー（退位した天皇）」ですよね。けれども日本の場合は、ラテン語由来の特別な名前「Emperor Emeritus（直訳すると「名誉天皇」）」をつけています。これをみても、日本において上皇が特別な存在であるということがわかります。

たとえば、政府の要人が亡くなったとしましょう。天皇と上皇、両者からお花が届けられる。僕たちにとっては「どちらのお花を上に置くか」なんてどうでもいいと思ってしまいますが、とても大事な問題なんですね。現在の考え方で言うと、天皇のお花が上、上皇のお花は下になりますが、明治になる前は逆でした。明治より前には朝覲行幸（ちょうきんぎょうこう）▼という、天皇が上皇のところに挨拶に行く行事がありました。そこでは当然、先に頭をさげるのは天皇です。日本の歴史からみれば、現在の天皇と上皇の関係は百五十年前から、つまり明治になってから生まれたものなのです。よく政府や政治家が日本は伝統のある国だ、歴史のある国だと言いますが、それは嘘です。彼らが「歴史」「伝統」と言っても、それはせいぜい明治時代くらいから始まったものでしかありません。それより前の二千年にわたる歴史を、ほとんどのひとが知らないのが実状なのです。

僕は「リタイアード・エンペラー」なども含めて、世界の王様について調べてみました。現在、三十人くらいいるようです。また、ほとんどの国が生前退位を許可しています。では、生前退位をした国王はどうなるのでしょう。調べ

▼**朝覲行幸**
天皇が親である太上天皇・皇太后の居所を訪問し拝謁すること。平安時代に盛んに行われていた。

てみて驚いたのですが、国王をやめればただのひとになってしまうんですよ。日本のように特別な称号はないのです。王様は、その地位にあるからこそ権力や権威を用いることができる存在であり、その地位から離れれば当然、権力や権威も失効します。これが世界的な常識。日本の会社でも同じです。社長をやめたら社長の仕事はできないですよね。このように日本の一般社会では普通のことが、天皇に関しては当てはまらないのは不思議ではありませんか。

引退してから権勢を振るうのは、日本の歴史によくみられる特徴です。たとえば、豊臣秀吉。秀吉は関白を引退して太閤になりますが、それでも天下人のままでした。徳川家康も同様です。将軍は息子の秀忠に譲るけれども、家康は大御所様と呼ばれて全権を担っていた。つまり、日本は地位よりひとが大事だという考えをもっている非常に珍しい国だということです。ベトナムの王朝では、いまの王様より前の王様のほうが偉くなることが一時的にあったようですが、「地位よりひと」という考えは、世界にほとんど例がありません。

「ひとより血」

唐の王朝の時代、非常に大きな制度改革がありました。それは「科挙（かきょ）▼」です。科挙はいまのセンター試験のようなものと考えてください。この試験でいい成績を取れれば高い地位を得られます。受験資格は、男子であれば誰にでも与え

▼科挙
中国の官吏登用のための試験制度。隋・唐の時代に制定され、清の時代に廃止された。

られていました。とても難しい試験でしたが、この科挙を突破しないと偉くはなれません。これはつまり、父親の地位を息子に譲ることができなくなったということです。

一方、日本はどうであったか。日本はこの科挙という制度を取り入れませんでした。唐の時代に、そういうものがあることはわかっていたにもかかわらずです。遣唐使たちは、律令はもち帰ってきたが、科挙はもち帰らなかった。そして、世襲制に落ち着いてしまった。父親が右大臣なら息子も右大臣、父親が中納言なら息子も中納言。貴族はそういう形で生まれました。試験によってなるのが官僚ならば、世襲によってなるのが貴族ということです。日本では貴族が、中国では皇帝と官僚が、役所を運営していました。中国だけでなく、その優秀な弟子であるベトナムにも科挙が取り入れられました。このように中国とベトナムの朝廷は科挙を使って官僚を育成していくのです。日本で官僚が生まれるのは明治時代以降でした。

総括すると、日本は「血」を大事にする国なのです。こういった日本の歴史は、東アジアのなかでも非常に特殊なものであることがおわかりいただけるでしょう。もちろん世襲は世界中にありますが、日本はそれが特別強い。そして、いわゆる所得の高い職業に多い傾向があります。たとえば医者、芸能人、政治家などですね。親から子へ、子から孫へ。そうやって権力が受け継がれていく。それは問題じゃないだろうかと僕は思っていますが、一方で世襲のいいところもあります。それは争いが少ない、ということです。血で血を洗うような競争社会にはならない。世襲の場合、自分が将来どのくらいの地位に就くことができるのか、ある程度把握できるので、血で血を洗うような争いが起きにくいのです。日本社会の特徴は、世襲によって形づくられたと言っても過言ではないでしょう。もっと言えば、血を大事にする文化があったからこそ、天皇家は万世一系だという話が生まれたのだと思います。万世一系とは、簡単に言えば、ずっと血が繋がっているという意味です。

血より家

さらに、僕に言わせれば、日本には血より大事にしているものがあります。それは「家」です。日本には、養子という制度があります。もし特権的な家に子どもがいなかったら、養子をとることで家を存続させます。さらに、養子が自分の家よりも高い地位にある家の子であれば、ますますその家は栄えます。たとえば、仮に源頼朝の息子が養子にきてくれるのであれば、実子を差し置いてでも跡取りは源頼朝の子にするほうが得策です。このように、殿様の子を跡取りにして、実子をあえて後継者にしないということが歴史的に行われてきました。当然ですが、昔はＤＮＡという考え方がないので、血の繋がりは重要ではありませんでした。最も重要なのは家の繋がりです。

これは、ある意味で非常に危険な話です。明治という時代を迎えるにあたって、当時政府の中枢にいたひとたちは、「日本のアイデンティティとは何か」「日本とはどのような国か」と考えました。世界と戦うためには、日本を中央集権化し、日本という国を一つにする思想が必要でした。そしてその中心として、他の国にはない、万世一系の天皇を置いたのです。少なくとも二十六代の継体(けいたい)天皇からは血が繋がっているのですから、こんなに古い王様はいませんよね。この天皇のもとに、文明開化、富国強兵を目ざして、近代的な国づくりへと舵を切りました。この万世一系の天皇が日本人の誇りになっており、だからこそ太平洋戦争時には、天皇陛下のために大勢のひとが死にました。このような歴史から考えるに、こうした象徴としての天皇を存続させていくために、血よりも家の繋がりを保とうとしたという側面があるのではないでしょうか。

このことは源氏物語を読んでも明らかです。主人公の光源氏は天皇の弟ですが、皇族を離脱することになります。これを臣籍降下といいます。つまり、光源氏はただのひとということになりますね。天皇の血を引く、ただのひと。平清盛も、源頼朝も同様です。ところが、光源氏は天皇の妻と男女の関係になり、子を授かります。その子どもが、次の天皇になります。つまり、源氏物語では、ただのひとの子どもが天皇になってしまうんですね。現代の僕たちにとってはありえないことに思えるのですが、当時の貴族はこの作品を批判せず、それどころか拍手喝采したわけです。源氏物語ひとつとっても、いまの感覚と当時の感覚がまったく異なっていることがわかりますよね。

天皇家の血は実際ずっと繋がっているかもしれませんし、少なくとも表向きには繋がっていることになっています。けれども、日本の長い歴史のなかでは、血自体はそんなに重要視されていなかったことが明らかです。本当に大事なのは天皇家という家が途絶えないことだったのです。

今日の話をまとめると、日本は、地位よりひと、ひとより血、血より家を重視する歴史をもっていたということです。関連する話題として「女性天皇は有りかなしか」という議論もありますが、みなさんはどのように思いましたか？歴史を暗記の教科だと思っていたひとも少なくないかもしれません。でも僕の話を聞いて、暗記が重要ではないことに気づいてくれたのではないでしょうか。調べることも大切ですが、一番大切なのは考えることです。暗記ではない、「考える歴史」の楽しみをぜひ味わってください。

Q&A

──『論語』に「巧言令色」とあるように、「令」という字は悪い意味として使われていると思うのですが、「令和」という元号に悪い意味が含まれているような懸念はないでしょうか。

言いにくいですが、僕はあると思っています。あなたが言ったように、「巧言令色　鮮(すくな)し仁」と論語に書かれています。「仁」とは、いまの言葉にすると、愛、LOVEのことです。天皇陛下の名前にはみんな「仁」が入っていますよね。「仁」とは、男女の愛とか恋だけでなく、弱いひとを愛する、みんなを愛することです。「巧言令色　鮮し仁」の意味は、「巧みな言葉、令色は顔色をつくる。そういう奴は儒教が最上のものとして大切にした仁から一番遠い」ということです。孔子は儒学の教えとして、そのように説きました。そうなると「令色」はよくない言葉だといえるし、「令」という字にもよくない意味が含まれているように思います。

▼大政奉還
一八六七年、将軍徳川慶喜が朝廷への政権返上を申し入れ、江戸幕府は終焉を迎えた。その後も旧幕府勢力と薩長を中心とする新政府軍の緊張関係は続き、江戸城無血開城による大規模な衝突回避を経て、六九年の箱館戦争まで鳥羽・伏見の戦い以来の戊辰戦争は集結しなかった。

――明治時代の始まりが天皇が東京に移ったとき、江戸時代の終わりを告げたのが大政奉還▼だと言われていますよね。ほかに、江戸幕府が終わる決定的な出来事はあったのでしょうか。

それはとても難しいですね。システムと実態はまた違いますから。みなさんが桐光学園を卒業したときに、学校と縁が切れてしまうかどうか、という問題に近いです。どこで「おしまい」とするのかは難しいんですよね。

これは始まりについても同じです。江戸幕府や鎌倉幕府がいつ始まったのかも大問題なのです。お店のように「何月何日何時に開店」とは言えません。ですから、いろいろな説が生まれるんですね。そして結局は、最も賛成が多い説をとることになってしまいます。江戸幕府が終わったのは、あるひとによれば「江戸城無血開城のとき」、別のひとによれば「戊辰戦争が終わったとき」かも

しれない。いろいろな説があってしかるべきではないでしょうか。

わたしの思い出の授業、思い出の先生

Q1：思い出の授業を教えてください

中学生のときの地理の授業。

Q2：その先生が記憶に残っている理由はなんですか？

授業内容ではない。いつもニコニコしていた角南先生という方が本気で怒った。きっかけは何か忘れた。一限で遅刻をしてきた生徒がいて、その子に心ない罵声を浴びせた同級生がいた。すると先生は「どんなに勉強ができても、友だちを大切にできないようなやつは最低だ！」と言って怒ったんですね。

Q3：その先生は人生を変えましたか？

正直、よくわからない。でも、すごく記憶に残っているところを見ると、変えたんでしょう。友人を大切に。いま60になって、同窓会やると、その人が出世していようがしていなかろうが、カネもってようがもってなかろうが、とても楽しくつきあえる。そうした状況をつくり出してくれる学校だったなあ、と感謝しています。

わたしの仕事をもっと知るための3冊

本郷和人『日本史のツボ』（文春新書）
吉田兼好『徒然草』
『吾妻鏡』

第5章

文学が社会にもたらすもの

源氏物語は何の役に立つのか

島内景二

しまうち・けいじ＝国文学者、文芸評論家。一九五五年生まれ。源氏物語を中心とする古典文学を専門としている。塚本邦雄に師事した歌人でもある。主な著書に『源氏物語の話型学』『源氏物語の影響史』『教科書の文学を読みなおす』『和歌の黄昏 短歌の夜明け』など多数。

「源氏物語は何の役に立つんですか」、これは電気通信大学に着任した二十九歳の私に学長から投げかけられた問いでした。「理工系の難しい勉強をしている学生の心のオアシスになると思います」と答えたところ、「それだけですか」と言われ、当時の私はそれ以上言葉が出ませんでした。それから三十五年経ち、私はいま、科学や法律、政治、経済と同じくらい源氏物語は世の中の役に立つと確信しています。

「源氏物語は難しい」

原文を読めずじまいのまま、源氏物語は難しいという先入観をもっているひとが大勢います。源氏物語が難しいのは事実です。何十年とこの物語を研究してきましたが、源氏物語の原文を易しいと言ったひとは知り合いで一人しかいません。すらすら読めましたよ、と言ったそのひとは日英仏伊、加えてラテン語まで読める特殊なひとでした。源氏物語は普通の現代人にとって難しいだけではありません。書かれた平安時代当時も難しかったと考えられます。

源氏物語は音読されていたとか、当時の話し言葉だったと言われることがありますが、それは誤りです。話し言葉を装った巧妙な書き言葉で書かれています。そのうえ、中国や日本の古典がたくさん編み込まれ、一流の教養人でなければ理解できません。ですから現代語訳でもなかなか通読できないのです。

私が好きな文学者である谷崎潤一郎も現代語訳しています▼。高校二年生のときに読みましたが、意外なことに第二帖「帚木（ははきぎ）」で挫折しました。その後、大学に入って源氏物語研究の第一人者、秋山虔（あきやまけん）▼先生の演習に出たことがありません。私が「一度も源氏物語を原文で理解できたことがありません。だから聴きにきました」と言うと、「ああ、それは当たり前だ」と先生はおっしゃいました。隣にいた経済学部の学生が「谷崎訳を全部読んで感動しました」と答えたときの、「それで君の日本語の感覚はひずまなかったかい」という言葉も忘れられません。

もともと難しい作品ですから、源氏物語を一人で読めるはずはありません。学校で学ぶ古典文法は、十一世紀から十二世紀にかけて日本の和文が最も美しく完成した時代の作品を読むためのツールです。いわば源氏物語を読むためにつくられた教科と言ってもいい。文法が大好きだった私は試験では古文も漢文も満点が取れましたが、源氏物語から出題されるとそうはゆきませんでした。

▼源氏物語の現代語訳
与謝野晶子の『新訳　源氏物語』は森鷗外や上田敏の序文をつけて明治四十五年に刊行されています。いまも角川文庫でダイジェスト版が入手できる例外的に読める現代語訳です。与謝野源氏を国文学者は目の敵にしましたが、私は文学として優れていると思います。毬矢まりえ・森山恵姉妹訳『源氏物語　A・ウェイリー版』（左右社）も読めます。どちらかを読めば、源氏物語の文学としての良さが伝わるでしょう。（以下、注＝島内）

▼秋山虔
一九二四〜二〇一五。戦後を代表する国文学者。旧制第三高等学校の学生時代には、フランス象徴詩の翻訳を試みるなど、学問研究のなかに文芸批評の香りを吹き込んだ。東京大学教授として多くの研究者を育てた末席に島内景二がいて、秋山学の文芸批評精神を継承したいと願ってきた。

意味がわからないわけではないのに、半分くらいの点が取れれば良かった。

ストーリーも年譜や系図、登場人物たちのキャラクターもほとんど頭に入っていたのに、試験で点が取れない。日本が世界に誇るこの最高傑作を読めないのでは文学部に進む資格はないいんじゃないかと悩み、私は東大文Ⅰから法学部に進みました。けれども三年生になり、このまま卒業して国家公務員上級試験や司法試験を受けるのか、民間に就職するのかなどと考えはじめたとき、もう一度、文学への夢を開かせたいと思った。そのときに聴講したのが、さきほどの秋山先生の演習でした。

演習の最初の日、先生は一言、「源氏物語は一人では読めません」とおっしゃった。「もし源氏を読みたければ『湖月抄』という本を読みなさい」と。その日、私は神田神保町の古本屋を端から見て回って、水道橋の近くで一万五千円で売っているのを見つけ、大切に持ち帰って読みはじめました。

果たして、先生の言うとおりでした。源氏物語は読者が一人で一から読むべきものではないのです。平安時代に書かれ、鎌倉時代に研究が始まって以来、江戸時代前期まで日本文化を代表する知の巨人たちが、ああでもない、こうでもないと白熱の討議を重ねながら読み解いてきた。その歴史が凝縮されているのが『湖月抄』です。この本で大学院の修士課程までの授業ができる、そういういわば虎の巻。『湖月抄』を手にすれば、私たちが一対一で向き合っても歯が立たない源氏物語の原文解釈の八合目か九合目まで連れて行ってもらえます。

▼『湖月抄』
北村季吟著。一六七三年成立。源氏物語の本文の横に、主語や古語の意味が簡略に書かれているので、これだけでも源氏物語の本文の意味が理解できる。さらに、本文の上欄の余白には、複数の解釈が対立している場合の優劣や、歴史的な背景や、紫式部が創作に際して引用した和歌や漢詩などが指摘されている。これがあれば、源氏物語を原文で読め、味読さえできてしまう魔法の書。

もっともその後、頂上にアタックするには自分の力をふり絞るしかありません。

日本文化の iPS 細胞

『湖月抄』を読んでいるうちに気がついたことがあります。源氏物語の言葉は、二通りにも三通りにも解釈できるのです。一つの言葉に一つの意味、一つの作品に一つの主題ということがありません。浅くも深くも、読者の数だけすべての読みが許される。その一方で、絶対に解釈できない、現代語訳できない文章がある。紫式部が書いてから、藤原定家▼がテキストクリティークするまでの二百年間の間に、写本を作る過程で失われてしまった原文があるのです。

だから、源氏物語の解釈では、試験でいえば選択肢すべてが正解ということも、不正解ということもありえます。自由な解釈が許される一方、なぜそのような解釈をしたのか、責任をもたなければなりません。『湖月抄』を読んでその自由と面白さを知り、私は源氏物語の研究者になりました。

『湖月抄』を読んでもう一つ、気がついたことがあります。源氏物語は文学作品ではない。文学を超えた文化なんだ、ということです。表向きは恋愛小説です。三角関係や不倫、密通を描いているように見えて、日本文化そのものなのです。どういうことでしょうか。iPS細胞になぞらえて言うなら、源氏物語は日本文化のiPS細胞、万能細胞なのです。平安時代に書かれましたが、鎌倉

▼藤原定家
一一六二〜一二四一。鎌倉時代初期の大文化人。源氏物語を「古典」とした最初の功労者。新古今和歌集を代表する歌聖でもある。古今和歌集・伊勢物語・更級日記などを書写し、現在の高等学校の古文の教科書に載っている本文を確定した。

時代にはその時代に必要な文化を、源氏物語の解釈＝遺伝子組み換えによってつくり出しました。室町時代、江戸時代も同じです。文化人たちが源氏物語の主題を読み改めることで、新しい日本文化がつくられてきたのです。

源氏物語を文学作品としてだけ考えると、どこが良いかわかりません。私も父に、なんであんな変な話を研究するのかと言われたことがあります。三角関係の不倫、密通を描いているうえに、全編一貫して淫靡にして不敬、これが第二次世界大戦中に源氏物語があびせられた悪口でした。破廉恥で、天皇制を冒瀆している、だから学校では読ませられないという批判です。父の頭のなかにあった源氏物語はこのようなものだったのかもしれません。

けれども源氏物語は恋愛小説ではありません。先ほども説明したようにそれぞれの時代に必要な文化をつくり出し成熟させ、時代に合わなくなったら滅ぼして次の時代の文化をつくり出すｉＰＳ細胞であり栄養剤なのです。源氏物語から先人たちが引き出した、日本文化の一番美しいシステムは何でしょうか。ずばり「平和」です。「令和」は万葉集からとられたと言われていますが、万葉集はこれまでずっと読まれてきたわけではありません。源氏物語こそが連綿と読み続けられ、「和」の文化をつくる力をもち続けてきました。

少し先走って言うなら、現代人は源氏物語を活用し切れていないのではないか。日本文化をアップデートするプログラムとして源氏物語は未だ有効ですし、そういう読み方をしてゆく必要がある、と申し上げておきましょう。

「解釈は自由」

ご存知のように源氏物語は、本名も生没年もわからない紫式部と呼ばれた女性が十一世紀のはじめに書いた文学作品です。男女の関係をとおして、生きる喜びと悲しみを描いたたいへんに美しい作品ですが、このままでは文化をつくったとは言えません。

時代に必要な理念を発見するべく源氏物語を読み替える作業に初めて着手したのが、鎌倉時代初めの藤原定家でした。定家の読みがなされ、定着していったのは源平の争乱があり、平家が滅亡し、やがては院政も崩壊に向かい、倒幕しようとした後鳥羽院は隠岐島に流されるという時代です。源氏物語の基盤だった摂関政治が行われた平安時代が終焉し、中世という武士中心の新しい時代が開幕してゆくときだった。このときにあって定家は当時時代遅れの文学だった源氏物語の本文を批評的に読み、何がどう引用されているのかを明らかにしようとした。そして歌人でもあった彼は古典と現代を重ね合わせ、新しい文化を創造する本歌取りという技法を開発した。こうして中世という新しい文化をつくるＤＮＡが獲得されたのです。

仏教の勧めだ、好色の戒めだ、などと解釈された時代もあります。背景にはいつも、その解釈によってそういう世の中をつくりたいという読み手の気持ちがある。もちろん紫式部本人はなんらかのメッセージを込めて、文学作品として書いたことでしょう。しかし文化としての源氏物語にとっては、その時代に一番必要とされる読み方が主題となるのです。作者の思惑と違っても構わない。こうして文化をつくるプログラム、システムとして機能する源氏物語のことを私は「源氏文化」と呼んでいます。

私がまっすぐ文学部に進めなかったのはこの点がわからなかったからでした。秋山先生に、どう解釈してもその解釈に責任をもつことができれば自由なんだ、と言われて初めて、文学研究の面白さと重さがわかりました。以来四十数年間が過ぎたことになります。

戦乱の時代の源氏文化

さて、十五世紀から十七世紀にかけてつくられた源氏文化があります。応仁の乱を経て戦国時代に突入していったころ。主君が臣下に殺され、親と子が争い、兄弟同士が憎み合う下剋上の時代に、源氏文化は一番美しい花を咲かせました。それは源氏物語を理想の政治を描いた書として読む、という読み方でした。つまり平和と調和の書だというわけです。紫式部はそういうつもりで書いたのではなかったでしょう。しかし戦乱の時代、誰もが平和と調和を求めた時代にあっては、源氏物語は理想の政道の書だという側面が明らかにされたのです。

有名な「雨夜の品定め▼」の場面が描かれる「帚木」帖を初めて読むとき、多くのひとは展開される評論に目がゆきます。恋愛や旅立ち、復活、権力争いなどのストーリーだけでなく、すぐれた評論に触れられるのが源氏物語の面白いところ。この場面では男たちが理想の女性、妻について語り合います。ここをどう読むのか。室町時代の連歌師で、屈指の源氏物語の読み手でもあった宗祇(そうぎ)▼は次のように読みました。光源氏や頭の中将は女性に興味があるのではない。夫にとっての理想の妻を、活かすも殺すも夫次第。つまり政治家は自分の部下を適材適所で活用していくべきなのだ、と。表向きは女性論ですが、人材活用論であり、あるべき人間関係論であり、上が下を信頼し下は上の期待に応えることによって、世の中がうまく進行していくという政道論なのだと読んだのです。この読みによって源氏物語は戦乱の時代に最も必要とされる文学となりました。

作者が作品に込めたメッセージとまったく違うものを読むのですから、みなさんは変だと思うかもしれません。しかし確信犯的に誤読することすら、源氏物語は許してくれます。

戦乱の時代が終わり、人びとが願った平和がようやく実現したのが江戸時代です。このパックス・トクガワーナと呼ばれる天下泰平の時代には、源氏物語による平和も間違いなくありました。江戸時代の初めに、戦国時代以来の源氏物語の平和の書としての読みを確立したのが、私が源氏物語の面白さを知った北村季吟(きたむらきぎん)の『湖月抄』でした。ここには数百年間の先人たちの読みが蓄積され、

▼「雨夜の品定め」

雨の夜に、男たちが理想の妻のあり方について語り合う場面は、源氏物語の面白さがストーリーだけではないことを教えてくれる。近代小説で言えば、夏目漱石の『吾輩は猫である』にはストーリーがないが、苦沙弥先生たちの語り合うウンチクが読んでいて楽しい。「雨夜の品定め」の系譜に属するのが漱石の『猫』なのだ。

▼宗祇

一四二一〜一五〇二。室町時代の古典学者。高等学校では「飯尾宗祇」と学ぶが、本当に「飯尾」だったかは未詳。また、高等学校では「連歌師」と教えられるが、古今和歌集と源氏物語の解釈の第一人者としての古典学者だったというのが正確。

その根幹として源氏物語の平和読み、教訓読みを記しているのです。

私は論文引用するときは秋山先生と鈴木日出男先生▼が手がけた小学館の『新編日本古典文学全集』を使います。秋山先生は三回、現代語訳を手がけていますが、二回めの『完訳日本の古典』というシリーズが最も先生の肉声を響かせてくれます。学徒動員で戦争に青春を奪われた先生は、いつも平和のことをおっしゃっていました。北村季吟を評価するということは、秋山先生に流れる平和読みを評価するということであり、私はこれを受け継ぎました。

平和の別名は調和。調和とは異質な文化とうまくハーモニーをつくることです。源氏物語自体に、日本文化の和歌や神話、神道が入っていますし、中国由来の儒教、道教、漢詩文、インドから渡来した仏教文化も入っています。いわば日本・中国・インドの三階建ての構造をしている。平和と調和の実現を目指すのが源氏文化でした。この源氏文化が確立した異文化統合システムが徳川三百年の平和を支えたのです。

▼**鈴木日出男**
一九三八〜二〇一三。秋山虔先生の退官後に東京大学で源氏学を担った国文学者。私は秋山先生に八年、鈴木先生に半年、指導を受けた。文字通り、薫陶を受けた。私が大切にしている『日本古典文学全集』の源氏物語全六巻のすべてに、秋山・鈴木両先生の毛筆サインがあり、手に取るたびに我が師の恩を偲んでいる。

「もののあはれ」というちゃぶ台返しの読み

ところが、この源氏解釈のまま時代は進みませんでした。一人の大天才が出現して、それまでの源氏文化をすべてチャラにしてしまったのです。本居宣長(もとおりのりなが)▼です。藤原定家以来の天才たちの読みを一人ですべて否定し、いままで誰も源氏物語を読めていなかったのだ、と画期的な説をたくさん出した。その一例に巻ごとの光源氏の年齢計算を最初に正しく行ったことがあげられます。

本居宣長の唱えた新しい主題解釈は「もののあはれ」でした。異文化統合ではなく、異文化排除を唱え、日本の原点に帰れと主張して国学を興した。「もののあはれ」とは散る花が美しいなどといったような美学ではありません。たとえば光源氏と藤壺が過ちを犯して罪の子をつくる。光源氏にとって藤壺は義理の母ですし、天皇の后です。道徳や常識で考えれば諦めるのが当たり前ですが、二人は結ばれてしまう。柏木から見て女三の宮は尊敬する光源氏の正妻ですが、自分の愛情をごまかせずに結ばれて薫という罪の子をつくってしまう。道徳や常識でやめてしまえる恋愛は本当の恋愛ではない、好きなひとがたまたま人妻や后だったわけで、人間の原点に立ち還れば自分の本当の気持ちはごまかせない。「もののあはれ」とは恐ろしい思想で、この秩序の破壊を正当化します。本当にしたいことこそが美しく正しいのであり、邪魔するものは粉砕して構わないというこの考え方を、私は「ちゃぶ台返しの思想」と呼んでいるのです。

異文化である仏教や儒教を「漢意（からごころ）」として排除し、戦いの相手としたこの思想は、徳川幕府を倒し明治政府を開く勤皇の志士たちの拠り所となりました。戦いの文化、反＝源氏文化を宣長はつくり上げた。源氏物語を愛した宣長がなぜこのような思想をつくったのでしょうか。江戸時代には士農工商の身分秩序がありました。武士の子は武士になり、農民の子は農民で生涯を終わる。しか

▼**本居宣長**
一七三〇～一八〇一。源氏物語を最も深く読んだ読者だと断言できる。悪魔的に鋭い解釈を無数に提出した。『玉の小櫛』で提唱した「もののあはれ」論は、現代日本でも受け継がれ、小学生でも知っているが、島内景二はこの「もののあはれ」論を乗り越えたいと、研究に志した当初からあがき続けてきた。「ちゃぶ台返し」ではなく、食器を美しくコーディネートする季吟の『湖月抄』に憧れるからである。

し私たちには嬉しいときには嬉しい、悲しいときには悲しいと叫びたい気持ちがあります。それを我慢するのが良いことなのか。光源氏が藤壺に対して好きだと告白したこと、柏木が女三の宮のために自分の命を捨ててまで愛を貫こうとしたこと。この自己破壊、他者破壊に近い心の叫びこそを、良しとしなければならないのではないか、と宣長は言っているのです。

この思想は宣長の弟子たちの時代にさらに極端になります。欧米列強が圧倒的な国力を背景に開国を迫り、オランダからは驚異的な医学がもたらされる。イギリスの産業革命の進展、経済力や軍事力の情報が伝えられる。なよなよとした源氏文化の日本で対抗できるのか、負けてしまうのではないかという危機感が弟子たちにはありました。そこで万葉集や古事記、祝詞など力強い古代文学の力を借りて、外国文化と対等に戦える日本文化をつくろうとした。これが外国文学や外国文化の排斥につながってゆきます。そして徳川幕府の終焉、明治維新、日清日露以来の長い戦争の時代を経て、現代に至っているのです。

平和と調和の源氏文化を基盤として近代化することはできなかったのかとつくづく思います。江戸時代終わりに興った公武合体運動こそは良い意味での源氏文化の発露だったのかもしれません。明治以降、源氏物語は冷遇されてきました。二十一世紀のいまこそ、源氏物語の新しい読みが必要なのです。

一つには源氏文化と「もののあはれ」を弁証法的に止揚する道があるでしょう。北村季吟の『湖月抄』とそれをひっくり返した宣長の両者から、新しい読みを探るのです。ずっとこのことを考えてきましたが、意外と難しい。『湖月抄』とも宣長とも異なる、ＩＴやグローバリゼーションの時代にふさわしい新たな別の源氏文化をつくりだす、という道もあるでしょう。これも簡単ではありません。下手をすると、源氏物語と無関係な日本文化、非＝源氏文化が成立してしまう可能性だってあるのです。

私はこれまでずっと源氏物語と万葉集、平和と調和の文化と「もののあはれ」の文化が手を結んで新しい関係を築けないかと考えてきました。その関係は表と裏、螺旋構造、あるいは構築と脱構築なのかもしれません。平和と戦いをうまく重ね合わせることはできないか。いまは政治的にも混乱し、世界中で大きな災害も起きています。日本文化を時代ごとに更新し、平和を保たせ、あるいは破壊と混乱をもたらしてきた源氏物語には、新しい役割があるはずです。

川端康成▼は戦争中、源氏物語を『湖月抄』によって読んでいました。戦後、彼は不思議なエッセイを書いています。平安時代の藤原氏や平氏を滅ぼしたのも、鎌倉の北条氏を滅ぼしたのも、江戸時代の徳川家を滅ぼしたのもすべて源氏物語である、と言うのです。歴史学者にはまったく信じられない学説でしょう。私は源氏物語をないがしろにして軽視する政治は滅亡する、という意味だと思っていたのですが、どうもそうではなさそうです。川端康成は、新しい文化をつくるために古い文化を滅ぼしたのも源氏物語だった、それほど恐ろしい作品だったと言いたかったのでしょう。ノーベル賞を受賞しなかったら源氏物

▼**川端康成**
一八九九〜一九七二。ノーベル文学賞受賞。源氏物語が権力者たちを滅ぼしたという独自の歴史観は、「哀愁」というエッセイに書かれている。このエッセイを収録した『批評集成　源氏物語』第三巻は、島内が秋山先生の仕事部屋で、先生と相談しながら編集した。懐かしい思い出である。

語を現代語訳したかった、とも彼は言っています。

源氏物語に触れてみる

最後に少し原文に触れていただきましょう。

源氏物語の原文は、「若菜」上下の帖で文体が激変します。有名な宇治十帖になると文章がすごく下手になります。このことから作者は一人ではないと言うひともいますが、私はそうは思いません。あれだけの長い物語を書き続けて文体が変わらないということはありえない。現代語訳を読むなら一晩でも読めますが、手で原文を書くのはたいへんな時間がかかります。その長い時間を作品とともに生きてきた作者だって、人間性や思想、考え方も文体も変わります。それに書けば書くほど文学が上達するというものではありません。俗っぽくなってゆくこともある。「若菜」で文体が激変したのは紫式部の奇跡的な突然変異、そして宇治十帖では作家として堕落したのだと思います。

光源氏の生きていた時代を描く源氏物語正編を読むのにはものすごく時間がかかります。『湖月抄』に書かれているたくさんの注を追いながら、ああでもないこうでもないと読んでゆくにはたいへんな時間がかかる。ところが宇治十帖になると急に早く読めるようになり、注も減る。考えなくても読めるようになる。芥川賞から直木賞に変わった感じと言うとわかりやすいかもしれません。

ちなみに「若菜」で文章ががらりと変わるのは、心内語が延々と語られるところです。その語り手はたとえば紫の上。光源氏の第一夫人として大切にされ、六条院では女主人の地位を保っていましたが、やがて朱雀帝の内親王である女三の宮が正妻としてやってくると、寝殿の一番大きな部屋から東の離れに移ることになります。光源氏は正妻女三の宮と夜を過ごす。紫の上はひとり、三十年近く光源氏とともに生きてきた自分の人生はなんだったのだろう、幸せだったのか、それとも不幸だったのか、と考え、病を得て倒れてしまいます。

> 対には、例の〔光源氏が〕御座しまさぬ夜は、〔紫の上は〕宵居し給ひて、〔女房の〕人々に物語など読ませて、聞き給ふ。かく、世の喩ひに、言ひ集めたる昔物語どもにも、徒なる男、色好み、二心ある人に拘らひ〔て、苦しみ〕たる女、かやうなることを言ひ集めたるにも、遂に、寄る方ありて〔、結局は男と連れ添って幸福になる女〕こそ〔多く〕あンめれ、〔頼る男のいない自分は〕あやしく浮きても過ぐしつる有様かな、げに、〔光源氏が〕宣ひつる様に、〔私は〕人より殊なる宿世もありける身ながら、〔世間の〕人の忍び難く、飽かぬことにする物思い〔が〕、離れぬ身にてや〔、私の女の一生は〕止みなむとすらむ、あぢきなくもあるかな、など思ひ続けて、夜更けて大殿籠もりぬる暁方

より、［紫の上は］**御胸(むね)を病(や)み給ふ。**

こうして主語などを補いながら読むと、現代語訳しなくてもなんとなく通じます。宣長の好敵手だった橘守部(たちばなもりべ)▼という人の発明した読み方を応用した方法です。『湖月抄』を読むのが一番ですが、こういう読み方もあります。紫の上は生きていることを「あぢきなし」（＝つまらない）と言いましたが、私は紫の上の絶望の物語を読むことで、生きていてよかったと思います。そしてこの源氏物語をいまの時代になんとか活用させたいと思っています。

Q&A

――いまの時代は、誰がどういう源氏物語の読み方をしているのですか。

源氏物語を読み替えた偉人たちを描いた本を書いたとき、本居宣長の次にイギリスのアーサー・ウェイリー▼を置き、近代をあえて飛ばしました。秋山先生は「源氏物語は不幸な文学だ。浮舟の後の物語を書き継ごうとする文学者が現れなかったことは、源氏物語の達成を誰も受け継がなかったということではないですかね」とおっしゃいました。宇治十帖で描かれる浮舟がその後どう生きるのかを書いた近代以降の文学者は誰もいない。それは私の宿題にもなっています。

他方、現代語訳したひとたちの血みどろの苦闘の歴史がありますし、古川日

▼橘守部
一七八一〜一八四九。国学者。北村季吟の『湖月抄』は、本文をそのまま残し、その右横や、上欄の空白部に、説明を書き加えるスタイルだった。守部が編み出したのは、本文をそのまま残しつつ、本文それ自体の合間合間に説明文を挿入して、意味を明らかにするというスタイルだった。翻訳の方法として、大発明であると思われる。

▼アーサー・ウェイリー
一八八九〜一九六六。源氏物語の美しい英語訳で、この物語を世界文学へと押し上げた大恩人。彼に直接学んだドナルド・キーンから私が聞いた話では、「ウエーリ」という表記が実際の発音に近いとのことだったが、「ウェイリー」と表記されることが多い。その後、いくつもの英語訳が完成したが、ウェイリー訳の美しさと典雅さは無類である。

出男▼さんは源氏物語にヒントを得て『女たち三百人の裏切りの書』という小説を書き、平家物語をドッキングさせて平成最強の新しい解釈を提出しました。源氏物語を読むとき、このように読みたいという求めるものを先にもっていて構わないと私は思います。自分の問題意識をぶつけると源氏物語は切実な現代文学として蘇ってくれるのです。私は研究者としてこの古くて新しい源氏物語の未来を見届けたいと思っています。

▼古川日出男
一九六六〜。小説家。桐光学園でも講演したことがある。与謝野晶子以来、瀬戸内寂聴まで、源氏物語を女性の視点で解釈する流れがあるが、古川は力強い男読みを展開している。つまり、源氏物語を単なる文学書ではなく、「日本文化」の書、正確には未来の日本文化をつくる遺伝子の詰まった書として理解している。その点に、私は共鳴する。

わたしの思い出の授業、思い出の先生

これは実話だが、この問いとまったく同じ問いに、試験問題として解答したことがある。

昭和52年、東京大学教育学部で開講されていた「国語科教育法」という科目だった。国語の教員資格を取得するためには必須科目だった。担当は、東京学芸大学教授で、徒然草の権威として知られる安良岡康作先生（1917〜2001）。私が全力で書き記した答案は、100点満点でなんと30点だった。後年、別の教育学者に、「こういう問いには、どう書けば、良い点数がもらえるのですか」と質問したら、彼は高得点を獲得する模範解答を教えてくれたが、私には予想外の内容だった。

わたしの仕事をもっと知るための3冊

島内景二『源氏物語に学ぶ十三の知恵』（NHK出版）
島内景二『和歌の黄昏　短歌の夜明け』（花鳥社）
島内景二『新訳更級日記』（花鳥社／近刊）

新時代の文学と人間

藤谷治

僕がデビューしたのは社会人になってからのことです。それも普通の小説家のように、小説の新人賞をとったりもせず、いきなりデビューしました。

十年間くらい、ずっと会社勤めをしていましたが、上司や部下といった人間関係に疲れてしまいました。儲けがなくても構わないから好きなことをしたい、ひとりになりたいと思い、退社して下北沢に小さな本屋さんを出しました。お客さんもあまり来なくて暇だったけれど、念願だった自分の時間はできたので、店番をしながら小説を書きました。このときに書いた小説『おがたQ、という女』を文芸誌「新潮」の新人賞に応募したのです。

すると新潮社の編集者から「最終候補に選ばれた」と電話がかかってきました。心臓がバクバクしました。最終候補に残るのは五作だけ、確率だけを考えれば五分の一で受賞できる。本屋の常連客で、文学に詳しいフリーの編集者にその話をすると、「受賞できるかもしれない。二作目を書きはじめたほうがいい」と言われました。そのアドバイスに従って、二作目を書きながら発表を待って

ふじたに・おさむ＝小説家。一九六三年、東京生まれ。一九九八年に東京・下北沢に本のセレクト・ショップ「フィクショネス」をオープン。書店経営のかたわら創作を続け、二〇〇三年『アンダンテ・モッツァレラ・チーズ』でデビュー。二〇一四年、『世界でいちばん美しい』で第三十一回織田作之助賞受賞。著書に『いつか棺桶はやってくる』『船に乗れ!』など。

いましたが、落選しました。舞い上がっていた気持ちは沈み、書きかけの小説も途中で放り投げてしまいました。

そんな僕がどうして小説家になれたかと言えば、ある出会いに恵まれたからです。

「セカチュー」の編集者

それからしばらくしたある日、お店に背の高いお客さんがやってきて、店内をぐるっと回り、「面白いお店ですね」と声をかけてきました。その店では一般書籍のほかにも、お客さんが持ち込んだ自費出版の書籍やミニコミ誌を扱っていました。僕自身も創作をしている人間なので、持ち込まれた本は一切断らず置くようにしていたのです。それを見たそのお客さんは、「店長さんも何か書いているんじゃないですか?」と聞いてきました。

きっと僕が新人賞に落選したことを知っていて、それでこんなことを聞いてきたのだろう、と思いましたから、「僕なんか全然だめですよ」といじけると、彼がすっと名刺を差し出してきました。その名刺には「小学館文芸編集部」と書いてあった。それを見て僕は態度をコロリと変えまして、「こういうもの書いています!」と小説を差し出し、「書きかけの小説もあります」と話しました。

書きかけのものも読みたい、と言ってくれた彼と何度も話し合いをし、推敲を重ねて完成したのが僕のデビュー作『アンダンテ・モッツァレラ・チーズ』です。

僕はものすごく運が良かった。というのも本来、原稿から本になるまでには長い道のりがあるからです。いい作品にするために推敲を重ねることはもちろんですが、出版社からGOサインがでなければ、出版することは難しい。その当時の僕は受賞を逃したまったく無名の新人。いやデビューしていないんだから、新人以下でした。売れる見込みなんかまるでない。普通であれば出版社では通らない企画です。

普段から小説を読む方は、出版社というと、新潮社や文藝春秋、岩波書店など、文芸に強い大手の会社を思い浮かべますよね。そういった出版社であれば、「ここが太鼓判を押すなら無名の作家でも面白いんじゃないか」とお客さんが手にとってくれるかもしれないし、本屋さんも「〇〇社さんなら」とたくさん注文してくれるかもしれない。小学館も大手ではあるけど、コミックや雑誌のイメージが強い。編集者もそれをわかっていて「小学館に文芸作品のイメージはないかもしれませんね」と言いました。ところが続けて、「じつは僕が担当した小説がいまちょっとした話題になっていて、売れ行きも好調なんです。『世界の中心で、愛をさけぶ』▼というタイトルです」と言うのです。

正直、僕はそのタイトルを聞いたことがなかったけれど、その当時ですでに二万部を超える売り上げでした。編集者から打ち合わせのたびに報告される「セカチュー」の売り上げはどんどん伸び、最終的には三百万部を超え、社会現象

▼**『世界の中心で、愛をさけぶ』**
二〇〇一年に刊行された片山恭一の小説。女優・柴咲コウの「泣きながら一気に読みました。私もこれからこんな恋愛をしてみたいなって思いました」という推薦コメントが話題を呼び、二〇〇四年には実写映画化され「セカチューブーム」と呼ばれる社会現象を巻き起こした。

を巻き起こすほどの大ベストセラーを記録しました。

僕にとってはすごくラッキーな出来事でした。彼が担当した小説がベストセラーになった、これは小学館のなかでの彼の発言権が強くなったということです。なんの後ろ盾もない僕がデビューできたのは、セカチューを世に出した編集者が「この小説は面白い」と推してくれたからです。僕がデビューした二〇〇三年前後に、彼は僕のほかにも新人作家をデビューさせていますが、そのうちのひとりが直木賞作家の西加奈子▼さんです。いまや大ベストセラーを数多く生み出している西さんも、当時は無名の新人でした。僕のことを今日初めて知った方も多いかと思いますが、僕もいまだに職業作家としてやっていますので、その編集者の目は非常に冴えていたということですね。

▼西加奈子
小説家。一九七七年、イラン・テヘラン市生まれ、大阪育ち。ライターを経て、二〇〇四年『あおい』でデビュー。二〇一五年『サラバ！』で第百五十二回直木賞を受賞。

「小説家になるために必要な三つのこと」

みなさんのなかにも、いつか小説家になりたい、あるいは絵画や音楽など、自分の表現や創作で世に出たいと思う方がいるかもしれません。そのために必要なことは三つあります。

一つは才能、もう一つは運。でも、才能や運は自分では判断ができません。鏡に向かって「俺は才能がある」と言っても、誰にも届かなければ意味がない。才能を決めるのは他人です。運を見極めるのはもっと難しい。どこに転がっているのか、いつチャンスがおとずれるのかは誰にもわからない。だから三つ目が重要になってくる。それは完成させた作品です。

僕は運良く小学館の編集者と出会えました。けれど、もしあのとき、僕が終わりまで書いた小説を持っていなかったらどうなっていたでしょう。「いつか書こうと思っています」としか答えられなかったら。話のあらすじもわからないような書きかけの小説しかなかったら。編集者は僕の小説が世に出せるものなのか判断ができないですよね。きっと「いつか書いたら教えて下さい」と社交辞令を言われて、それっきりだったと思います。でも僕はそこで終わりまで書いた原稿を渡し、幸運に乗っかることができた。

ですからみなさんも、自分の作品がたとえ不満足な出来だったとしても、最初から最後まで書いた作品を持っていてください。彫刻だったら全部彫る、絵画であればすべて描き切る。完成品をひとつでも持っていれば、いつか運が回ってくるものです。そして、そのときになってようやく自分に才能があるかどうかがわかります。

この作品では自分の才能を判断してほしくないと思うかもしれない。「本当はもっとすごいものが書ける」「本気を出せばすごい」と。でもそれは言い訳です。これはクリエイティブな仕事に限らず、ほかのことでも同じことがいえます。

たとえば、君がいつかサッカー選手になりたいと思い、Jリーガーをたくさん輩出している学校に入学できたとしても、君がJリーガーになれる保証はどこにもありません。練習しなければ技術は身につかないし、誰も君の才能に気づけない。

でも、サッカー部に入っているひとは最初からわかっている。練習しなきゃ意味がないと。当然の話のように聞こえますが、クリエイティブな仕事をしたいひとに限ってこう考えるひとが少ない。才能と練習を結びつけて考えることが難しいのかもしれませんが、運が巡ってくれば自分だって才能を発揮できるんだと夢想して、ただ待っているのは時間の無駄です。それよりも手を動かし、作品をつくることが自分のためになるし、運をつかまえるヒントにもなります。

「チェンジの年」

自分にはやりたいことなんかないと思うひともいるでしょう。そんなことがなくても人生は楽しい。僕もそう思います。だからそれは全然悪いことじゃない。ただ、元号が変わって新時代を迎えたいまは、自分を奮い立たせるチャンスの時期でもあると僕は思います。

新時代なんて日本に限ったことじゃないか、そう思う方もいるでしょう。

みなさんはタイの王様ラーマ九世がいつ亡くなり、いつラーマ十世が即位したかご存知ですか。国民から絶大な尊敬を集めた王の死を悼んで、タイの新聞には追悼文が掲載され、葬儀にはたくさんの国民が訪れました。そしてラーマ十世が誕生し、タイは新時代を迎えた。それはいつのことだったでしょう。タイの人びとにとっては歴史が切り替わる重要な出来事でも、いきなり訊かれて答えられる日本人はほとんどいないのではないでしょうか。同じことがイギリスのエリザベス女王即位の年にも言えます。

国にはその国にとっての歴史の転換点、チェンジの年があります。そういった意味では、日本の元号制度はいいものだと思います。しかも今回の新元号発表は歴史的にも祝福された、賑やかな幕開けになりました。まるでワールドカップで試合に勝ったときのように渋谷のスクランブル交差点では拍手が沸き起こり、花火が上がり、ゴールデンボンバー▼が新元号の曲を歌ったり。昭和から平成に変わったときとは風景がまるで違います。

昭和が終わりを迎えた一九八九年一月七日、僕は横浜駅の地下街にある大きな本屋で働いていて、その日も朝早くから出勤しました。昨日までは新年を迎えてお正月モードだった地下街も、一切のBGMが消され、沈みこんだ空気に包まれていました。いまでも忘れられないのは、用務員のおじさんが、地下街に飾られた松飾りを叩き壊していたことです。天皇制度については多様な考え方がありますが、日本を象徴する、国民にとって重要な存在である天皇が亡くなったのに、「ハイいまから平成!」といわれても、拍手する気分にはなれないですよね。今回は崩御ではなく退位という形ですから、みんなが新時代の幕開けを素直に喜ぶことができました。

▼ゴールデンボンバー
二〇〇四年に結成された日本のヴィジュアル系エア・バンド。新元号を盛り込んだ楽曲「令和」は、発表直後にレコーディングし、新元号を歌った曲として最速で発表された。

「ハッピーな新元号」

みなさんもニュースでご存知かと思いますが、新しい元号は万葉集からとっています。明治から平成までの元号は中国の古典から引かれ、今回の新元号とは意味合いにも大きな違いがあります。

「明治」聖人南面して天下を聴き、明に嚮ひて治む
（優れた指導者は常に正しい方向を向いて政治を行う）

「大正」大亨は以って正天の道なり
（堂々としていて正しくあることが理性者の完璧なあり方）

「昭和」百姓昭明にして、万邦を協和す
（すべてのひとがしっかりすれば世界中の人びとが協調しあえる）

「平成」内平かに外成る
（国内が平和であれば外国との関係もうまくいく）

これまでの元号は、政治はどうあるべきか、外国との関係はどうあるべきかという、国家としての理想を託した名前にすることが常識だったのです。

一方「令和」の典拠である万葉集には、どんなことが書いてあったでしょう。

初春の令月にして、気淑く風和らぎ、梅は鏡前の粉を披き、
蘭は珮後の香を薫らす

美しい景色を見て気持ちがいいということを意味しています。国はどうあるべきか、われわれはどこに向かうべきかなどといった、政治的な理想や野心は一切感じられません。引用した万葉集の序文は、実際にみんなでパーティを楽しんでいる様子を描いています。だから新時代を迎え、みんなが祝福したことはこの元号の意味と繋がっています。

じつはこの序文、中国の王羲之▼が書いた『蘭亭序』が元ネタと言われていて、なんだ、しょせん中国文学のパクリじゃないかと批判的に思うひともいたようです。しかし僕は、この新元号を考えた国文学者は、最初からそのことがわかっていたのではないかと推察しています。

そもそも日本の文化は、大陸・中国から伝わってきたものを独自の形に変えて進化してきました。日本語の文字そのものが中国由来のものです。大昔にも日本語はありましたが、書き記すための文字は発達していなかった。自分たちの思想や表現を未来に受け渡すためには、文字がどうしても必要だと考えていたところに、大陸から漢字が伝わってきます。当時の人びとは「これを使おう!」と決め、自分たちらしくアレンジをしたものが万葉仮名です。

ですから最初の日本語の文字は、すべて漢字でした。漢字というのは表意文

▼王羲之
中国東晋の政治家・書家。三〇三年生まれ。書の芸術性を確固たるものとした普遍的存在として書聖と称され、後世に絶大な影響を与えた。三六一年没。

字で、必ず意味を伴っていますが、昔の日本人は漢字から意味をとっぱらって、音だけを使って日本語を書くことにしたのです。たとえば万葉集に「烏梅能波奈」と漢字が並んでいるところがありますが、これ、何て書いてあるかわかりますか。中国のひともおそらく判読できないでしょう。これは「うめのはな」と読みます。「烏(う)」や「波(は)」といった漢字のもつ意味は無視して、音だけを使っているわけです。

なぜ当時の日本人はこんな、無理のあるアレンジしたのでしょうか。普通に考えたら中国語をそのまま使うほうがずっと楽だったはずです。けれど、当時の人びとは日本語を残したかったのだと思います。文字はないけれど、日本語自体はすでに誕生していた時代です。

もし、中国語は素晴らしいからこのまま使おう、日本でも中国語を話すことにしようと受け入れていたら、日本語は存在していません。言葉だけでなく、日本語の歌、万葉集にあるような数々の歌も、滅んでいたでしょう。

一方、自分たちの言語を尊重しすぎるあまり、大陸の文化を拒絶していたら、やはり日本語は生まれなかった。自国の文化を極端に卑下したり、他国の文化を頑なに拒絶することなく、両方のいい文化を吸収して日本語は生まれた。これこそが日本文化の本質だと思います。今回の元号にも、その本質が象徴的に表れているのではないでしょうか。

「文学の役割」

学校で学ぶ科目にはひとそれぞれ好き嫌い、得意不得意があるし、なぜすべての教科を学ばなければならないのか、疑問に思う方もいるでしょう。将来に役立つものだけを勉強すればいいじゃないか。でも学校で学ぶ知識は、人間が社会にでていくうえで「ここだけは知っておいてほしい」という願いが込められているのだと思います。この「知っておいてほしいこと」を、コモンセンスと言います。

僕は何かの専門家ではありませんが、文学についてはずっと考えてきました。文学には興味がない、関心がない方にも、これだけは知っておいて欲しいコモンセンス。それは文学の役割、文学とは何かということです。

現代の私たちは大きなつながりのなかにいます。ゲームをするときもオンライン、LINEなどのSNS、たとえひとりきりでスマートフォンを眺めていても、画面の向こう側には無数の人びとが存在していて、ありとあらゆる情報が絶え間なく入ってくる。

文学の役割は、君を「ひとりにする」ことです。本を読むときは、その本以外の情報を吸収することができない、「ながら」では本は読めないでしょう？電車に乗りながら、ご飯を食べながらくらいはできるかもしれない。けれど誰かと会話（チャット）しながら、あるいはテレビを見ながら読書するのは難しい。

世の中で何が起こっていようとも、読書中はつながりを絶たれます。文学は君に対して、ひとりになることを要求します。

つまり文学とは、本質的に「さびしい」ものです。ひととつながっていないのはさびしい。だから文学は、「つまらない」ものと思われがちです。けれども、文学が君に求めるさびしさは、じつは人間にとってとても大事なものです。なぜならひとは、四六時中ほかの誰かとつながっていると、自分を見失ってしまうものだからです。ひとの意見に左右されたり、ひとと違うことを考えたり感じたりしてはいけないような気がしてしまう。

インターネットというテクノロジーによって、「つながり」はかつてないほど濃厚に、頻繁に、そして強迫的になりました。「新時代」には、そういう側面もあります。君が君の考えを自分でつくったり、君自身の感覚を自覚したりするのは、この新時代には難しくなりがちです。

そんな時代にあって、文学は君をひとりにします。外部からの情報を遮断します。しかし文学を前にした君は、真っ暗な部屋で黙りこくっているわけじゃない。読書しながら喋るひとはあまりいないでしょうが、しかし君は黙っていても濃密な会話を交わしているのです。文学を相手に。

文学というと国語の教科書に載っている文豪を思い浮かべるひともいるでしょう。しかし、たとえば夏目漱石は本当に偉大な小説家でしょうか？

その答えは、ひとによって違います。国語の先生が「素晴らしい作家」と評しても、君がつまらないと感じたら、夏目漱石は偉大な文学者ではない。それが文学と君との会話です。文学の値打ちは万人にとっての価値ではなく、あなたが文学と会話して決めるものです。

文学のもつ役割は日本文化の本質ともつながっていると思います。自分を極端に卑下したり、頑なに拒まず文学と向き合ってください。文学はあなたのためだけに存在しています。

Q&A

――読者に「面白い」と思ってもらうために工夫していることはありますか？

もし自分にまったく関心のないひとを楽しませなきゃいけないとして、ただ「今朝、家の庭にバラが咲いたんだよ」と話しても、つまらないと思われるだけですよね。ところが「そのバラが全部真っ黒でさ」といえば「え、なんで?!」と、続きが聞きたくなるんじゃないでしょうか。もちろんこの話は嘘です。ここでひとつの選択肢が生まれます。

面白くするためになら、嘘をついて良いのか。黒いバラが咲いたというのは、ついていい嘘か。なんでそんな嘘をつくのか。黒いバラの話をして、その後どうするつもりなのか。

物語を書くときは、このような大小さまざまなレベルの選択肢が生まれます。一つひとつを悩みながら、いい小説を書くために取捨選択しています。一言では到底言えませんが、みなさんも何か表現したいときは、たくさん悩んで、絶え間なく取捨選択するのがいいと思います。

——僕は小説が好きです。でも、物語の筋を追うだけで満足してしまうので読み返すこともほとんどなく、内容を深くは理解できていない気がします。もし繰り返し読むときの楽しみ方があったら教えてください。

物語の筋だけを追う読み方も、全然悪くないと思います。深い内容なんかない小説だってありますしね。

ただ、君がいま言ったような、深い理解ができていない「気がする」ことはありますよね。それは君が、もしかしたらその小説には、何か深いものがあるかもしれない、と感じたってことです。でもその深いものを、うまくつかみとれなかった、そんな気がする。そういうことも、読書にはあります。

でもそういう場合も、ほっといていいんじゃないかと思うんです。だってわかんなかったんだから。いまはほっておいて、次の本に行く。それでも気になったら、また後で読み返せばいい。ずうっとほっておけるのが、本の良さです。

いまのうちにたくさん読んでおくと、大人になったときに「そういえばあんなシーンがあった」とか「こんな言葉があったな」と思い出すことがあると思います。そうして読み返すと、昔読んだイメージとはまるで変わっていることが非常に多い。同じ本でも発見がたくさんあります。

たとえ内容を深く理解できていなかったとしても、意外といつまでも心に引っかかることはあるので、無理に繰り返し読まなくても大丈夫。むしろたくさんの作品を読むことができたら、その分いい本に出会える可能性も大きくなっていくと思います。

——私は将来、絵を描く仕事につきたいと思っています。でも自分が表現したい絵と、売れる絵が違うとしたら、流行に合わせて描き方も変えていくほうがいいのでしょうか？

もしあなたが流行のキャラクターみたいな絵を描こうとして描けるのであれば、時代に合わせる才能があるということですし、そうしても問題はないと思います。ただ、流行とか時代って、わかるようでわからないものですよ。僕だっていまの時代を生きているんだし、時代の制約を受けているに違いないんだけれど、それがどんな制約なのか、いまがどんな時代なのか、うまく説明できません。だけど、流行がつかめないから書くのをやめる、ということにもならないんです。流行にも乗っかれないし時代もわからない、そして売れない。でも僕は書くのがやめられないんです。

僕も編集者から当時流行していたライトノベルを依頼されたことがあります。ヒロインがいて紆余曲折の末に恋が実る甘酸っぱい青春物語、ＢＬ要素もちょっと入ると良いかなと、なんとなく見当をつけて書きはじめたのですが、書けば書くほどズレていく。『船に乗れ！』という小説ですが、実際に読んだ方も、これがライトノベルだとは思わなかった。僕だってできることなら百万部売れるような流行小説を書いて全米に泣いてほしいけれど、時代に合わせるのはじつはすごく難しいし、どうしても個性が出てしまうものです。

そんな僕が仕事を続けられているのは、流行とは別のとりえが、僕の小説にあるからでしょう。流行に乗るのも悪くないけれど、にじみ出てしまう個性があるなら、それを活かすことで開ける道もあるのだと思います。

わたしの思い出の授業、思い出の先生

申し訳ありませんが、僕には思い出の授業も、思い出の先生もおりません。とくに学校でイヤな目にあったということもないはずで、思い出す先生方もみな良い方ばかりだったと思うのですが、先生や授業との出会いで、人生を変える何事かがあったとは、どうしても思えません。僕を変えたのは、徹頭徹尾、本や映画、そして音楽それ自体でした。

わたしの仕事をもっと知るための3冊

僕自身の著作ということであれば、

『燃えよ、あんず』（小学館）

『船に乗れ！』Ⅰ、Ⅱ、Ⅲ（小学館文庫）

『小説は君のためにある――よくわかる文学案内』（ちくまプリマー新書）

僕がいま、読んでいる本ということであれば、『うつほ物語』『源氏物語』『竹取物語』（いずれも岩波書店、新潮社などの刊行している原文で読みました）。

国語から旅立って

温又柔

突然ですが、いまからみなさんに忘れてほしいことがあります。私について予習してくれたひとはおそらく「温又柔」という名前の読み方を知っていますよね。でも一度、そのことを忘れて考えてみてほしいんです。

もし、私とどこかで偶然出会ったとしたら、この名前を読めるひとはとても少ないのではないでしょうか。「温」は「おん」と読めるかもしれませんが、問題は下の部分ですね。「またじゅう」と読んだりするんじゃないでしょうか。それどころか、どこからどこまでが苗字なのかわからないひともいると思います。セールスの電話がかかってきて、「ぬくまたさんのお宅でしょうか？」と言われることもあるんですよ。それほどに、私の名前は難読です。名前だけでなく、私は自分の小説に『好去好来歌（ハオチューハオライクー）』▼といったあえて難読なタイトルをつけることもあります。

「温又柔」や『好去好来歌』は読めなくても、「先生」を〝さきなま〟と読むひとは、みなさんのなかにはいないと思います。初めて漢字を勉強するひとか

おん・ゆうじゅう＝小説家。一九八〇年生まれ。台湾の台北市出身。三歳より東京在住。二〇〇九年に『好去好来歌』で作家デビュー。二〇一六年に『台湾生まれ　日本語育ち』で日本エッセイスト・クラブ賞。他に『真ん中の子どもたち』『「国語」から旅立って』など。著作の他に、高山明主宰の演劇ユニット「Port B」演劇プロジェクトのためのテキスト執筆、朗読などの活動も意欲的に行っている。

らすれば、「なぜ〝さきなま〟と読まないのか？」と思うかもしれません。漢字には複数の読み方がありますから、そう思うのも無理のないことです。みなさんがこれを〝せんせい〟と当たり前のように読めるのは、小学校一年生のときから毎日漢字を勉強していたからです。

日本の一般的な学校では、国語の授業に限らず、他の科目も日本語を使って勉強しています。とはいえ、自分たちが使っている言葉が「日本語」であることを普段から意識しているひとは少ないのではないでしょうか。たとえば旅行などで海外に行ったときに「英語が通じた！」とか、「韓国語がわかった！」と感動することはあっても、日本で「日本語が通じた！」とか、「日本語がわかった！」と感じる機会はまずないのではないでしょうか。なぜなら、日本語を使うことがそれほどに当たり前だから。

なぜこんなことを言うかというと、その当たり前はほんとうに当たり前なのか？ということを、みなさんに考えてもらいたいからです。今日は「国語とは何か」というテーマで、言葉について話したいと思っています。

▼『好去好来歌』すばる文学賞佳作受賞作品。台北市で生まれ、東京で育った少女の恋、言葉に対する葛藤を描いた作品。

「二つの名前」

もう一度、私の名前を例にして考えてみましょう。

私は沖縄より南にある台湾というところで生まれ、子どものころ、父親の仕事の都合で日本にやってきました。子どものころは、もっと普通の名前だったらよかったのにと思っていました。ゆうこちゃんとか、めぐみちゃんとか。当時の私にとって、普通の名前とはこういう日本語っぽいもののことでした。「おんゆうじゅう」はもともと中国語の名前を日本語読みしているから、日本語っぽくないのは当たり前ですよね。中国語だと「ウェンヨウロウ」と読みます。ですから、私には「おんゆうじゅう」と「ウェンヨウロウ」の二つの名前があることになります。

台湾では、みんな、中国語を話します。もしかしたら、「日本人は〝日本語〟を話すのに、台湾のひとはなぜ〝中国語〟を話すの？」と疑問に思うひともいるかもしれません。確かに、台湾語も話されてはいますが、台湾の公用語はあくまで中国語です。ということは、台湾語と中国語は似ているのかな？と思うひともいるかもしれませんが、まったく発音が違います。たとえば「こんにちは」は、中国語では「ニーハオ」、台湾語では「リッホウ」。全然違いますよね。日本語ができない日本人がほとんどいないように、中国語ができない台湾人はほとんどいません。

この「台湾なのに〝中国語〟が話されている」という事実を、みなさんには心に留めておいていただきたいと思います。台湾の言語事情はいろいろ複雑なのですが、ひとまずこのことだけは覚えていてください。

「日本語との出会い」

突然ですが、みなさんは最初に覚えた日本語が何か、覚えていますか？　私の自慢は、そのことを覚えていることです。それは「二歳」という言葉です。私は三歳になる前に日本に移り住みました。それまでの私は、日本語ではなく中国語を喋っていました。正確に言うと、中国語に台湾語が混ざった言葉ということになります。

日本に来て、私と日本語の関係は始まりました。いまでこそ日本語のほうが得意ですが、当時はまだ中国語のほうが得意でした。そんなある日、両親と三人で東京の街を歩いていたら、優しそうなおばさんが「可愛いね、お嬢ちゃんいくつ？」と私に話しかけてくれました。私はおばさんが言っていることがわからず、ただ黙ってニコニコしていました。そうしたら、父が「うちの娘は二歳です」と答えました。父は日本で仕事をすることが決まってから、日本語を勉強していたので、母や私よりもおばさんが言っていることを理解できたのです。その後、父は母と私に、おばさんとの会話を中国語か台湾語で説明してくれました。そのとき、「二歳」という自分と関係のある言葉がとても印象に残りました。嬉しくて、しばらく誰彼構わず「私、二歳」と伝えていたくらいです。いまでも日本語で文章を書いているとき、自分と日本語の関係は「二歳」という言葉から始まったんだなと思い返す瞬間があります。

日本の幼稚園に通いはじめてから、自分がいままで使っていた言葉がまったく通じず、とてもびっくりしたことがあります。当時の私は、世界には二つの言葉があると思っていました。家のなかで話している言葉と、家の外で話されている言葉。それほどに世界が異なっていました。幼稚園に入って半年くらい、同級生とも会話ができず、ただ話を聞いているだけの時期がありました。

そんなある日、「日本語がわかった」と感じる瞬間があったのです。それは幼稚園の年中のときのことです。滑り台で遊んでいるときに、そばにいた子にぶつかってしまいました。私の通っていた幼稚園では、年少・年中・年長でバッチの色が違っていたので、ぶつかった子が年少であることがすぐにわかりました。私はとっさに「ごめんね」といいました。そのとき、ふと思いました。もしぶつかった相手が自分と同じ年中の子だったら「ごめん」、自分より年上の子や先生だったら「ごめんなさい」って言うべきだと。私は、「ごめん」には「ごめんなさい」「ごめん」「ごめんね」という三つの伝え方があることに気がついたのです。中国語の「ごめん」には、「對不起（ドゥイブーチー）」という言い方しかありません。ですから私が台湾の幼稚園に通っていたなら、ぶつかった子の年齢なんて考えずに「對不起」といえば済むことですよね。つまり、この体験から「日本では、付き合うひとによって言葉遣いを変える必要がある」ということを、四、五歳の子どもなりに悟ったんです。この感覚を、日本生まれの日本人の子どもたちは当たり前のものとして身に付けていくのだろうと思います。でも私の場合は、もしかしたら永遠に中国語だけを使っていたかもしれない。だからこそ、この体験が私と日本語の関係を深めるきっかけになったのだと思います。

ひらがなとの出会い

小学校に入ると、「二歳」という言葉を覚えたときや、「ごめんなさい」の三段活用を覚えたときの興奮に匹敵する大きな出来事がありました。それは、ひらがなを覚えたことです。

これまで言葉は話すと同時に流れ去るもの、消えてしまうものでしかなかったのに、文字をつかえば紙の上に文字として残すことができるようになった。言葉を自分のすぐ近くに留めておけることを知って、私はとても興奮しました。それまで本を開いても、単なる黒いシミでしかなかった文字が読めるようになるのですから。聞くだけでは捉えきれなかったことも、文字として見ることで新しい発見もあります。そして、すべてのひらがなを覚えたら、自分が喋っていることを書けるようになります。たとえば「今日は〇〇を食べた」とか「今日は遊びに行った」といった、それまでは頭のなかで思うしかなかったことが紙の上に書き残せる。そのことがとても嬉しかったんです。

そんなあるとき、不思議なことが起こりました。この時期もまだ、家に帰ると中国語や台湾語を話していたのですが、これを紙に書こうとしたとき、どう書いていいかわからなくなってしまったのです。たとえば朝、お母さんが「ギン・キャイ（何してるの、早く起きなさい）」と言って、寝坊している私を起こしに来ます。このお母さんの言葉を、学校の作文などでどのように書けばいいのかわからなくなってしまいました。音としては聞こえるけれど、自分の知っている文字では表せない。最初から日本語しか話さない環境で育ったとしたら、このようなことは起こらないでしょう。そこで私は、家のなかで話される中国語や台湾語を、日本語に翻訳して書くことにしました。家の外で通じる言葉が日本語であるのだから、日本語で書くべきだと。ひらがなで書けるものだけが、文字として記せるものだと思っていました。

中学一年生になったとき、英語の授業中にまた忘れられない経験をしました。その日は、英語で自己紹介をすることになりました。先生があらかじめ作った自己紹介シートに、家族構成、好きな色、食べ物、スポーツなどを英語で書き込みます。そのなかに「好きな科目」という項目がありました。私は国語と書こうとして、「英語で国語ってなんて言うんだろう？」と思いました。先生に聞くと、「それは、Englishよ」と。私は「Englishは国語ではなく英語でしょ？」と混乱しました。すると先生は「イギリスのひとたちの国語はEnglish。じゃあ私たちの国語は……」と言って、黒板に「Japanese」と書きました。そこで初めて、私の「国語」は〝日本語〟なんだと意識したのです。そして同時に、もし私がずっと台湾で育っていたなら、私の「国語」は〝中国語〟だったかもしれない、とも思いました。

当時、台湾の同年代の従兄弟に会うと、彼らはみんな中国語を話しました。私が国語の時間に〝日本語〟を勉強しているように、台湾にいる彼らは国語の時間に〝中国語〟を勉強しているからです。同じ「国語」という科目なのに、場所や時代によって、異なる言語を習っている。もしみなさんが、日本ではない国に生まれていたとしたら、あなたが習う「国語」は日本語でなかったかもしれない。そう想像すると面白いと思いませんか？　みなさんが日本語を習っているのは、たまたま日本にいるからです。ほとんどの赤ん坊は自分の周囲で使われている言葉を習得できる天才的な脳をもっています。ですから、みなさんが別の環境で育ったとしたら、英語やフランス語を喋っていた可能性だってあったのです。

「自分だけの言葉を捕まえる」

私も含め、みなさんは日本語を軸にして生きています。つまり日本語が、何かを考えたり、感じたりするときの基盤になっているということですね。たとえば、「懐かしい」という感覚。昔よく行っていた公園、遊んでいた友だちを懐かしむことがあると思います。でも、この「懐かしい」という言葉が無い言語もあります。私たちには「懐かしい」という言葉があるから、「懐かしい」

という感情がある。イギリス出身の知人が、日本語を勉強して初めて「懐かしい」という気持ちと、「肩こり」を知ったと言っていました。「肩こり」という言葉を知ったら、やたらと肩がこるそうです。つまり、言葉があることで、感情を捕まえることができるんです。

反対に、他の言語にある表現が日本語にない場合もあります。私も、中国語の表現を日本語でうまく置き換えられないことがよくありました。当てはまる言葉がなければ、その感情もなかったことになるのでしょうか。いや、それがあったのは確かなのです。ではそれを表すにはどうしたらいいのか？　ひとつは、外国語を勉強してみることで、世界が広がるかもしれません。別の言語でなら、日本語では捕えられなかった、名付けられない感情を表現できるかもしれません。

もうひとつは、当たり前のように使っている日本語をもう一度見つめ直してみることです。そうすることによって、ぴったりと当てはまる言葉はないとしても、そのこと自体を含めて自分の感情をあらわす表現はつくりだせるかもしれません。そういうことを意識しながら、今日からまた自分たちと日本語の関係を考えていって欲しいです。

みなさんは、どちらかというとまだ赤ん坊に近い存在です。外国語も、日本語も上達する可能性が無限に開かれています。「エモい」や「キモい」で終わらせていた表現を、「どういう風にエモいのか」「どういう風にキモいのか」というように、掘り下げていく力があるひとは、自分の世界をどんどん深められると思います。もちろん、「エモい」のひと言で、自分の感情を一〇〇パーセント説明できるなら問題ないけれど、もし言葉だけが先走って、自分の感情が追いつかないという経験があるなら、普段つい使ってしまう言葉をいったん脇に置いて考えてみましょう。自分がほかにもち合わせている言葉でもう一度世界を見つめ直してみてください。そういう経験を積み重ねることで、世界の見え方が変わると思います。ひとの言葉ではなく、自分の言葉で世界を見つめたほうがきっと面白いです。

私はひらがなを覚えたとき、日本語以外の言葉を全部雑音とみなしてしまいました。自分の両親が使っている台湾の言葉でさえも、本当は聞こえているのに無かったことにしていた。文字にできる日本語だけが、家の外で通じる日本語だけが、自分の言葉だと思い込んでいました。けれども、すぐに言葉にすることはできなくても存在しているものは確かにある。それらのものに心を開くことで、目の前の世界が自分だけの世界になる。そこに大きな喜びがあるんですよね。

私は小説を書くとき、このようなことを意識しているのですが、たとえ小説を書かなくても、誰にでも当てはまることだと思っています。私の場合、家のなかの言葉（中国語・台湾語）と家の外の言葉（日本語）があることに気づいたことで世界が変わった、という話をしましたね。いま、私は両方の言葉を混ぜ合わせながら小説を書いています。じつは日本語ってすごく便利な言葉で、カタカナを使えばどんな未知の言葉でも大抵は文字にできます。カタカナを使うことで、五十音表のなかだけで表現し切れないことが世界にあることがわかって面白いです。そんなことを感じられるような文章を、これからも書いていきたいです。

授業の初めのほうで、私には「おんゆうじゅう」と「ウェンヨウロウ」という二つの名前があるといいました。みなさんは、どちらが私の本当の名前だと思いますか？　じつは、私はある時期まで、自分の本当の名前は「ウェンヨウロウ」なんじゃないかと思っていました。なぜなら、私の名前はもともとは中国語だからです。でもいまは少し違う考えをもっています。「ウェンヨウロウ」も、日本語のなかでは変わっている「おんゆうじゅう」という名前も、どちらも私の名前だと思います。そこに絶対的な答えはありません。

これからみなさんには、正しいひとつの答えを選ばなければいけない瞬間、そして選ばされる瞬間が何度も訪れると思います。確かに受験勉強では正しいひとつの答えを選ばなければならないかもしれません。でも、「絶対ではない可能性」にも心を開いてみてください。たとえ百点を取れなくても、「その可能性の部分を合わせて百点である自分」を大事にしてください。

Q&A

――わざと難読な作品タイトルをつけていると仰っていたのですが、その理由を教えてください。

日本語で通じやすい言葉だけを使うことが、日本文学の表現ではないと主張したかったからです。私の最初の小説『好去好来歌』もそのひとつです。中国語のタイトルの本が日本文学として書かれる可能性もあることを伝えたくて、わざと読みにくいタイトルをつけました。

――僕も先生のように、風景や、その場で感じたことをどうやったら言語化できるのかを考えます。でも、自分が使える言葉と風景や感情との間に隔たりを感じ、うまく言語化できないことがよくあります。それが悔しくて、言葉が嫌いになりそうです。風景や感情を日本語で的確に表すことは、じつは不可能ではないかと思うことがあります。先生は同じような経験はありますか？　そういうとき、どうされますか？

それはとても大切な戸惑いですね。私もいつもそうです。私は日々言葉と向き合っているのに、頼りないことを言うなと思う方もいるでしょう。でも、この「おぼつかなさ」こそが、小説にとって大切なことだと私は思っています。簡単に説明できることなら、あえて小説として書く必要はありません。自分が書きたいことをどう書いていいかわからない、という葛藤のなかで言葉を掴もうとする作業こそが、小説を書くという行為そのものなので。その葛藤がない小説は、世の中にあまりないのではないでしょうか。最近、「コミュニケーション能力が高い、低い」という言い方をしますが、私はその表現に違和感を持っ

ています。最近は、「それっぽいこと」を淀みなく言えるひとが話し上手なひと、コミュニケーション能力が高いひとだと思われがちです。でも、本当のコミュニケーションはそうではないと思います。口ごもったり、戸惑ったり、既存の言葉で表せない感情を自分なりに見つめて、何年もかけて言葉を見つけ出すことだと思います。本当の言葉を見つけるには、とても時間がかかります。真にコミュニケーション能力が高いひととは、あなたのように言葉を軽く捉えないひとだと思います。

言葉ではなく、むしろこの軽薄な社会を嫌うほうがずっといい。いろいろな言葉と出会うために、一生懸命探求する時間を設けてください。

わたしの思い出の授業、思い出の先生

Q1: 思い出の授業を教えてください

大学院生のとき創作のゼミで、日本育ちの台湾人である主人公が日本と台湾のどちらにもなじめず疎外感を覚えるという内容の小説を書いて、先生だった司修さんとゼミの仲間たちに読んでもらった日のことが忘れられません。

Q2: なぜ記憶に残っているのですか？

それを書けば、先生や仲間たちに自分をまるごと認めてもらえるはずだと期待したにもかかわらず、実際には「こんな泣き言を書いて、僕たちに同情されたいの？」とほかならぬ司先生に言われたからです。

Q3: その授業は人生を変えましたか？

はい。あのとき、司さんが「辛かった、苦しかった、とわめいてばかりでは伝わらないんだよ。小説がほんとうに書きたければ、自分の悲しみや怒りをそのままぶつけるのではなく、そういうものを抱えた自分自身としっかりむきあって、きちんと距離をとらなくては」と叱ってくれなかったら、私はいまだに「泣き言」ばかり書き連ねていたと思います。

わたしの仕事をもっと知るための3冊

温又柔『「国語」から旅立って』（新曜社）
フェイ・阮・クリーマン著　林ゆう子訳『大日本帝国のクレオール――植民地期台湾の日本語文学』（慶應義塾大学出版会）
西成彦『バイリンガルな夢と憂鬱』（人文書院）

第6章

ないものを創り出す

製硯師の野望

青柳貴史

あおやぎ・たかし＝寶研堂内硯工房・四代目製硯師、大東文化大学文学部書道学科非常勤講師。一九七九年、東京生まれ。十六歳のころより祖父・青柳保男、父・彰男に作硯を師事。日本・中国各地の石材を用いた硯の製作、修理、復元、プロデュースを行う。著書に『硯の中の地球を歩く』『製硯師』など。

みなさんが書道の授業で使っている硯（すずり）は、いまから約五千年前の中国で誕生した世界最古の筆記用具のひとつです。僕は硯のプロフェッショナル、製硯師（せいけんし）です。山に行って原料となる石を切り出し、その石を鑿（のみ）などの道具を使って彫り、硯を作り販売する。硯に関するすべてのことを一貫して行っています。このなかに普段から硯を使っている方はいますか？　現在は書道離れが進んでいますが、長きにわたって使われてきた硯には、それだけの歴史と素晴らしい文化があります。今日はそのことをみなさんにお伝えしたいと思います。

「地球が一億年かけて産みだした筆記用具」

硯というと黒くて四角い、手のひらサイズのものを想像する方も多いと思いますが、世界最古の硯はまったく違う形をしていました。上下ふたつにわかれた石が重なっています。中国の新石器時代に使われていた硯（図1）ですが、そのころは「硯」という漢字もまだなく、「硯台」と書き「イェンタイ」と呼ばれていました。「硯」は「研」と同じ意味で「すり潰す」ことと「混ぜる」ことを言います。このころはいまのような墨汁はもちろん、墨もなかった。墨丸という、植物の油を燃やした煤を水で固めただけの丸い玉が使われていて、その墨丸に動物の皮、肉、角、牙を熱して抽出した動物性たんぱく質でできている膠を練り混ぜて文字を書いていたのです。この下に置かれた石は墨丸を置く台で、上の石ですり潰し、混ぜていました。

漫画『キングダム』▼の舞台でもある春秋戦国時代に入ると、次のような形（図2）に進化します。台に足や縁がつき、すり潰すための石がなくなる。つまり、この時代には現在使われているようなスティック状の墨が誕生し、すり潰すのではなく磨っていたことがわかります。

このころは焼き物の硯が使われていましたが、西暦五〇〇年ごろには硯の材料として石が基本になり、宋代に入ってから現在のような窪みがついた硯に近づいていきます。窪みに向かって表面が斜めに作られているのは、そのほうが墨を磨りやすいからです。大根をおろすときも垂直より斜めにおろしたほうが力を入れずに速く磨れますが、その原理と同じです。いまから千五百年以上も昔に道具としての最適な形が誕生していたのです。

長い時を経て、その時代の文化に合わせて多少のモデルチェンジはありましたが、基本形は同じ。昔のひとも、みなさんが使っている硯とほとんど同じ形

図1　中国の新石器時代の硯

▼**『キングダム』**
原泰久による紀元前三世紀の古代中国を舞台にした漫画。「週刊ヤングジャンプ」で連載中。既刊コミックス（五十六巻）は累計発行部数四千七百万部を超え、実写映画化、アニメ化もされている。二〇一三年、第十七回手塚治虫文化賞マンガ大賞受賞。

の硯を使って友人や恋人、家族に手紙を書き、政を書き記していました。どんなに安い硯であっても、それだけの歴史が形づくったものだということを憶えておいてください。

そして硯は石で作られていますが、硯に適した石は、じつは地球上でたった数パーセントしか存在していません。北海道の山に採石に行ったとき、同行していた石の専門家の方に、僕が採った八千年前の石を見せると、「一億年経っていないからまだ若いですね」と言われました。硯になる石は一億年以上の時間をかけて地球が育んだものです。硯はただの筆記用具ではなく、地球の一部。そう思うと大事にしたい気持ちが湧いてきますよね。

▼図2　春秋戦国時代の硯

「夜空に輝く月で硯を作る」

製硯師として硯に携わりながら、ずっと疑問に感じていたことが、北海道産の硯がまだ存在していないことです。あれだけ広大で緑豊かな北海道なのに、硯になる石が見つかっていないのは何故だろう。調べてみると、北海道の先住民アイヌ民族は文字を書く文化がなく、筆記用具を使う必要がなかったことがわかりました。さらに調査を進めて辿りついた情報をもとに、僕は北海道の山に採石に入ったのですが、北海道の自然はひとの進入を拒むほどに厳しいものでした。

とくに山のなかは気温の低下速度がとても早く、夕方五時になると急激に気温が下がり、体力も思考能力も鈍ってくる。せっかく山に入っても、いい石と出会える機会にはなかなか恵まれませんでした。

いまから二年前のことです。その日もいい石が見つからず落ち込んでいて、夜空を見上げると、星が輝いていて、雲の合間から月が現れました。ふと、あの星空にある、どこかの惑星の石から硯が作れるんじゃないかと閃いた。自分がいま立っている足元からも見つからないのに、なぜそう思ったのかは説明が難しいのですが、翌日には隕石などを専門に研究している国立極地研究所に、隕石や月の石を見せてほしいと電話しました。実際に隕石を見て、僕の閃きは実感に変わりました。この石で硯を作れる。

ところが隕石や月の石は非常に高価で、一般的な大きさの硯を作ろうとしたら一千万円以上はかかってしまいます。ここで諦めることは簡単ですが、地球外の石で硯を作って文字が書けたらと思うとすごくワクワクするし、そんな体験を届けることができたら、いろんなひとが書道の楽しさに気づくきっかけになるかもしれない。それこそが僕が製硯師として伝えていきたいことです。

硯の定義は墨を磨りおろすことができる、石でできた磨墨（まぼく）筆記具ということだけ。だから墨をためる窪みや縁がなくても硯としては十分に機能する。僕が買ったのは、親指くらいの大きさの月の石でしたが、この小さな月の石でも硯は作れます。発想を切り替えて挑戦することにしました。この石には地球上にはないコンドリュールという鉱物が含まれていて、地球上の石は太陽に透かしても光を通しませんが、隕石や月の石の一部は光に照らすと透ける。地球上にない鉱物だけがもつ美しさです。

まずはいろいろな隕石を使って試作を繰り返しました。初めての挑戦だから予測できないことも多く、何度も失敗しました。水に触れると割れてしまったり、あまりにも硬くて彫れないうえに、墨を磨ると化学変化を起こして使い物にならなくなってしまったり……。試作に使った石の値段も何十万円にもなってしまいました。痛い出費ではありましたが、でも誰かが経験した失敗ではなく自分が痛みを伴いながら経験したことは最大の武器になりますし、絶対に同じ失敗は繰り返さないようになる。試行錯誤を重ねて、月の硯（図3）が誕生しました。初めて墨を磨ったときは言葉では言い表せないほどの感動がありました。ある小学校で、小学生にこの硯を使って習字をしてもらうと、みんな心から楽しそうに墨を磨っていました。その姿を見て、自分の失敗は無駄ではなかった、この硯を作って本当によかったと心から思いました。

そして何年も探求し続けた結果、北海道産の硯を作ることにも成功しました。前例のない挑戦は、時に無謀でバカバカしく思えることもあるかもしれません。でも、最初から諦めないで食らいついていけば、それは自分の財産になります。僕の無謀とも思える挑戦を取材してくれるテレビ局の方がいました。ひととの出会いは月の硯を作るよりも尊いことです。努力を続け、一心不乱に頑張れば

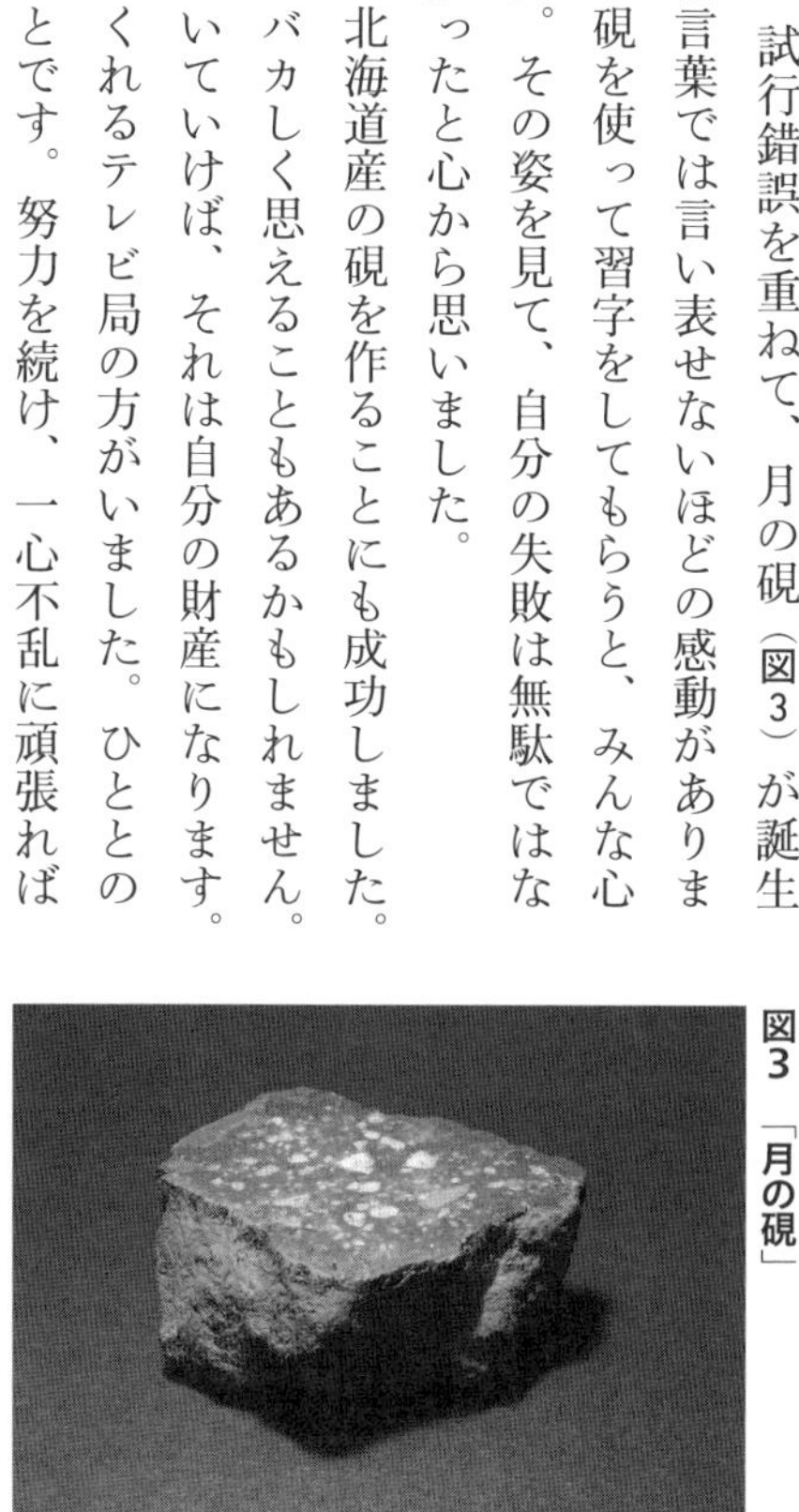

図3 「月の硯」

誰かが気づいてくれる。みなさんも失敗を恐れず、いろんなことに挑戦してほしいと思います。

祖父の生き様が僕の背中を押した

硯を作るよりも難しいことが二つあります。ひとを育てることと、事を作ることです。僕がいまの技術に到達するまでに二十年かかりました。石を彫るにはかなりの体力が必要で、製硯師の一般的な職業寿命は六十歳までと言われています。僕はいま四十歳ですから、あと二十年をかけて自分と同等の技術を引き継ぐとしたら、もう引退時期に達してしまいます。技術だけを言えば、教えずとも独学で身につけることができるかもしれません。でも、そのためには自分から学びたいと思う心を育まなければいけない。

僕が硯の道に進むことができたのは、最初の師匠でもある祖父のおかげです。僕の家は代々書道道具の商いをしていて、祖父と父も製硯師です。そのため幼いころから硯に触れる機会はたくさんありました。

歌舞伎役者の四代目市川猿之助▼さんと対談したときに、彼が家業である歌舞伎を継いだ理由を聞くと「小さいころから舞台で遊んでいたから」だと言っていました。僕もまったく同じです。祖父や父が働いている工房で遊びながら硯に触れ、文化を学び、その道に進むことになった。

▼市川猿之助
歌舞伎役者。一九七五年、東京生まれ。歌舞伎名跡「市川猿之助」の当代（四代目）。人気マンガ『ONE PIECE』を原作としたスーパー歌舞伎セカンド「ワンピース」など、歌舞伎の新たな可能性を切り拓く。市川猿之助が「家宝になる硯を作ってほしい」と青柳に依頼した硯の製作ドキュメント写真集『青柳貴史の仕事――四代市川猿之助御硯製作之記』（SUPER EDITION）が二〇一九年十一月に刊行された。

自分もいつかは中国に渡り、硯について本格的に学ぼうと思い、大学も中国語学科に進学しました。けれど、正直に告白してしまえば、大学ではアルバイトばかりしていて授業はおざなりでした。お小遣い稼ぎのためもあって祖父のもとで硯の勉強もはじめていましたが、真剣に学ぼうとする意欲は薄かったように思います。

そんなふうに大学生活を送っていたある日、祖父が亡くなりました。亡くなる三日前の夜、僕が病院の個室で付き添いをしていると、祖父が突然「硯の彫り方を教えてやる」と言いました。病室ではなく、まるで工房にいるかのように僕に全力で技術を伝えようとする姿を見て、祖父にとって硯がどれだけ大切なものか気づかされました。その夜が祖父との最後のお別れになりましたが、それから程なくして僕は大学を中退し、本格的に硯の勉強をするため中国に渡ります。これまでの中途半端な自分ではだめだと気づかされたのです。祖父が生涯を捧げた硯の道に一歩でもはやく辿り着きたい、その一心でした。祖父の生き様が、僕の硯を学びたいという心を育ててくれたのです。

実際に中国に行くと、大学の授業で学んだような正確できれいな文法はほとんど誰も使っていなかったし、硯についても初めて学ぶことばかりでした。そのぶんつまずくこともありましたが、学びや発見がたくさんあった。みなさんも、もし何か大好きなことを見つけたら、その環境に飛び込むといいかもしれません。失敗することもあるだろうし、自分の選択が間違いだったと気づくことさえあるかもしれません。でも、もし間違えたなら、また別の選択をすればいい。まずは挑戦することが大切です。

幸運なことに、大学では不真面目な学生だった僕ですが、いまでは中退した大学で講師を務めています。途中でやめた人間が講師になっていいものか悩みましたが、大学側から「いま日本の大学で日中双方の硯、筆、紙、墨、書道の文房四宝に関する歴史学や造形の変遷を話せるのは青柳さんしかいない」と言われ、お引き受けすることにしました。

ひとを育てることは難しいですが、まず硯を好きになってもらうことが大事です。僕のもとに弟子に来てくれている学生には、僕と生活を共にして、毎日硯に触れてもらうようにしています。祖父が教えてくれたことを、今度は僕が後世のひとに伝えていかなければいけません。

「富士山から手紙を送る」

僕の出演したＴＢＳ「情熱大陸」を見た、アウトドアメーカーmont-bell（モンベル）▼の会長から商品開発のお話がきました。番組のなかで、僕は硯をもっと身近に感じてほしい、もっと気軽に、自由に毛筆を楽しんでほしいとお話ししました。その思いに賛同してくださったのです。また別の番組になりますが、僕が山のなかで友人に手紙を送るシーンが放送されました。採石に行って良い石が見つ

▼mont-bell
アウトドア総合ブランド。「function is beauty」と「Light & Fast」をコンセプトに登山用品、アウトドア用品の製造、販売を行う。

かると、その石が硯として機能するか確認するために、その場で簡単な硯をつくり、墨を磨ります。自然のなかで手紙を書く、風流で素晴らしいという発想から、誰もが簡単に持ち運びのできる携帯毛筆セット「野筆（のふで）セット」を作ることに決まりました。

不思議なもので、書道というと道具を整え、きちんとした姿勢で挑まなければならないと思いがちですが、川の水で墨を磨り、机もない川辺で文字を書こうとすると、きれいに書こうなんて気持ちはどこかに飛んでいってしまう。みなさんも騙されたと思って、山のなかで硯を使ってみてください。

嬉しいことに、InstagramやTwitterなどのSNSでも、野筆を使っていることを上げてくださる方がたくさんいました。mont-bellさんは全国に店舗を構えていて、普段は書道道具を手に取らない方にも届けることができました。書道専門店だけでは限界があります。僕の硯に対する思いが伝わることで、こういった嬉しい機会に恵まれました。

mont-bellでは定期的に登山イベントが開催されていて、僕も企画を考えています。子どもたちと一緒に富士山に登って、日本一高い場所で野筆を使って手紙を書いて投函する。僕は野筆をただ販売するだけではなく、野筆を通して毛筆で文章を書く体験を届けていきたい。これが「事」を作るということです。書道離れが進んでいる現在こそ「事」を作っていくことは何よりも重要だと考えています。

「未来へと受け継ぐ」

硯の前身が誕生した五千年前から時代は進化して、文字を書く、記すということも変わってきました。いまではスマートフォンに向かって話しかけるだけで文章が作れてしまいますね。それと比較すれば、毛筆はまず墨を磨る時間がかかってしまうし、上手に書かなければと構えてしまうし、時間がかかるからと避けてしまう方もいるかと思います。実際に、僕が「毛筆で書いてみてください」と言うと緊張してしまうひとを多数見てきました。

でも、いまのようなツールが発達する以前はほとんどの方が日常的に毛筆を使っていたのです。ボールペンやシャープペンシルが登場する太平洋戦争以前は、どこの文房具屋さんでも扱っているほど普及していましたし、慣れてしまえばどんなツールよりも毛筆のほうが速く書くことができます。僕の講義では毛筆でノートをとる学生もいます。メールを打つのよりもうんと速い。利便性も確かですが、毛筆で「書く」行為によって、いまの美しい日本語は組み立てられてきましたし、日本人の脳や身体、思想をつくってきました。

硯で墨を磨り、毛筆で文字を書くと、ほかの筆記用具とは違い、失敗しても消すことができません。だから必然的に書く前によく考えるようになる。墨を磨りながら、何を書こうか、相手にどうやって伝えようかすごく考える時間が生まれます。いま僕と一緒に仕事をしている編集者の方が「筆記具としての毛筆に目覚めた」と言い、こんなことを話してくれました。

硯で墨を磨り筆で書くと、文字そのものに心を込めることができ、驚きました。自分の思いを尽くしたと満足できるので、自我を手放すことができる。この手紙を受け取ってもらえれば返事はいらないとさえ思ったのです。これは意外な発見でした。

メールで打つ文字は心を込めるための入れ物ではなく、ただの記号の羅列に近くなってしまうため、気持ちを伝えようとするあまり大袈裟な表現や、長文になってしまうことがあります。そのぶん、相手の反応が気になっていらいらしてしまう。心を託すことができないのです。

巷でみるようなＬＩＮＥの既読無視による痴話喧嘩は、やはりあの画面上では満足に表現することができないからだと思います。ひとに思いを伝えるには不便な手段のほうが、かえって最も効率がいいのかもしれません。

これは僕もまだ気づいていなかった発見でした。この方は編集者なので、仕事上の大体のやりとりはメールを使っているそうです。そもそも手紙は郵便でだすので、相手にいつ届くか、いつ読んでもらえるかも不確かですが、その不確かで、時間もかかる不便なものをあえて使うことの重要さを、この編集者は教えてくれたのです。

みなさんにお願いがあります。どうか、字がうまくなければ筆を持ってはいけないと思わないでください。博物館に並んでいる書道作品は、美しいですが、それは美しいからこそ作品として残っているだけ。字がきれいでなければダメというのは、ただの錯覚です。臆することなく、普段書いているような字でどんどん書いていってください。

二〇二〇年には東京オリンピックが開催されますが、海外の方々にもこの毛筆文化を知ってもらえたらと思います。日本人が千五百年以上にわたって愛用した筆記具、硯。この仕事をはじめて二十年以上経ちましたが、僕自身まだ知らない硯の素晴らしさはたくさんあるのだと思います。それだけ書道の世界は奥深いのです。この魅力をお伝えし、硯を筆記具として世の中にもう一度見直してもらいたい。それが製硯師としての僕の野望です。

Q&A

——硯や墨は本来、日本語や中国語の漢字を書くためのものですよね。漢字以外のものを書くのには向いていない筆記具だと思うのですが、先生はどう思いますか?

みなさんが普段使っているボールペンも、もともとは外国で誕生した筆記具で、日本語を書くために考案されたものではありませんよね。硯や筆もただの筆記用具の種類なので、漢字以外の言葉を書くことはまったく問題ありません。実際に、海外でデザイナーをしている僕の友人は、毛筆で書いた英語の手紙を送ってくれます。

だからこう使わないといけないという発想は取り去ってください。もっと自由でいい。歴史的にどういった使われ方をしてきて、理由があってこの形になっているということを覚えておいてもらえれば、なにをどう書いても僕はいいと思います。毛筆の表現能力の高さ、墨の美しさを外国のご友人にも教えて差し上げたらいいなと思います。

――僕は文章を書くときに何回も消して書き直しています。文字のバランスや文章が気になって、なかなか満足できません。毛筆は消せないぶん、僕にはハードルが高い筆記具だなと思ってしまいます。

まずは自分の字を許してあげてほしい。きれいでなくても構わない。どの筆記具を使ったとしても手書き文字は、いまの自分の生き様を表すものです。

僕は市川猿之助さんのお手紙が大好きです。彼の暑中見舞いには、筆ではなく指を使って「暑い」とひと言だけ書いてありました（笑）。きっと、これを書いたとき、筆を用意するのも面倒なくらい暑かった、のかもしれません（笑）。大胆な書き方からは猿之助さんの人柄も伝わってきます。これこそ手書き文字の魅力です。

いまより字をうまく書きたいと思うのであれば、自分にとって好きな文字の書き方を見つけておくといいかもしれません。自分が望む文字の形がわからないと延々と悩んでしまいますから。でも、ただ真似るのではなく、どうやって書けばいいか、自分で考えながら練習してみてください。ただ習うだけだと、自分らしい字形から離れて、手紙文字の魅力がなくなってしまいます。自分で解釈しながら、いまの自分の字をカスタマイズして楽しんでいただけたらと思います。

わたしの思い出の授業、思い出の先生

Q1：思い出の授業を教えてください

社会経験を授業とします。手ぬぐいを作る大先輩の職人の方が雨降るなか、石畳の水溜まりを除去して往来の方の足元を気遣われていました。

Q2：その授業が記憶に残っている理由はなんですか？

どんな物事も他人事ではなく、自分のこととして考えることの大切さに気づかされたのです。

Q3：その授業は人生を変えましたか？

私も励行を心していますがその難しさに気づかされるものでもあります。

わたしの仕事をもっと知るための3冊

青柳貴史『硯の中の地球を歩く』（左右社）
藤木正次編『硯の辞典』（秋山書店）
古賀弘幸『文字と書の消息——落書きから漢字までの文化誌』（工作舎）

俳句の種を蒔く

夏井いつき

私は愛媛県の出身です。もともと中学校で教員として国語を教えていましたが、俳人に転職しました。転職してからの三十年間、松山を拠点として日本中に俳句の種を蒔いています。

最初は小学校、中学校へ行って俳句を一緒に作りました。でも俳句の都の松山でさえ「俳句なんて難しい」と、蒔いた種も芽を出さない。芽を出さないどころかアスファルトの上に種を蒔いて、次に行ってみると蒔いた種がそのまま干からびているような状況でした。

「俳句をどう添削するか」

現在は、全国をまわりながら、二週間に一度「プレバト!!」というテレビ番組の収録で東京に来ています。「プレバト!!」がはじまって二〇一九年十一月で丸七年経ちます。まさか七年

なつい・いつき＝俳人。一九五七年生まれ。俳句集団「いつき組」組長。九四年、第八回俳壇賞、二〇〇〇年、第五回中新田俳句大賞受賞。創作活動に加え、全国高等学校俳句選手権大会「俳句甲子園」の創設に携わる。MBS「プレバト!!」俳句コーナー出演など全国的に幅広く活躍。一五年より初代俳都松山大使。著書に『夏井いつきの世界一わかりやすい俳句の授業』など。

も続くと思っていませんでした。みんな俳句は小難しいものだと思っているでしょう。出演者の真剣な姿勢が俳句のイメージを変えたのではないかと思います。番組には本当に感謝しています。

「別の誰かが作った俳句を芸能人が出しているんじゃないの」とか、テレビに対して疑り深いひとも多いのですが、あの番組は真剣勝負です。リハーサルも台本もありません。

番組では添削が一番難しい。作った本人が何を表現したがっているのかを考えるところから添削ははじまります。

「才能アリ」のひとの句は三十秒もあれば添削できます。なぜかというと、何を言いたいかがちゃんと伝わるからです。「凡人」のひとたちの俳句は誰でも考えそうなことをうっかり書いているだけなので、こちらも簡単。

私を悩ませるのは「才能ナシ」というひとの句です。そのひとたちの俳句はそもそも日本語になっていません。日本語として機能していないから意味が伝わらないのです。ですから、推理からはじめるしかないのです。作者の名前がわかるともう少しやりやすいかもしれませんが、わかりません。

東京のスタジオに入るまでに添削が追いつかないときもあります。最下位とした句をどう解説したものかと三日ぐらい考える。たくさんの可能性を考えて、Aと言いたいに違いないとまずひとつ添削を考えます。一応用心してふたつ目のB案の添削も考えてからスタジオに入ります。

▼「プレバト!!」
毎日放送制作のバラエティ番組。芸能人にあらゆるジャンルで抜き打ちテストを実施し、その結果を「才能アリ」「凡人」「才能ナシ」に分けランキング形式で発表していく。俳句のほかに水彩画、生け花、ちぎり絵などの才能査定もある。

「プレバト!!」の俳句コーナーは約三十五分の放送ですが、四十分くらいしか収録しません。ですからスタジオで起こったことは、ほぼ全部オンエアされています。

収録中に私が最下位にした俳句の作者がやっとわかります。私はモニター越しに、作者がAを言いたかったのかBを言いたかったのか真剣に耳を傾けます。ところが、最下位の句の作者は私が予想したAでもBでもない、この五七五のどこにそんなことが書いてあるのかということを平然と言い放つのです。

飛行機のなかでずっと考えていたのに、A案もB案も使えないことがわかります。そこで、急遽C案を考える。私が赤ペンを持ちながら怒っているときは、頭のなかで必死にC案を考えているので、そういうときがあったら、応援してくださいね。

出演者は真剣に俳句と向き合っています。梅沢富美男さん、東国原英夫さん、FUJIWARAの藤本敏史さん、フルーツポンチの村上健志さんをはじめ、出演者のみなさんは、ご自身の生活のなかに俳句のための時間を捻出してくださっているようです。名人中の紅一点である女優の中田喜子さんも、俳句用にノートを持っていて気になったことやわからないことを書き留めていらっしゃいます。

ジャニーズ事務所のKis-My-Ft2というグループのメンバーも、本当に忙しい仕事をしながら、楽屋で歳時記や季語のアプリを使って勉強をして、俳句の話をしてくださる。二〇一八年の名人と特待生限定の冬麗戦で、Kis-My-Ft2の千賀建永さんが優勝したことがあります。オンエアでは少ししか映っていなかったかもしれませんが、彼は自分が一位になった瞬間に号泣しました。

最初はみんな茶化そうとしたのですが、彼の涙が本物だとわかったら、カメラさんも音声さんもみんなもらい泣きをしていました。一生懸命やらないと泣けません。真剣に学ぶというのはどういうことかを、全国のひとに伝えてくれました。私はとても嬉しく思っております。

「俳句甲子園ができるまで」

「プレバト!!」で上達してきたひとたちが、力だめしをしたいと言いだしたことがありました。

そこで選ばれたのが、高校生の俳句の全国大会である「俳句甲子園▼」でした。二〇一七年の二十回大会から、優秀チームへのプレバトチームの挑戦が続いているのですが、俳句甲子園を知っていますか？　二〇二〇年に二十三回を迎えるまでのお話をしたいと思います。

私はこの大会の第一回の立ち上げから関わってきました。立ち上げ当初のころの俳句大会と言えば、生徒が作った句を先生がまとめて送り、賞をとったら賞状をもらう。賞状を親に見せたらおしまい。高校生や中学生は自分がどんな句を作ったのかさえも覚えていませんでした。

▼俳句甲子園
愛媛県松山市で毎年八月に開催される、高校生を対象にし、俳句の実作力や鑑賞力を競う「全国高等学校俳句選手権大会」。一九九八年にはじまる。松山市は、正岡子規や高浜虚子など著名な俳人の出身地。「高校生にしか語れない俳句がある」がキャッチフレーズ。

しかし、私が思い描いた俳句甲子園は違うものでした。大学時代バレー部のキャプテンだったこともあり、俳句大会も体育会系のようなチーム戦の要素を取り入れたいと思いました。

そこでできたのが、現在の二チームが対決する五対五の団体戦です。一騎打ちのように一句ずつ出す形式にしました。判定は、赤白の旗を持った審査員五人が行います。高校生の前に座る審査員は作品点と鑑賞点の合計で赤白どちらかの旗を挙げます。

作品点はいいとして、鑑賞点とは何でしょうか? 句が出てくると、相手チームは句に対して質問します。この作品のどこがわかりにくいのか、伝わりにくいのか、どこを変えるともっと伝わりやすく、魅力的になるのか。改善の提案を議論する、それが俳句甲子園の質問です。

審査員は両チームの質問を聞いて、句に対する的確な問いになっているかを判断します。そして、聞かれた質問に対して的確に答えられているかと、自分たちの作品の魅力を豊かに伝えられているかを判定します。

それぞれ質疑応答が終わると両チームとも祈りはじめます。「判定!」という掛け声で旗が挙がり、勝敗が決まった瞬間に勝ったチームは喜び、負けたチームはがっくりと肩を落とします。勝ったと言って泣いて、負けたと言って泣く。これが俳句甲子園です。

熱い試合を実現したくて二十数年前、松山の仲間たちと一緒に俳句甲子園を立ち上げたのです。立ち上げを手伝ってくれたのは、松山青年会議所の青年たちでした。三十代以下の若いひとたちのグループです。

最初のころ、俳句の都松山でも、俳句を楽しんでいる高校生なんてどこにもいませんでした。俳句をやっている高校生を探しまわって、出場してくれる高校を見つけ出す。それがまず私たちにとっての大きな課題でした。出場してくれる高校がなかなか見つからなくて、青年会議所のメンバーたちは愛媛県の高校を全部まわりました。

「うちのような進学校は、俳句なんかに無駄な時間を使えません」「うちには野球ができる子はいるが、俳句のできる子はいない」と言われましたが、頼み込んで九校出場したのが、第一回大会でした。

「俳句を作る高校生たち」

九校十一チームのなかに、たった一校だけ自分たちから出場しますと手を挙げてくれた高校がありました。松山盲学校の生徒たちでした。俳句をやっているのか聞いたら、別に俳句はやっていないとのことでした。俳句甲子園は相手のチームの俳句を見てその場で質問をしなければなりません。大きなハンデになるのではないかと心配しました。ところが、盲学校の生徒たちは爽やかでした。「みなさんにとって見えないということはハンデに感じられるかもしれませんが、自分たちにとっては日常です。俳句をゆっくりと二回読んでくれたら、記憶して議論することができます」と言い切ってくれました。

盲学校は五人のうち男子が四人、女子が一人のチーム構成でした。第一回大会はどうなるかと本当に心配しました。というのも、私以外のほとんどの青年会議所のメンバーが、俳句のことを何ひとつ知らないひとたちだったからです。「夏井さん、僕たちは俳句のことはわからないけれど運営だけはちゃんとやるから」と言ってくれたんですが、少しだけ心配でした。ただ、盲学校のたったひとりの女子、大西さんの句が出てきたときに、青年会議所のメンバーの動きがぱっと止まりました。第一回大会のころの俳句は、まだ決して上手な句というわけではなかったんですが、大西さんの句は、青年会議所の若いひとたちの心のなかにストンと残ったようでした。こんな句でした。

七夕や君の心は晴れですか

離れているボーイフレンドに、いま君の心は晴れていますかと呼びかける句です。その句を聞いたときに青年会議所のメンバーが、自分にも俳句の意味がわかった、高校生のころの胸がキュンとする気持ちを思い出したと感動してくれました。その感動が、いまの俳句甲子園の原点になっています。

青年会議所のひとたちは、四十歳になると卒業するのですが、俳句甲子園の立ち上げメンバーは「ＮＰＯ法人俳句甲子園実行委員会」という組織を作り、運営の中枢のメンバーとしていまも俳句甲子園を動かしてくれています。

「俳句甲子園の現在」

いま俳句甲子園は、全国、北海道から沖縄まで二十数ヵ所で地方大会をやっています。その地方大会を勝ち抜いた三十二チームが俳句の都松山の全国大会に招待されます。最初のころ出場してくれるチームを探すのが本当に大変でしたが、いまは全国津々浦々に俳句部や俳句創作部、文芸部のなかに俳句チームを作るなど、一年かけて俳句の腕を磨く高校生が増えてきました。中高一貫校では、中学生のときから俳句部として活動するひとも増えています。

二十二回の歴史のなかで最も優勝しているのは、東京の開成高校です。松山の高校は層も厚くレベルも高いのですが、開成高校の砦は固いです。開成は中学生のときから高校生と一緒に句会をして、合宿をします。季語の現場を味わいにいくのを本格的にやっているのです。

二〇一九年、東京大会は会場が二ヵ所ありました。片方で開成高校が勝ち上がってきましたが、もう片方の会場で勝ち上がってきたのは、立教池袋という学校です。この学校も面白いひとが続々と出てきています。

俳句甲子園の実行委員会は貧乏な組織なものですから、全国二十数ヵ所で地方大会をやるのは毎年予算との戦いです。ただ、ありがたいことに二十一年も続くとOB・OGが全国津々浦々に増えてきます。

北海道から沖縄まで、松山から実行委員のメンバーを派遣するとそれだけでお金がかかるのですが、いまは実行委員会のメンバーを一人か二人派遣するだけで、地元のボランティアスタッフのほとんどがOB・OGで、手弁当で来てくれる。そのおかげで全国二十数カ所の地方大会が実施できています。

松山の全国大会も人手がいります。一日目はウェルカムパーティ。そこでくじをひいて翌日の対戦相手が決まります。二日目は松山の大街道というアーケード街のあちこちに予選ブロックの会場ができ、そこで予選リーグをやる。予選リーグを勝ち上がらないと翌日ホールでの準決勝、決勝には進めません。八月の本当に暑いアーケードで、高校生は泣いたり笑ったりしながら予選リーグを戦ってくれます。

そんな俳句甲子園ですが、作品が小粒になり、凡人的でなんとなくかっこよくできている句が多くなった時期がありました。なぜそうなったと思いますか。勝ちたいからです。相手から小さなミスを指摘されないように、ミスのない句を作ろうとする。ミスがないように作ろうとすると、大きな魅力もなくなっていく。それが俳句の恐ろしさです。私はその時期少々危機感を感じました。閉会式の一番最後に「私たちが望んでいるのは小さなキズもない作品ではありません。小さなキズがあっても大きな魅力があるもの。それが文学というものだと私たちは思っています」と何度か話した記憶があります。

そんななかで勝とうとする気持ちを吹っ切った作品に出会ったことがあります。こんな作品です。

山頂に流星触れたのだろうか

流星は秋の季語です。流れ星、隕石のかけらです。山頂の向こう側に流れ星がすっと吸い込まれるように消えていく。流星は星のかけらで、山頂は地球という星の小さな突起です。星のかけらである流星と、地球の小さな突端である山の頂きが触れるかもしれない、その小さな確率をこの句の作者は思ったんだと考えます。流星が山の向こうに消えただけなのだけれど、こういう一句をすくい取れる高校生がいることに私はそのとき、大きな喜びと深い安堵を感じました。

現在高校生たちは毎年自分たちが培った技術や作品を後輩たちに伝えてくれています。面白い知的な議論を手に入れてくれるようになりました。いまは俳句甲子園を観戦しに、日本中の俳句愛好者が八月には松山に集ってくれるようになりました。自分とは縁もゆかりもない高校生チームを応援するためにやってきてくれる。こんなことが起こっていることが私は愉快でしょうがないのです。

「母国語を愛する」

かつて俳句甲子園に出場している愛媛の高校生の前で、イヴ・ボヌフォワ▼さんというフランスの詩人が講演をなさったことがあります。芭蕉の研究者で、研究が表彰されるということで、松山にいらしていました。彼が高校生にした話のなかで忘れられない一節があります。

「僕はあなた方が羨ましい。なぜかというと、僕はフランス語しかできないので、敬愛する芭蕉の作品を翻訳でしか読むことができない。翻訳されたものは日本語で書いたものとは、やはりいくらか違うものになっていると思います。ひょっとすると、日本語の芭蕉の百分の一ぐらいのエキスしかないかもしれません。しかし、僕はその百分の一に薄まった芭蕉に深い感銘を受けて、芭蕉を研究しはじめました。僕はあなたがたがうらやましい。日本語で一〇〇パーセント芭蕉を読めるのですから」

私は日本語しかできません。たまたま日本に生まれて、世界の言語のなかで日本語を話して読める幸せを、そのとき初めて感じました。

日本語はひらがな、カタカナ、漢字、ローマ字、四種類の文字を使い分けられます。そしてさまざまなデリケートな表現があります。風の名前、雨の名前、雲の名前、色の名前、信じられないほどの表現のバリエーションがある。

もし私が他の国に生まれて他の言語を母国語としていて、日本語の勉強をす

▼イヴ・ボヌフォワ
一九二三年生まれ。フランスの詩人。シュールレアリスムの影響を受け、重層的な作品を残した。著書に『ドゥーヴの動と不動』『マラルメの詩学』など。二〇一六年没。

るとしたら、たぶん私は日本語を習得できなかっただろうと思いました。

愛国心についていろんなことが言われますが、私は愛国心とは母国語を愛するところから生まれてくるのではないかと思っています。

俳句の種を蒔く私の活動は、バラエティ番組の力と俳句集団「いつき組」を自由に名乗ってくれる沢山の組員、同志の力を借りながらこれからも進めていきます。今日ここにいるみなさんもひとまずは、俳句うんぬんよりも日本語が喋れる喜びのような感情を抱いて大人になってくださったら私は嬉しいです。

そして六月には俳句甲子園の地方大会がありますから、この高校の名前があることを心から祈ります。

Q&A

——座右の銘はありますか?

「風の強い日の旗は美しい」という言葉です。私が教員として勤めていたころ、校内暴力が多い時代でした。尊敬する先生にある日、「風の強い日の旗は美しいでしょう? 私たちはいま旗なのです」と言われたことがありました。この言葉はいまでも私の精神の真ん中辺りに立っているような気がします。


——季語を選ぶときに意識していることはどんなことですか?

季語を選んで句を作っているように見えるのかもしれませんが、じつは違います。俳句はいまの気持ちを代弁してくれるようなはたらきがあります。短歌は内へ内へと意識すると言われ、俳句は外へ外へと向かうものだといわれます。そのときの自分が何を言いたいかによって、飛び込んで来る季語がある。
いまの自分に何の季語が飛び込んで来るのか……、この意味がもう少し知りたくなったら俳句をやってみるのがよいでしょう。

わたしの思い出の授業、思い出の先生

中学3年生の国語の授業でした。先生が俳句の技法を説明した後、「俳句の調べやリズムを味わいましょう」と私を指名されました。

斧入れて香におどろくや冬木立
与謝蕪村

「おのいれて、かにおどろくや、ふゆこだち」と声に出したとたん、いきなり新しい木の香りがツーンと押し寄せてきました。あまりに新鮮な匂いだったので、ひどく驚きました。キョロキョロ見回してみても窓は閉まっていますし、教室はいつもの通りです。座ってからやっと、ドキドキするほど鮮烈なこの匂いは、私の鼻腔の奥から匂っているのだと気づきました。

俳句を作るようになってから、中学生のあの体験は、季語の力によるものだとわかってきました。俳句は、たった17音で五感をなまなましく刺激する力をもった類いまれな文学です。枯れているような冬木に、斧が入ったとたんに放たれた木の香り。季語を五感で鮮やかに追体験した思い出の授業です。

わたしの仕事をもっと知るための3冊

夏井いつき『絶滅寸前季語辞典』（ちくま文庫）
夏井いつき『世界一わかりやすい俳句の授業』（PHP研究所）
夏井いつき『子規365日』（朝日文庫）

柔らかな発想とアイディア

鈴木一誌

こんにちは。ブックデザイナーの鈴木一誌です。一九八五年に独立して、三十五年ブックデザインをやっています。戦後日本を代表するグラフィックデザイナーである杉浦康平▼さんのもとで十二年間修行しました。

ブックデザインはグラフィックデザインのいち部門です。主に書物を中心に扱うという意味で、文字周辺のデザインに特化した職業だと思っています。

ブックデザイナーはどんなところにいるでしょうか。まず出版社に所属してデザインをしているひとがいます。次に、デザイン会社に所属していて、会社が引き受けたブックデザインをやるデザイナーがいます。そして、私のようにフリーで仕事をするブックデザイナーもいます。

本は近づいて見ると一冊ずつまったく違います。退屈する暇がない職業で、自分としては幸せな仕事につけたなぁと思っています。

長年ブックデザインを続けて、六十九歳になります。年を取ってくると若いひとを育てる必要もあって、神戸芸術工科大学でブックデザインの授業を受け

すずき・ひとし＝ブックデザイナー。一九五〇年生まれ。神戸芸術工科大学客員教授。杉浦康平のアシスタントを経て一九八五年に独立。映画本、現代史、事典、写真集、文芸書など一万点近くのデザインを手掛ける。映画や写真の批評や、デザイン批評誌『d/SIGN』共同責任編集。著書に『画面の誕生』『ページと力』『ブックデザイナー鈴木一誌の生活と意見』など。

もっています。

「鈴木一誌のブックデザイン」

自己紹介もかねて私の作品を少し見ましょう（次頁）。

必ずしも代表作ではなく、ひとりのブックデザイナーがさまざまな仕事をするという例です。

漫画もやっています。科学的な本、人文書、専門書もやっています。図1はカンボジアの政治犯が抹殺された歴史を書いた本です。図2は平成の天皇皇后両陛下。図3は日本海の沿岸を丹念に歩いてまとめた写真集。図4は漢和辞典。漢和辞典の中身は複雑な組みになっています。その複雑な組みを実現するためにデザイナーは一ミリを千分の一で割ったような細かい積み重ねで余白を作り出し、密度感を表現することでこの紙面が実現します。

大学のある神戸から東京に戻る前に大阪に立ち寄ることが多いです。好きなお好み焼き屋さんがあって、大阪に行くと必ずその店に行く。ミシュランでも取り上げられた有名なお店です。

お好み焼きを焼くひとは店にふたりしかいません。たったふたりで焼くことで店の味を保っています。一日何百枚もお好み焼きを焼きます。何百枚も毎日焼くので仕事に飽きるかというと、そんなことはないそうです。なぜなら、お

▼杉浦康平
グラフィックデザイナー。一九三二年生まれ。神戸芸術工科大学名誉教授。同大学アジアンデザイン研究所（RIAD）所長。ヴィジュアル・コミュニケーションという概念をつくり現代のブックデザインに多大な影響を与えた。アジアの図像学研究の第一人者でもある。著書に『ヴィジュアルコミュニケーション』『アジアの宇宙観』など。

図1 リティ・パニュ＋クリストフ・バタイユ著、中村富美子訳『消去　虐殺を逃れた映画作家が語るクメール・ルージュの記憶と真実』
図2 宮内庁侍従職監修『天皇皇后両陛下の80年　信頼の絆をひろげて』
図3 百々俊二『日本海』
図4 小川環樹他編『角川新字源 改訂新版』

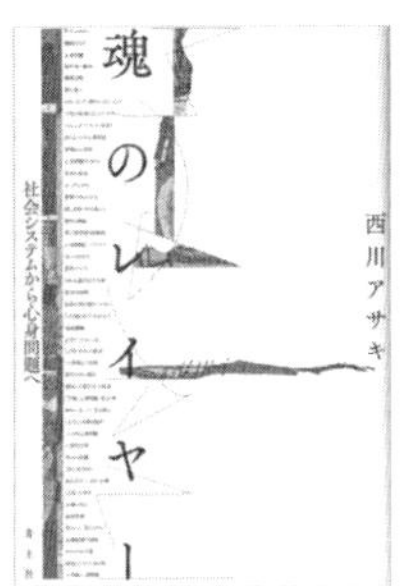

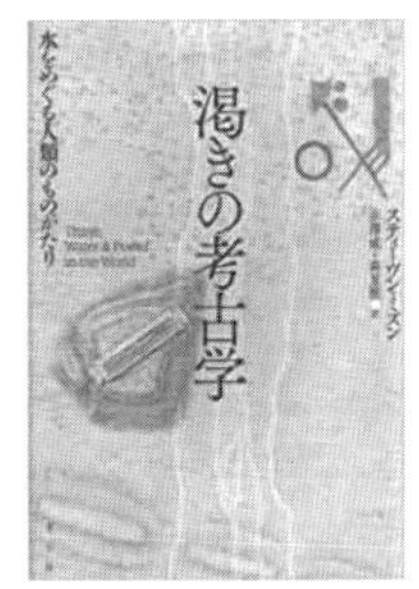

鈴木一誌のブックデザイン
下段右から図 1、図 2、図 3、図 4

好み焼きの状態は毎日変わるからです。たとえば、キャベツは季節や産地によって、水分の状態や固さが変わります。日々の変化に対応して、同じお好み焼きの味を実現するのです。

人間がある環境と出会ったときにどんな行動を取るかを研究するジャンルを「アフォーダンス」理論あるいは「生態心理学」といいます。専門家の佐々木正人さんが人間の存在について「同一のことをわずかに違うこととしてやり続けるのが行動の原理だ」と言っています。

自転車に乗るのも、大工さんが釘を打つのも、毎回の環境の微妙な違いを乗り越えているからできるのです。条件が変わっても同じところに着地する力。これは大変大事なことだと思います。そして、それには柔らかい発想が必要です。では、発想を柔らかくする練習をしてみましょう。

まず「本」を思い浮かべてください。本というとひとつの形を思い浮かべると思います。一般的には硬い表紙の本（ハードカバー）と、文庫や新書のように柔らかい表紙の本（ソフトカバー）の二種類があります。しかし、歴史を辿るともっとさまざまな本の形があります。

『本のれきし5000年』と『世界文化史大系』の二冊を資料にして、本の形を見ていきましょう。

縄をぶらさげて、縄の結び目で記録を伝えるという縄の本があります（図5）。ナイル川にはえている植物のパピルスを叩いて平らにした本もあります（図6）。

▼アフォーダンス
アメリカの心理学者ジェームズ・ギブソンが英語の動詞「afford＝与える、提供する」をもとにつくった心理学の用語。環境の意味や価値は認識主体によってつくられるのではなく、環境からの刺激情報のうちにすでに与えられ、固有の形になっているという考え方。

▼佐々木正人
日本の心理学者。一九五二年生まれ。多摩美術大学教授、東京大学名誉教授。認識の基礎にある身体的な過程について関する研究が多い。著書に『アフォーダンス』『知覚はおわらない』『アフォーダンス入門』など。

巻物状になっていて、広げながら反対側に巻き込んでいくという読み方がされていました。巻物ですからいまのように背中が見えるように本を並べるのではなくて、筒状にしてラベルを貼って中身が何かを示します。

次は日本の経本（図7）。紙にお経が書かれた巻物です。もともとは中国から伝わってきました。

アジアでは木の葉に書かれた本もあります。木の札を束ねたり、竹を薄くそいで束ねるという形態の本もありました。糸で綴じてばらばらにならないようにするわけですね。この辺りから、ページという概念ができてきたのだと思います。本というとひとつのイメージになりがちですが、ずいぶんさまざまな形の本があるのです。

所蔵の問題も面白いです。昔、本は貴重だったので鎖でつながれて持ち出せないようになっていました。本は教会に行かなければ読めませんでした。だから本を個人で所有するのはそれほど昔からあることではありません。

本は一定の形ではなく、電子書籍も含め、これからどうなるかはわかりません。ただし、条件はあるでしょう。

フランス文学者の清水徹さんによれば書物とは、①記号が何らかの「支え」のうえにあり、②時間が経過してもほぼ同じ意味内容が発信される装置です。つまり時間の支配から逃れ、時間を征服した装置であるのです。この定義を満たせばどんな形でも本だと思います。

図5　縄の本

『図説　世界文化史大系』

図6　パピルスを読む男

同右

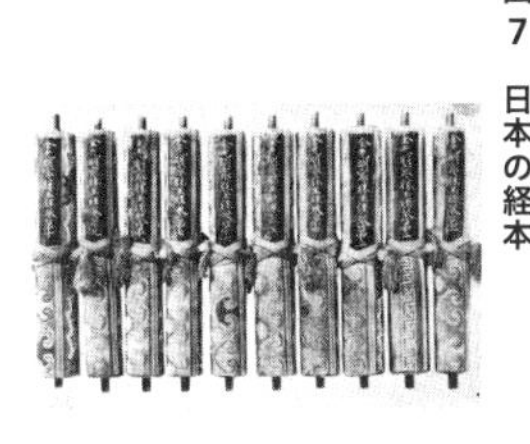

図7　日本の経本

同右

本は書かれた内容を鬱陶しく思う権力や政治体制などによって燃やされる運命にあったことも知っておいてください。写真は宗教改革のころです（図8）。次はハンガリー動乱でハンガリーにソ連の戦車が攻め込んできて、怒った民衆がソビエト関係の本を燃やしています（図9）。

本は必ずしもすべてのひとにとって善ではなく、それを敵だと思う勢力も必ずあります。特にいまの本は紙でできていますが、紙は火と水にすごく弱いです。だから本が本として残るのは、ある種の平和を伝えていくことに近いと思います。

図8 焚書（宗教改革）

図9 焚書（ハンガリー動乱）

「頭の柔軟体操」

「頭の柔軟体操」をしてみましょう。**図10**は不安を感じさせる絵に見えます。ところが九十度回すと**図11**になる。つまり、重力をいったんキャンセルして世界を見てみることも大事なことだと思います。

TV番組の「ピタゴラスイッチ」をご覧になったことはありますか？「ピタゴラ装置」というドミノ倒しのような仕掛けを作ったひとりである佐藤雅彦さんは、デザイナーだったりプランナーでもある多才なひとです。彼が書いた本『ぴったりはまるの本』を見ていただきます。

さて、**図12**は何でしょう？　トイレットペーパーの芯です。ここでも視点の転換があります。トイレットペーパーというと、使う紙のほうに興味がいきがちで、使われた後の芯がどうなっているのかあまり考えません。ところが、この芯という空洞がなければトイレットペーパーをセットできません。芯が支えている空洞が大事で、空洞によってわれわれの社会は動いていることに気づきます。

『世界がもし100人の村だったら』という本を知っていますか？　世界には六十七億の人がいますが、百人の村に縮めるとどうなるでしょう。

地球まるごとを考えようとすると膨大すぎてわからなくなってしまいますが、百人の村に縮めてみると全体から見た割合がわかりやすいです。つまり地球を縮める発想です。

「五十人が女性で五十人が男性です。二十八人が子供で七十二人が大人です。そのうち七人がお年寄りです。」「十四人は栄養が十分ではなく、ひとりは死にそうなほどです。でも十四人は太り過ぎです……」ページをめくり続けると、地球の問題を考える本になっていくのです。

この本をさらにビジュアルにした本があります（図13）。この本によると、地球に耕作可能な面積は全体の三十二分の一しかないそうです。そんなに小さな土地で、七十億近い人間を養っていて大丈夫なのだろうか。普通は十億人が精一杯だという学説があります。地球をひとつのリンゴに見立てて考えていくと、農業に適した土地は地球の表面積の三十二分の一だというくだりを、私が教え

図10　外国の本で見つけたイラストレーション

図11　右を九十度まわすと……

図12　これはなんでしょう？

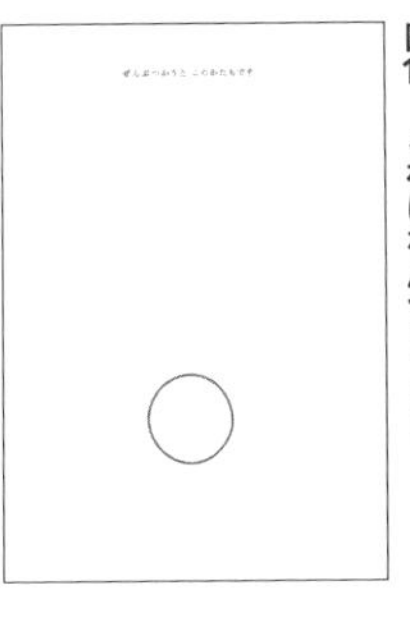
佐藤雅彦『ぴったりはまるの本』

ている神戸芸工大の学生がイラストにしました。色鉛筆になぞらえて三十二分の一をビジュアルにした学生もいました。同じデータや言いたいことでも、どういう視覚表現にするかで伝わり方が違うという例ですね。

「大きい／小さい」

オランダの教育者キース・ボーク▼が十九〜二十世紀にかけて、教育の素材として宇宙規模で自分たちを見つめる教材がないかと考えたのが『Cosmic View』（図14）です。一メートル先に赤ちゃんを抱いた女性が公園にいます。そこから次第に視点が遠ざかっていく。まず一メートルが一〇メートルになります。つぎに一〇〇メートル。距離が十倍単位で大きくなります。さらには一〇〇〇メートルへと進みます。十倍単位で遠ざかるということは、スピードも十倍に早まっていく。こうやって宇宙を見ていくとどうなるか。当時はほとんど実写の映像が手に入らないので、すぐに想像のイラストになります。

この『Cosmic View』は、「接近」もします。女の人の手に近づいて細胞のなかに入っていきますが、こちらもすぐにイラストになります。

チャールズ・イームズとレイ・イームズ▼というアメリカの有名なデザイナーの夫婦がいます。「イームズ・チェア」という、大量生産できる材料を使って重ねて保管できる椅子のデザインで知られています。彼らは同時に、短編映画

図13　もしも地球がひとつのリンゴだったら

▼キース・ボーク
オランダの教育者。一八八四年生まれ。キリスト友会の考えにもとづき子どもたちが民主主義を尊重することを望み教育改革に尽力。一九二六年学校を設立。一九六六年没。

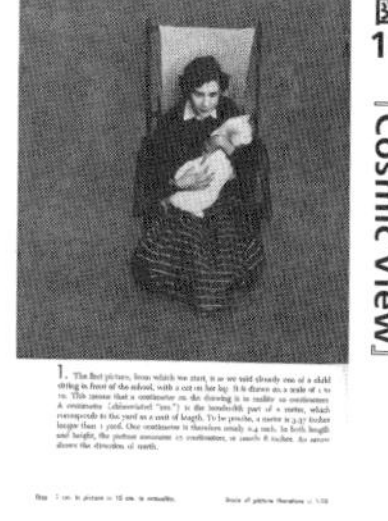

図14　『Cosmic View』

を百本作りました。そのなかに『Cosmic View』をカラーにした映像があります。「パワーズ・オブ・テン」です。パワーズは累乗（るいじょう）、ある数字に同じ数を掛けていくという意味で、イームズはこれを九分間の映画にしました。距離が十倍変わるとスピードも十倍に変わることを念頭に置いて見てください。

この後、一九九八年にアメリカのスミソニアン・アメリカ美術館がアイマックス版という巨大な画面用にこれと同じものを作りました。以前のものよりはるかにリアルな映像です。

今度は、私の先生の杉浦康平さんが作った視覚のモデル空間を見てください（図15）。犬目線で周囲を見たらどう見えるのかわかります。杉浦さんの家には犬がいてよく犬と散歩していたので、どう見ているのかを想像できた。ずいぶん人間の見える世界とは違います。主に匂いの情報によって変わります。

生物学者のユクスキュル▼は生物にとっての知覚世界を「環世界▼」と呼びました。**図16**は虫や鳥が見ている世界を紫外線写真で見てみたらどうなるかという写真です。人間の目が見えている波長は三八〇から七八〇ナノメートル（一〇億分の一メートル）です。ところが鳥や虫には紫外線が見えているといわれています。オスとメスのモンシロチョウが交尾をしているとき人間の目には両方とも白にしか見えませんが、紫外線を通すと片方が明らかに黒っぽく見える。つまり、モンシロチョウ同士は紫外線を通してオスかメスか見分けています。花も紫外線を通すと、真ん中の所が黒く、蜜があることがわかります。ネクターガ

▼イームズ夫妻
アメリカのデザイナー、建築家、映像作家の夫婦。チャールズ・オーモンド・イームズJr.（一九〇七〜七八）、レイ・イームズ（一九一二〜八八）。一九五〇〜六〇年代に積層合板、プラスチック、金属などの素材を用い、二十世紀における工業製品のデザインに大きな影響を与える作品を残した。

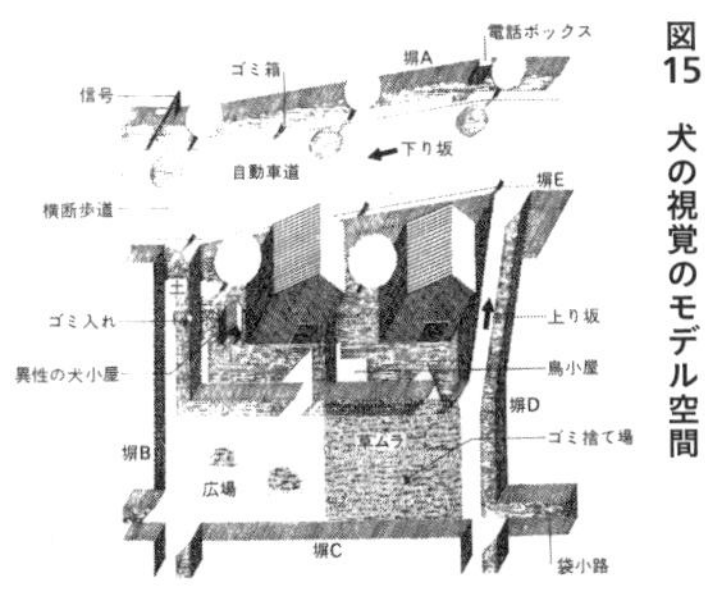

図15　犬の視覚のモデル空間

イドと言うそうです。

「自分の手で知る」

『ゼロからトースターを作ってみた結果』という本が面白いので紹介します。トースターを手作りするというデザインプロジェクトの本です。トーマス・トウェイツというデザイン学生が卒業制作で、五百円で買えるトースターを産業革命以前の技術で作ってみようという試みです。

五百円のトースターは、部品を分解すると主には鉄、絶縁材、プラスチック、ニッケルでできています。まず鉄を作る。鉱山がある地方に行って鉄鉱石を売ってもらい、溶鉱炉を自製し、風をおこして火力を強めて鉄をつくります。ところが、粗末な鉄しかできません。結局、手作りのトースターは十五万円かかる。作業代や労働力は値段に入っていません。

こんなに手間がかかり技術が集約されたトースターがなぜ五百円でできてしまうのでしょうか。どこかで誰かを安く働かせるとか、世界経済の不思議な構造があるのではないか……、トウェイツさんは読者にそう考えさせるのです。わたしたちの周囲には商品が満ち溢れていますが、手作りすると、その商品のからくりがわかります。

キューピットを単位としたエジプトのものさしがあります。中指の先から肘

▼ヤーコプ・フォン・ユクスキュル
エストニアの理論生物学者。一九八六年生まれ。動物学を学び、比較生理学を研究。一九二六年にはハンブルク大学の環境世界研究所に名誉教授として招かれ、研究と指導にあたる。著書に『生物から見た世界』『生命の劇場』ほか。一九四四年没。

▼環世界
生物と無関係に存在するものを世界とするのではなく、生物が自己を投影した形での世界のことで、これが生物の生きる環境となるというもの。ユクスキュルが一九〇〇年ごろに提唱した。

図16 モンシロチョウの紫外線写真

浅間蔵『虫や鳥が見ている世界』

の先までがひとつの単位になったものさしです（図17）。キリストが生まれ、一センチ刻みで人類の歴史が書いてあるという不思議な巻き尺です。図18は人の一生を表している折尺です。イタリアで買った、いろいろな種類の木が埋め込まれてある何に使うかわからないものさしです。クルミはやっぱり黒いんだなあとか、カエデはずいぶん白いんだなあということがわかります。

三〇センチの想像力があれば、三メートルのものも、九メートルのものも三〇〇メートルのものも、伸び縮みさせて測れるようになっていきます。社会のきまりとしての三〇センチのものさしはもちろん大事で、コミュニケーションの道具として必要です。しかし、必ずしも三〇センチのものさしの絶対性に縛られるばかりじゃなくて、自分のなかでものさしを伸び縮みさせたらきっと素晴らしいと思います。

Q&A

——デザイナーとしてもっている信念があれば教えてください。

たとえば「赤」という色があります。ところが、あなたが見ている赤と僕が見ている赤は違うかもしれない。同じかどうかを確認するすべはありません。しかし、デザイナーが使う素材は、ある種イメージを共有しているところがあると思います。たとえば老人向けの本だったら少し文字を大きくするとか、子ども向けの本なら丸い文字を使うといったような社会的な約束がある。完全に

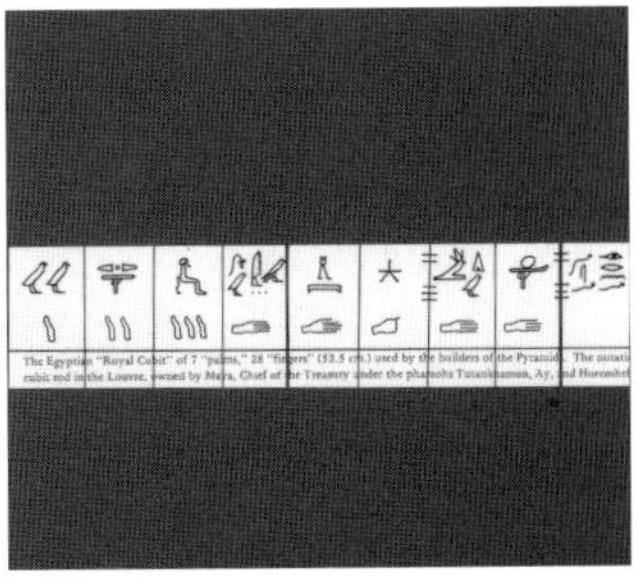

図17 キュービット

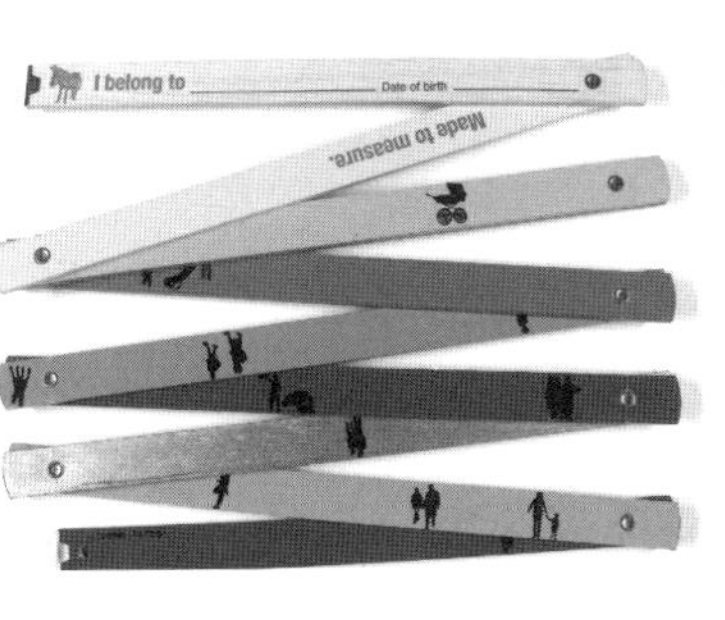

図18 人生が描いてある折尺

踏み外してはデザインができません。けれど、社会的な約束だけに乗っかってデザインをしているのでは、社会を変革して進めていくチャンスが失われるのです。そこで、共有できるコミュニケーションの回路は守りつつも、どこかで世界や社会の見方に亀裂を走らせる、問題意識を与えるようなデザインをしたいなと思います。あまりに変革しようという意識が強すぎると、読みにくく、見づらい本になると思うのでバランスが難しいです。でも、そこに苦労しようというのが信念です。

——目が見えないひとは嗅覚や聴覚や触覚がずば抜けているという話を聞いたことがあります。カエルは目が不自由だけど、それ以外の力がずば抜けていることってあるのでしょうか。

カエルはピョンピョン飛べますね。ミミズが主食なので、ミミズを捕らえることに特化している視覚で、細長いものに反応します。ですから、ポテトチップスにも飛びついてしまうそうです。

こんな話もあります。ダニは天井に留まっていて、下に温かいものが通るとそこをめがけて落ちるだけなのだそうです。十八年間、下を通る生き物を待っていたダニがいるそうです。結局ダニの生存にとっては十八年間待っても温血動物の上にぽたっと落ちるのが生きる特性なんですね。生き物はいずれにしても自分の生存に特化した感覚をもってしまう。ただ、特性に寄りかかりすぎないように生きたいですね。

わたしの思い出の授業、思い出の先生

東京造形大学に入ってはじめての杉浦康平先生の授業にはおどろきました。杉浦さんの名は講演のなかでも触れました。30人くらいのデザイン科の学生に眼をつぶらせ、杉浦先生が学生ひとりずつの額(ひたい)にアルファベットの小文字「b」を指で書いていく。その後眼を開かせて、「いまおでこに書いた文字は何か」を答えさせる。「b」と答える学生も、「d」だと言う人もいる。書いた人間の側に立って答えれば「b」だし、自分という内面からその文字を受けとれば「d」に読める。同じ文字でも、身体の外からと内から見るのとでは違うのに気づかされた。もっとおどろいたのは、「d」と答えたのは全員が女性だったことです。男と女の差というよりは、人間の周囲へ向ける視点にはずいぶんと幅があるのだな、とびっくりしました。視覚と心理が密接に関係しているのを目撃した瞬間でした。

わたしの仕事をもっと知るための3冊

鈴木一誌『増補新版　ページと力――手わざ、そしてデジタル・デザイン』（青土社）
鈴木一誌『重力のデザイン――本から写真へ』（青土社）
鈴木一誌『ブックデザイナー鈴木一誌の生活と意見』（誠文堂新光社）

あなたの中の本当に美しいもの

赤坂真理

みなさんに事前に「秘密」について書いてきてくださいとお願いしていました。たくさんの方が書いてくださって、どれもとても面白くて感激しました。面白かったのは多くの人が、〝私は秘密ってこういうものだと思います〟と書いていたこと。いきなり秘密そのものを言わずに、秘密の定義から始める。すごく健康的です。知らない人に、いきなり秘密は言いませんね。ただし、知らない人のほうがいい、という場合もあるのですが。今度は、「あなたの秘密を書いてください」と言おうと思います。

秘密は伝える相手によって違う、という文章もありました。○○さんが好き、と友だちに伝えたら秘密だけど、好きな人に伝えたら告白になる。秘密にはランクがある、という文章もありました。ちょっとした秘密もあれば、墓場まで持ってゆきたい秘密もある。お父さんが職場で守っている秘密と家庭で守っている秘密は違うように立場によって違う、という文章もありました。秘密についての準備はバッチリですね。

あかさか・まり＝作家。一九六四年、東京生まれ。主な小説作品に『ヴァイブレータ』『ミューズ』などのほか、天皇の戦争責任をアメリカで問われる少女を通して日本の戦後を描き評判となった『東京プリズン』、天皇制の「象徴とは何か」を扱った『箱の中の天皇』がある。新書『愛と暴力の戦後とその後』では小説とは異なるかたちで戦後日本という物語がどのようなものだったかを描いている。

それでも、答えなくてもいいし、嘘でもフィクションでもいいのです。秘密について考えることは、自分についてよりよく知ること。私はそう考えます。するとと自分の乗りこなしがうまくなるんじゃないかと思います。まずは自分を観客にしてみてはどうかと思います。

「人は表現において最も嘘がつけない」

どうしてみなさんに「秘密」を書いてもらったのか。二〇一一年くらいから専門学校や大学で創作を教えるようになって気がついたことがあります。小説風に書いてくれたものを読むのですが、たいていは書いてないことのほうが面白い。それに、書いた本人のほうが文章よりも面白い。

書いてくれた人にこっちの話を書けばいいじゃないと伝えると、反応は二通りあります。「そこがいいと思いませんでした」とすぐに納得する場合と、その部分を出しにくそうにしている場合です。

私は本人が出しにくそうにしているものに興味を惹かれます。そこは読む人にとっても面白いし、たぶん書くことで本人も楽になっていく。もちろん本人は隠しておきたいと思っている。これを知られたら死んでしまう、というくらい書けないことだってある。でも一方で書けたらいいなという気持ちもある。そばで見ているとそんな様子は本当に美しく、なんとかそれを出せないか、教師にできることはそれくらいじゃないか、といつも思っていました。

一九二一年に創立された文化学院という学校がありました。そこで開いていた私の授業に、空気を読まないとみんなから言われてしまうような子がいました。あるとき彼が「長いものを書きたい」と言う。自分は恋愛がわからないので恋愛小説を書きたいです。書いたものを見てみたら、急に自分が見ている時間の流れが変わるような感じとか、恋に落ちた感じがきちんと書けていました。書けてるじゃないとほめても、本人はピンとこないようでした。

おそらく、こういうことだったと思います。恋はする。でも、それと認識をつなぐ回路がない。おそらくは神経系の、器質的な問題です。障碍（しょうがい）と言っていいかもしれません。「碍」とは本当に「止めるもの」です。彼の脳内の認識回路はつながっていなかった。恋愛の気持ちは生じているけれど認識できていないのです。彼のその欠落は、小説を書くことで表現してもらわなかったら、そしてそれと本人との「間」をさぐってみなければ、誰もわからなかった。彼はこれまで器質障碍を疑われたことはなかったのだと思います。あったらなんらかの申し送りがきます。彼に何かが欠落しているとは誰も思っていないし、たぶん親も何かは感じつつ、認めてはいなかった。それゆえ受けられたであろう手助けを受けられず、彼は「普通域」に放置されてきたのでしょう。小説という表現をしてもらうことで、初めてそれが私にはわかった。苦しくも、美しい体験でした。人は表現において最も嘘がつけないのでは、という洞察を得た出来事でした。

自分の頭の中を書いてみる

まず知るべきは自分です。自分でないものになることはできず、自分が関心を持つものしか、関心を持たない。それを知ること。知るために、外に出してみること。文字が手軽ですが、録音する人もいます。そして、声高ではない、最も小さな声こそが、自分の大切なことだったりします。そこに至るには、ののしりだろうが悪態だろうが、書いてみる。

みなさんにお勧めするのは、何も点検せず、自分の頭の中をそのまま書いてみることです。加工しないで。まとめないで。「あいつには本当アタマきた」が真実なのに「でも大切な僕の友だち」とかまとめないこと(笑)。感情そのままで、気が散ったらそのままのことを書いてみます。大丈夫、頭の中のことを本当に全部出したら、誰だって狂っているみたいに見えますから(笑)。『ヴァイブレータ』▼という、主人公がトラック運転手を好きになって、一緒にトラックに乗って旅する小説で私はそれをやってみた。小説の前半のある部分をちょっと読んでみます。

ああまたお喋りしはじめる。自分の中でべらべらべらべらべらべらべらべらべら。それもループでべらべらべらべら。

うるさいぃぃぃぃぃ！　とうとうあたしはきれて言った、

▼**『ヴァイブレータ』**
ある雪の夜、コンビニにワインを買いに来た三十一歳の女性ルポライターを主人公とする小説。一九九九年芥川賞候補作。多数の言語に翻訳されたほか、寺島しのぶ、大森南朋の主演で映画化された(廣木隆一監督、荒井晴彦脚本)。

のか強く強く念じたのか、そしたら声たちは静まって、頭の中がしーん。また思わず周りを見回した。ふつうの深夜のコンビニエンス・ストア。三月十四日は、ホワイト・デー！　ほーんめいのカレから、お返しは来るか？　おとこのこはカノジョの愛に！　応える日っ。声には出てなかったらしい。てめえらこんな人工欲情装置にひっかかってんじゃねえよと心で毒づく。誰も私に、よくも悪くも注目しない。あなたとコンビにファミリーマート。おかしくない。おかしくは見られてない。大丈夫。きっとあたしの頭の中には思考が多すぎるそれだけ。なんに見えるかなふつうでしょ飲み会があって遅くなったOL？　だめOLにしちゃかっこ派手すぎ。あやしーよ。なんてあたしは気にしすぎ、きっとそれだけ。あるいは実行できなかった自分が自分に復讐する？　やりこめられるままになってないでこうすべきだった自分、抗すべきだった自分が全部文章になってずらずら流れている。そんなの普通だ。相手の弱点ていうかここを突けば崩せたのにっていうのは後からわかる。いつものことだ。あたしは理解するのがいつも遅い。

だから、書くのか？

声が再びきた。男性のような無性の合成ヴォイスのような、無機的な声。

訊くな！　あたしは振り切るように、首を振った。訊くな根源的なことを、あたしに、訊くな。あんた誰か知らないけど。あたしに自分の言葉はない。自分の言葉を書けない。仕事で人の話をいっぱい聞きすぎたからか。あたしには何も、何もない。だから人の気持ちで空白を埋めたかった。へたり込みそうな無力感が肩のあたりにのしかかってきた。自分がいちばん知りたくない答えを、自分で出してしまった。

やめてくださぁい……そのとき今までで最も弱々しい呟きのような声が、懇願した。コントロール下に全くない声は、いつもテンションが上がりきったときか疲弊したときかにふっと湧く。……けんかは、と、消え入りそうにそれは言った。それが誰の声かはわからない、懐かしい声のようであり、この世に存在するすべてを縒り合わせて細く圧縮したような声であり、薄く弱った自我のバリアの空気孔のような所から立ち昇る。

あるとき仕事の場でセクハラじみたことを言われ、言い返せなかった自分がものすごく悔しかった。あとになって地団駄を踏んだ。そういうとき、頭の中が言葉でいっぱいになります。きっと多くの人にありますよね。言い返せなくてくやしかったときに後から頭の中で声やシミュレーションが止まらないって。でもそれ本当に書いてみる人が少ないのです。その頭の中をここで全部書いてみました。

私の頭の中のリアルはこうなんだ、誰にも理解されなくてもいい。そう思って、私の秘密をちょっと出したと言ってもいいでしょう。意外にもそれまでに書いてきたなかで一番反響があり、売れたのです。「なんで私のことが書いてあるんだろう」という声をもらいびっくりしました。このとき、自分が隠しておきたいことでも出していいんだ、と私は感じました。でもやはり隠したいことはあります。いつもすごい勇気が必要ですが。

『東京プリズン』で書いた私の傷

私にはアメリカに留学した経験があります。経歴的にはいいのですが、内実は、日本の中学校であまりうまくやれてなくて、じゃあアメリカに行きなさい、と半ば強引に親が私をアメリカの高校に入れたのです。その結果アメリカではもっと適応できず、帰国子女のなり損ないみたいになり、留学はしたが失敗したことは、私の人生の黒歴史になっていました。家族には、なかったことにされ、私は別のことでがんばったけれど常にむなしかった。これはできれば隠しておきたいことでしたが、あるときそれを書かざるを得ないと思いました。私はそこを見ないと一歩も先へ進めないし、それは、日本という国もどこかそうではないかという直観があったのです。

おそらく傷があるところには宝物もある。傷は気づきがつまった場所です。

自分の場合もそうでした。そして傷について考えてゆくことで、日本の戦後のおかしさにも気がついた。それが『東京プリズン』▼という小説です。

日本の近過去の歴史を見ると、奇妙なことに気づきます。「負けたのにうまくいきすぎている」ということです。第二次世界大戦で、日本はこれ以上ないほどひどく負けましたが、それにしては復興が早すぎるし、良すぎます。二つに分割されていてもおかしくなかった状況で、です。ドイツがそうだったように。少し後に朝鮮半島に起きたことのように。でもそうはならずに「奇跡の復興」を遂げた。

これは日本人の努力ももちろんあるのでしょうが、世界情勢の中でのアメリカの立場と力なしには、不可能だったことです。アメリカこそが、現在の繁栄の元です。そしてこうも思います。日本人は「アメリカを愛しすぎている」「愛しすぎてきた」。これは、相手に愛されなくなっても続き、現在はそういう問題があります。

さかのぼって考えると、それまで敵として憎んだものを、打って変わって愛するには、日本人には「心の操作」が必要になりました。そこで「日本人は歴史の連続性を切った」と私は考えています。「心の連続性を切った」とも言えます。そのひとつの現れが、私の家にも私の両親にもあり、そして私自身にも、継がれたのではないか。

戦争経験者である私の母親がこう語ったことがあります、「自分には二つの

▼『東京プリズン』
二〇一二年、河出書房新社。第六十六回毎日出版文化賞、第十六回司馬遼太郎賞、第二十三回紫式部文学賞受賞作。「私の家には、何か隠されたことがある。そう思っていた」というエピグラフから物語が始まる。

人生がある。昭和二十年（敗戦の年）以前の私と、以後の私と」。その二つの自分はつながっていない、別のものだ、ということです。たった一言なのですが、重いし、とても怖い。自分がつながらない、というのは、心が壊れた人であり、そういう人が、実は大多数だったということです。また、大多数がその心のうちを、「秘密」にして、それ以外のことを頑張ったということです。このことを、もっともっと考える必要があると思いました。経済成長という語と数字の陰にあるもの。もっと言えば経済成長を成し遂げた「心」のこと。何かを忘れたふりをしなくては、あそこまで頑張ることは難しかった、とも思います。

壊れた人たちに直接育てられたのが私であり、後続世代は、もっとよくわからない壊れ方のうえに成り立ちます。ぶっ壊れたものは、意識的に直そうとしなかったら、自然に直ったりしないからです。そして法や制度や情報や思い込みがそれのうえに次々できます。現在の日本社会の生きづらさ息苦しさの直近の原点は、そこに在ると思います。私はそれを扱いたいと思いました。それは私という個人が、その傷から立ち直ろうとすることでもあったのです。個人の傷であり、集合の傷であることから。

「小説じゃないと書けなかった」

あんなふうに戦争に負けたのに、敵国だったアメリカを戦後ものすごく好きになるのは、素朴に考えておかしなことです。自分の娘を、勉強ができないんだったらアメリカにやってしまおう、と思うには、アメリカに対する相当の信頼がなければならない。親の世代のアメリカに対する気持ちを見ていると、どこかで歴史が切れているように感じます。そして何かに対して感情的になって過敏に反応したり、ものすごく鈍感に神経を麻痺させているようだったりする。これは何だったんだろうか。

結論を言えば、ここには戦後日本の大きな問題と、私の小さな問題とが同じかたちをして存在していました。

日本の戦後処理の問題点は天皇の戦争責任がうやむやにされたことでは、とまでは子どもでも考えつけるのです。戦争の最高責任者だった天皇が東京裁判で裁かれていないわけですから。なぜ責任を問われなかったかを聞くと、親やまわりの大人たちはものすごく感情的に怒りました。それはどうしてなんだろう。子どもも時代に感じた疑問を、最初から深く掘り下げていたわけではありませんが、その後どうしてもおかしいと思い、最初は評論を書きました。評論で扱うべき硬いテーマだと思ったのです。しかしそれはうまくゆきませんでした。

東京裁判とは何かを取り上げる『東京プリズン』を書いてみて、ああこの問題は小説じゃないと書けなかったんだ、と気づかされました。論理的に正論をぶつけると相手は怒ってしまう。天皇の問題を、他の国の支配者の問題のようにドライに扱えなかった。それを考えるうち、親子関係とも似ていると気づいていきます。

小説のかたちで、感情も込められた表現にしてはじめてわかることがあった。加えて、キャラクターっていうのはいいものだなと思いました。ある立場を際立たせるために、あからさまに敵対する立場をつくることもできるからです。これは、言い方を変えれば、「一人の視点では思い至れないことがある」ということでもあります。考えを展開するのに、一人ではできない。

そもそも私が東京裁判に興味を持った理由は、母が英語科の学生だったとき、裁判資料に関わったらしいと知ったからです。英語をできる人が少なかったのですね。でもそのことは母から直接聞いたことはありませんでした。あるとき祖母から聞いて知った。私が、母にそのことを聞くと、母はすごく感情的に怒りました。そして、この反応は何だったんだろう、という思いが残った。あとで触れますが、私と母の間にあった葛藤を使いながら、日本の戦後処理がどのようなものだったか、大人たちが感情的になる傷や秘密の背後に何があるのか、ディベート形式を使って問うてみたのがこの小説です。アメリカに留学した十六歳の主人公はあるとき、昭和天皇に戦争責任があるかというテーマのディベートをすることになります。

「自分の立場を表現で超えること」

ディベートをやったことのある人はいますか？　ディベートは、ある論点に対して、強制的に肯定否定どちらかの立場に立たされます。スポーツみたいなもの。自分のチームのためにしか得点できない。この点が小説には大事だったと思います。『東京プリズン』では主人公は、自分に関わる重たい問題である天皇の戦争責任について、自分の考えではない立場に置かれ、語ることを求められます。その役を無理にでもする、ということです。そのとき人は何を感じるのか。小説で書いてみると、ある種の入れ物のようになった人物が自分の考えを超えたことを語る、という話になりました。役者に役が降りてくるような状態。

小説という表現に可能性があるとしたら、自分の立場を超えられることにあります。ある人の立場から見た世界は自分から見た世界とまったく違う。そのことが身をもってわかる。この小説を通じて改めてそのことを思わされました。ディベートや小説のキャラクターを作ることを通じて、実際に自分が別の人になってみると、平行線だと思っていた問題に第三の案が見つかったりします。実生活でも、私は実際にやってみたことがあります。

母はほとんど笑わない人でした。子どもは傷つきます。お母さんに喜んでほしくて、子どもの私はなんでもやってしまう。あるとき私は椅子を用意して、椅子にいる母を想像して心に詰まっていることを聞いてみた。母の座につくときは母になりきるのです。「ママ、どうして笑ってくれなかったの？　私、寂しかった」と。次に、私が椅子に座ってみる。そのとき私の口から、「ごめんなさい、私がばかだったわ、もっと笑えばよかった」という言葉がするっと出てきました。母は最近亡くなったのですが、亡くなったあとになっても、笑ってくれなかったことが私に傷として残っている。でも「私がばかだったわ、もっと笑えばよかった」という言葉が出てきたとき、すごく笑えて、楽になりました。自分の立場を超えることにはそういう力がある。これはゲシュタルト療法と言われることもあります。代役を使うこともあります。ものや人形に言う。

こんなテクニックもあります。エンジニアにとって、些細なことで全体を狂わせたり止めてしまうプログラムのバグはものすごく怖いもの。そのバグを発見するための告白部屋があるといいます。その部屋に入ると、くまのぬいぐるみが置いてある。くまちゃんに向かって「このプログラムがうまくいかないんだけど、どうしてかな」と話しかける。そうしているうちに、ああそうか、ふんふん、なるほどそうなんだ、という具合に、問題はひとりでに解決する。くまちゃんの存在自体は都市伝説かもしれませんが、何かに告白することのこういう効果は本当にあります。『アンネの日記』▼は、日記帳を友だちに見立てて語りかけていいます。

あなたの中にある本当に美しいもの

何かの手段を使って自分の中の問題を「外在化」することがすごく大切なのです。繰り返しになりますが、たとえばノートに書いてみることでもいい。とにか

▼**『アンネの日記』**
ナチス・ドイツ占領下のオランダで、ひとりのユダヤ人の少女アンネ・フランクが残した日記。アンネは強制収容所送りを逃れるため、家族ら八人で隠れ家に潜んで生活していた。八人は摘発され、戦後日記を出版した父を除いて、全員が収容所で命を落とした。

く頭の中にあるものをゴミでも宝石でも出してみる。私がしたように椅子を使った演劇的方法でも、くまちゃんを話し相手に使っても構わない。

私がこのことを力説するのは、どんな人だって隠す領域が少ないほうが生きやすいからです。たとえ隠していることそのものは僅かだとしても、隠すために大きな労力を使っていたりします。こんなこと言ったらあの秘密を悟られてしまう、と怯え、秘密を隠しながら暮らしてゆくのはたいへんです。

創作を教えることを通じて人を見ていて、ああこの人はここを出したらとても素敵だなと思うことがあります。そして、それを外に出すことが、本人にとっては危ういことに思えていることもよくわかる。それでもやっぱり、そこがあなたの美しいところだ、と私は言い続けてきたつもりです。

みなさん一人ひとりの中の最も美しいところは、あなたのほかにはまったく存在していません。文字どおりオンリーワン。あなたの中の核みたいなところにあるものを外に出せたなら、それが他の誰かと同じであることは決してない。だから、あなたの本当に美しい部分を出し、隠していることを少なくしたり、なくして生きやすくなるためのツールはなんでも使って欲しい。

「表現するという方法」

表現することによって、みなさんの中にある本当に美しい部分、宝物を見つけることができます。はたまた、自分の立場の外に出て、抱えている問題を解決してゆく力が与えられることもあります。

何度も言いますが、隠していることや抑圧している（されている）ことを表に出すのはたいへんです。抵抗がある。その抵抗をできるだけ減らすすごくいい方法として、みなさんに表現することを提案してきました。ポイントは「自分の外在化」。自分をもし外に見ることができたとしたら、どんな欠点も問題も、それはそれで興味深くありませんか？　自分、そんなにダメですか？　けっこうがんばってるでしょう。けっこうかわいくないですか？

表現すると言っても、なにも小説を書こうとしなくて構いません。きれいに作文しなくてもいい。大切なのは最初に自分をごまかさないこと。死ね死ね死ね死ねと考えていたら、それを書けばいい。毎朝そんな言葉を書き出すメソッドを習慣にしていたことがあります。死ねとか、みんな破滅しろとか。そういうことを言葉にしてたくさん書き出していると、たぶん本当の破壊行動はしない。

破壊衝動について言えば、私はカウンセリングにかかっていたほど、暴力衝動を持っていたことがあります。そのとき言われた「安全に狂う必要があります」という言葉が忘れられません（笑）。そのメソッドはまた別のことがあるのですが、いまは割愛します。まずは、怒っていたら、怒っていると認めること、憎いなら憎いと認めること。

相手がいたら、相手に生で直接、感情をそのまま言葉にしてぶつけると、その言葉に自分が引っ張られて、相手もまた新しい怒りを発明してしまったりする。だから「＊％＠％＊＆●▷！！！」という具合にデタラメな言葉に自分の感情を乗せるというメソッドもあります。これは効きます。そのうえで、「わたしはあなたのこういうところに怒っている」という事実を伝える。

さて、怒っているのも喜んでいるのも、悩んでいるのも悔しいのも、すべては同じエネルギーです。外に出てきたかたちや付けられたラベルが違うだけ。怒っているエネルギーがあったら、私は怒っている、とまず知ったほうがいい。

そのために書いてみる方法もあるし、踊ったり、クッションを殴る人とかもある。このエネルギーを何かのかたちで出してみるのが表現することです。

表現とは書くだけではありません。表現とは自分の中のエネルギーを認めて、それを抑圧したり変形することなく、外に出すこと。まずは誰にも見せる必要はありません。自分の感情を否定せず、そのエネルギーをできるだけ自分が生きやすくなるように使ってください。できるだけ破壊行動をすることなく、自傷行動をすることなく。

それに加えて、自分の秘密を打ち明けられる人がいるといいですね。

経験上思うことなのですが、自分一人で対応できることと、人が要ることがあります。誰かに「立ち会ってもらう」というのが大切なときがあります。基本的には「立ち会ってもらう」だけでいい、誰かがそれを見てくれる、というのが大事なのだと、私は思っています。

Q&A

――自分の秘密ってなんだろうと考えてゆくと、知りたくなかった自分、信じたくない自分に出会ってしまうかもしれません。そんな怖さはありませんか。

その怖さはよくわかるのです。私自身も、その怖さで、表現を止めていたことがあるくらいです。核心に近づくほど、怖くなってくるのです。だから、もし私が今あなたにいちばん正直な気持ちを言えるとしたら、「それは私にとっても大事なことで、おそらく多くの人にとって大事なことだから、それについての気持ちを出し合い、考え、対話をしてみませんか？」ということです。

もう少し一般的なことを言ってみます。

真実を知るのが怖くても、真実にはやはりパワーが在ると思うのです。そこは、未知のものへの信頼、いい意味での興味、があるといいと思います。

私の仲のいい友だちに、薬物依存症当事者施設の施設長をしている人がいます。そういう人はその人自身が回復した当事者です。回復した当事者とは、いったん回復してOKとなった人ではなく、常に、戻る危険を自覚しながら、自分をケアし続けている人です。依存物は、やめられればOKというわけでもなく、やめて自殺してしまうような人もいます。そこで彼女に「助かる人はどういう人？」ときいたら、「ある時点で、何かを打ち明けられた人」でした。

そして先程言ったように、それを「外在化」して、外に見てみたとしたら、どうでしょう？　案外、いとおしめないでしょうか。

あと個人的には、「やりきったら、きっとまったく別のものが見えてくる」というのが、信じていることです。問題はそのままあるのかもしれませんが、問題を問題と感じなくなる、ということは、本当にあるので、最後には、それを信じます。

でも怖いです。怖いけれど、なんというか、そこが「魂の在り処」を示すもののように、感じるんですよね。少しずつでいいから、近づいていきたいと思っています。ふるえながらで、いいと思うんです。そしてできれば、ふるえているという自分も、外に出せたら、と思っています。

わたしの思い出の授業、思い出の先生

中学校の理科の近藤昭先生。仮説を立てて世界を見、実験してみることを教えてもらいました。それは私にとっては物語にほかならなかったと思います。アインシュタインの理論だってなんだって物語だと思うんですよね。それと英語の縄手直子先生。言葉って自分で運用できるんだと思った。それと代ゼミの英語長文読解の古藤先生。

あとは、学校ではないのだけど、仕事を通して出逢った人たちの姿から学ぶことが多かったです。バイトさせてくれた生井英考先生（現立教大学）、最初の雇用主でグラフィックデザイナーの大類信さん、最初の編集担当者だった河出書房新社の阿部晴政さん。石牟礼道子さんに一緒に会った縁で師事した劇演出家の笠井賢一先生。その人物の身体になって読むということを教わり、『平家物語』のオッサン武者熊谷直実にボロ泣きしました。

わたしの仕事をもっと知るための3冊

どんな本に影響を受けたか考えてみると、知覚を描いたSFのジョン・ヴァーリイ『残像』（ハヤカワ文庫）、片岡義男の音楽と社会の評論『ぼくはプレスリーが大好き』（角川文庫）、生井英考『ジャングルクルーズにうってつけの日――ヴェトナム戦争の文化とイメージ』（岩波現代文庫）。

高校生と考える日本の論点2020-30

桐光学園大学訪問授業

二〇二〇年四月三十日　第一刷発行

編者　桐光学園中学校・高等学校
〒二一五―八五五五　神奈川県川崎市麻生区栗木三―十二―一
TEL：〇四四―九八七―〇五一九（代表）
http://www.toko.ed.jp

発行所　株式会社左右社
〒一五〇―〇〇〇二　東京都渋谷区渋谷二―七―六―五〇二
TEL：〇三―三四八六―六五八三　FAX：〇三―三四八六―六五八四
http://www.sayusha.com

装幀　松田行正＋杉本聖士

印刷　創栄図書印刷株式会社

ISBN978-4-86528-271-9

桐光学園大学訪問授業シリーズ

高校生と考える 世界とつながる生き方

石川九楊、川俣正、木村草太、隈研吾、黒崎政男、香山壽夫、近藤譲、酒井啓子、桜井進、佐々木敦、杉田敦、千住博、千田有紀、千葉雅也、月尾嘉男、西崎文子、長谷正人、原武史、平田オリザ。

桐光学園大学訪問授業 本体1600円

高校生と考える 人生のすてきな大問題

五十嵐太郎、内山節、荻野アンナ、小野正嗣、加藤典洋、苅部直、合田正人、佐伯啓思、鈴木貞美、竹宮惠子、田原総一朗、張競、内藤千珠子、浜矩子、細見和之、本田由紀、松井孝典、松田行正、丸川哲史、森田真生。

桐光学園大学訪問授業 本体1700円

高校生と考える 希望のための教科書

飯尾潤、磯﨑憲一郎、一柳慧、井上章一、臼杵陽、大島まり、小平麻衣子、門脇厚司、金井景子、玄田有史、坂本龍一、島薗進、高橋悠治、谷川俊太郎、中沢けい、成田龍一、沼野充義、根岸英一、東直子、水野和夫、吉増剛造、李禹煥。

桐光学園大学訪問授業 本体1600円

高校生と考える 21世紀の論点

阿部公彦、伊藤亜紗、井上寿一、植本一子、大崎麻子、大澤聡、樺山紘一、貴戸理恵、島内裕子、島田雅彦、竹信三恵子、多和田葉子、土井善晴、富永京子、中谷礼仁、仲野徹、野崎歓、長谷川逸子、波戸岡景太、羽生善治、早野龍五、古川日出男、穂村弘、前田司郎、丸山宗利、三中信宏、三輪眞弘、やなぎみわ、山本貴光、若松英輔。

桐光学園大学訪問授業 本体1800円